KB196085

도덕 발달의 이론과 적용

울력 진석찬 문고

Moral Development
Theory and Applications

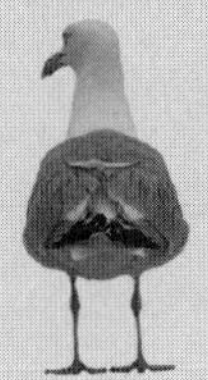

도덕·인성교육, 상담, 사회복지, 특수교육 분야에서

도덕 발달의 이론과 적용

엘리자베스 보졸라 지음
정창우 옮김

울력

도덕 발달의 이론과 적용(울력진석찬문고)

지은이 | 엘리자베스 보졸라
옮긴이 | 정창우
펴낸이 | 강동호
펴낸곳 | 도서출판 울력
1판 1쇄 | 2018년 10월 20일
등록번호 | 제25100-2002-000004호(2002. 12. 3)
주소 | 서울시 구로구 경인로35길 129, 4층(고척동)
전화 | 02-2614-4054
팩스 | 02-2614-4055
E-mail | ulyuck@hanmail.net
가격 | 19,000원

ISBN | 979-11-85136-44-8 93370

이 도서의 국립중앙도서관 출판예정도서목록(CIP)은
서지정보유통지원시스템 홈페이지(http://seoji.nl.go.kr)와
국가자료공동목록시스템(http://www.nl.go.kr/kolisnet)에서 이용하실 수 있습니다.
(CIP제어번호: CIP2018031148)

한국 독자들에게 보내는 인사

서울대 윤리교육과 정창우 교수께서 내 책을 한국어로 번역하게 된 것을 무한한 영광으로 생각합니다. 나는 한국이 오랜 도덕교육 전통을 가진 나라임을 잘 알고 있고, 또한 이 책을 통해 흥미롭고 매력적인 이 분야에 대한 여러분들의 관심이 한층 증진되기를 바랍니다. 이 책에서 다루고 있는 도덕 발달 이론들은 대부분 유럽과 북미에서 개발된 것들이지만, 보다 최근에 '도덕교육을 위한 아시아 태평양 네트워크(APNME: Asia Pacific Network for Moral Education)'에 참여하고 있는 아시아 학자들은 이 분야에서 중요한 기여를 하고 있습니다. 특히 그들은 무엇이 옳고 그른지, 좋고 나쁜지에 대한 우리의 생각에 문화가 어떤 영향을 미치는지에 대한 지식 체계를 확립하는 데 학문적으로 기여하고 있습니다.

동료 교수들 및 교사들로부터 이 책에 대한 긍정적인 반응을 받아온 것에 대해 깊이 감사드리며, 이 책이 무엇보다 학부 및 대학원 석·박사 과정생들을 이 분야에 입문시키기 위해 집필되었음을 밝히고자 합니다. 만약 이 책을 활용하여 사려 깊은 토론 및 심층 탐구로 나아갈 수 있다면, 저자로서 그보다 더 큰 기쁨은 없을 것입니다. 분열과 폭력의 시대에 공감, 복잡한 도덕적 추론, 그리고 윤리적 행위를 촉진시킬 수 있는 방법을 찾는 것은 차츰 더 중요해지고 있습니다. 나는 이 책이 독자들의 학문적, 교육적, 개인적 삶과 경력에 유용한 정보와 아이디어를 제공할 수 있기를 기대합니다. 독자들 모두 건승하시길 진심으로 기원합니다.

미국 성 요셉(Saint Joseph) 대학교 심리학과 교수
엘리자베스 보졸라 드림

옮긴이 서문

이 책의 저자인 엘리자베스 보졸라는 도덕 발달 및 도덕교육 이론들을 매우 포괄적으로 다루면서도 균형 잡힌 관점을 유지하며 비판적인 리뷰를 제공하고 있다. 전체 분량이 200쪽도 채 되지 않는 얇은 단행본이지만 도덕 발달에 대한 대표적인 고전적, 현대적 이론들을 망라하여 다루고 있으며, 주로 언급되는 도덕 발달 이론가에는 프로이트, 피아제, 콜버그, 레스트, 길리건, 나딩스, 반두라, 호프먼, 튜리엘, 누치, 셀먼, 슈웨더, 하이트, 나바에츠 등이 포함된다. 또한 보졸라 교수는 도덕 발달 및 상담 맥락에서 실천적 적용을 시도해 왔던 대표적인 교육 이론이나 수업 모형 및 프로그램 등도 폭넓게 제시하고 있으며, 여기에는 가치 명료화, 인지 발달 접근, 인격교육, 글로벌/다문화 윤리 교육, 영역 접근, 통합적 윤리 교육 모형(IEE), 숙고적 심리 교육 모형(DPE), RALLY 프로그램, EQUIP 프로그램 등이 포함된다.

이 책에서 보졸라 교수는 어떤 도덕 발달 이론이 의미 있는 이론으로서 진정한 가치를 인정받기 위해서는 우리의 삶을 변화와 성장으로 이끌고, 문제를 예방하며, 과거를 치유하는 데 기여해야 한다고 강조한다. 그러면서 도덕성 발달 촉진은 "어떻게 살아야 하고 무엇을 해야 하는가?"라는 물음(소크라테스, 톨스토이, 콜버그 등의 공통 질문)에 대한 진지한 탐구와 성찰을 가능하게 하는 데 초점이 맞춰져야 한다고 역설하고 있다. 또한 이 책에서는 도덕성의 특정 구성 요소라든가 도덕성 발달에 영향을 미치는 특정 요인에 과도하게 집중함으로써 숲을 보지 못하는 우(愚)를 범하지 말고, 인간으로서 인간답게 살아갈 수 있는 힘을 길러 주기 위해 교사나 상담가와 같은 조력 전문가들이 어떤 역할을 해야 하는가에 초점을 맞추고 있다. 이런 이유에서 이 책은 도덕교육 전공자를 중심으로 인성 교육, 인간 발달, 상담, 사회복지, 특수교육 등을 공부하는 사람들에게도 매우 유용한 정보 및 지식을 제공하고 있다.

이 책의 가장 큰 장점은 일반적으로 개론서가 갖추어야 할 특성, 즉 비판적 리뷰를 일정 정도 하면서도 편중된 시각을 갖고 있지 않다는 조건을 충족시키고 있다는 점이다. 이 책에서는 대표적인 도덕 발달 및 도덕교육 이론별로 각 이론의 빅 아이디어(big ideas)와 강점 및 한계를 포괄적으로 다루고 있고, 전체적으로 볼 때 특정 이론이나 이론가를 선호하거나 지지하지 않고 있다. 예를 들어, 대학원 지도 교수인 히긴스(콜버그의 제자이면서 정의 공동체적 접근의 권위자)의 영향을 받은 학자답게 정의와 같은 보편적 가치와 원리, 도덕적 사고의 중요성 및 도덕적 의미의 자기 구성 등을 중시하면서도, 현대 신경 과학 및 진화론, 문화심리학 등에서 강조해 온 도덕성의 생물학적, 문화적 기원 및 영향력, 도덕적 직관 및 정서 등의 중요성에 대해서도 의미를 부여한다.

이 책은 보졸라 교수가 도덕 발달 및 도덕교육 분야에서 거의 20년을 가르치고 워크숍을 제공하면서 수집한 각종 자료와 이 분야를 대표하는 학자들과의 직접적 만남을 통해 얻은 인터뷰 자료 등을 풍부하게 활용하여 집필한 것이다. 따라서 이 책은 학부나 대학원 과정에 개설된 도덕 발달 및 도덕교육 관련 과목 운영을 위해서도 매우 편리하고 유용하게 활용될 수 있는 장점을 지니고 있다. 이 시대의 대표적인 도덕 발달 이론가들의 목소리를 생생하게 담은 인터뷰 내용은 해당 학자의 문제의식을 이해하는 데 도움을 줄 것이다. 또한 각 장의 주제와 관련된 영화, 도서 등이 포함된 '미디어에서의 도덕성,' 각 장에서 다루는 도덕적 이슈와 관련된 '오늘날의 딜레마' 사례, 그리고 각 장의 말미에 제시된 '토론 문제'와 '추가 자료'는 각종 미디어 자료와 딜레마, 강연 자료, 유용한 사이트 등을 활용하여 숙고와 토론의 기회를 풍부하게 제공한다. 이와 더불어, 보다 최근의 선행 연구들에 제시된 논의들을 풍부하게 반영하여 각 이론의 강점과 약점을 〈표〉 형태로 제시한 것은 독자들에게 복잡하고 다양한 이론들을 체계적으로 이해하는 데 도움을 제공하고 있다.

끝으로 이 책이 출판되기까지 도움을 주신 분들께 감사의 말씀을 드린다. 특히 2016년 2학기에 '현대도덕교육이론연구' 과목을 수강하면서 각 장별로 발표를 하고 토의 · 토론에 적극적으로 참여해 준 석 · 박사 과정생 석자춘, 이혜정, 김민지, 김은수, 김수진, 박지영, 황성만 선생에게 진심으로 고마움을 전하고 싶다. 이들의 도움이 없었다면 이 번역서는 결코 빛을 보지 못했을 것이다.

사가독서(賜暇讀書) 중에
역자 정 창 우

차례

Moral Development
Theory and Applications

제2부 이론의 실천적 적용

일러두기

1. 이 책은 Elizabeth C. Vozzola가 지은 *Moral Development: Theory and Applications* (Routledge, 2014)를 텍스트로 하여 번역한 것이다.
2. 원서에서 볼드체로 표시된 것은 태명조체로, 이탤릭체로 표시된 것은 중고딕체로 표시하였다.
3. 본문에서 책과 잡지 등은 『 』로, 논문이나 기사는 「 」로 표시하였다. 그리고 영화 등의 작품은 〈 〉로 표시하였다.
4. 본문 중의 각주는 모두 옮긴이의 것이다.
5. 일부 장의 제목과 부제는 옮긴이가 그 내용을 더 명확히 전달하기 위해 변경하였다.

이 책을 "어떻게 살고 무엇을 할 것인가"에 대한 중요한 교훈을 주었던 나의 부모님 Elly van den Berge Vozzola와 고(故) Peter John Vozzola, 오랜 세월 동안 사랑, 지지와 격려를 보내 준 내 삶의 파트너 Paul Cimbala, 그리고 많은 재능들이 사랑하는 마음을 통해 여과되어 좋은 아이로 성장해 준 나의 두 아들 Vincenzo와 Peter에게 바친다.

머리말

개관

이 책은 상위 수준의 학부생 및 대학원생, 특히 심리학, 상담, 사회복지, 간호/보건, 그리고 교육과 같은 응용 분야를 전공하는 사람들을 위해 도덕 발달 이론 및 적용을 개략적으로 설명하기 위해 쓰인 것이다. 특히 이 책은 도덕 발달에 대한 과목의 주교재로 활용되거나 도덕 발달에 강조점을 두는 발달 이론 혹은 적용 관련 과목의 부교재로 활용될 수 있다. 또한 실천적인 성격을 띠고 있기 때문에 관련된 분야의 전문직 종사자들에게 유용할 수도 있다.

이 책은 다음과 같은 두 가지 방식으로 도덕 발달 영역에 대해 살펴볼 것이다. 하나는 **사람들이 옳음과 그름을 이해하는 방식에 있어서 시대(시간)와 경험에 걸친 변화**이고, 다른 하나는 **도덕 판단, 정서, 그리고 행동에 있어서 개인차**이다. 어떤 관점은 도덕적 행위 원칙들이 사회에 의해 설정된다는 점을 강조하는 한편, 다른 관점은 이 원칙들이 발달하는 아동에 의해 능동적으로 구성된다는 점을 강조하며, 또 다른 관점은 우리의 도덕 판단, 정서, 행동에 있어 중요한 생물학적 기초가 있다고 주장한다.

상대적으로 소규모의 전공 영역으로 간주되기도 하지만, 도덕 발달은 아주 넓고 흔히 복잡한 이론 및 연구 토대를 자랑할 수도 있다. 그러므로 도덕 발달에 대한 고려는 정보에 대한 관리가 가능한 영역으로 제한할 필요가 있다. 이 책은 특별히 체계적으로 연구가 이루어지고 적용과 직접적으로 연결된 접근에 우선적으로 초점을 맞출 것이다. 나는 이 책에 제시된 관련 이론과 연구에 대한 간결한 논의가 여러분 스스로 추가로 공부하려는 욕구를 자극할 수 있기를 기대한다. 이 책은 이론과 연구에 대해 심층적으로 검토하도록 요구하기보다 조력 전문가가 되는 데 유익한 사례들 및 관점들에 초점을 맞춘 풍부하고 폭넓은 도덕 발달 자료들의 종합으로서 제공되는 것이다.

도덕 발달 분야에서 거의 20년을 가르치고 워크숍을 제공하면서 나는 도덕 발달 및 도덕교육에 대한 사람들의 갈증과 필요로부터 지속적으로 깊은 인상을 받아왔다. 나는 도시 학교의 학부모 집단으로부터 학부생, 대학원생, 유능한 교사 및 상담가에 이르기까지 이 책에서 제시된 장들의 일부와 유사한 유인물을 제시해 왔다. 이들이 가진 배경은 매우 상이했지만 몰입과 통찰은 매우 유사하였다. 이들 모두 그 지식을 그들의 삶과 직업에 즉각적으로 적용해 볼 수 있었기 때문에 도덕 발달에 대해 공부하고자 하는 강렬한 동기가 일어났다고 나는 믿는다.

부모, 교사, 연구자, 그리고 상담가로서 나의 경험에 의존하면서 나는 다음과 같이 스스로 묻기 위한 시도를 언제나 해왔다. 도덕 발달에 대한 지식을 자신이 몸담고 있는 세계 속으로 가져가기를 원하는 사람들에게 어떤 정보가 유용할 것인가? 적용을 강조하는 이 책은 여러분이, 전문직 종사자이든 아니든, 여러분의 실천력을 향상시키기 위해 이 책을 읽거나 수업에서 학생들에게 읽히면서 이론과 우리 시대의 중요한 도덕적 이슈를 서로 연결하게 될 것이라는 나 자신의 진정한 기대를 반영한다. 당신은 이 책에 제시된 토론 문제들이 이러한 연결에 도전하도록 한다는 점을 알게 될 것이다. 또한 나는 결론 부분에서 "무엇을 하고 어떻게 살 것인가"에 대한 나의 생각을 공유할 것이다.

대부분의 교재들이 젠더와 민족성 이슈를 다루고 있지만, 이 책의 한 가지 고유한 특징은 학생들이 글로벌 문화의 이슈들에 대한 이해가 새롭게 요구되는 상황 및 세계에서 생활하게 될 것이라는 점을 인정하고 있다는 것이다. 도덕 발달을 보는 글로벌 관점에 대한 장(제6장)은 중요한 일부 이론가들의 저작들에 나타난 도덕성의 문화적 측면에 대한 아이디어들을 체계화할 뿐만 아니라, 중국, 라틴아메리카, 아프리카, 이슬람 세계의 사례들과 새로운 관점들을 포함한다. 그리하여 젠더와 민족성에 관련된 이슈들이 교재 전체에 걸쳐서 통합되는 반면, 글로벌 관점에 특별한 강조점이 두어지게 된다.

구체적인 특징들

각 장은 두세 개의 토론 문제로 끝이 난다. 이 문제들은 여러분이 각 장에서 다룬 아이디어 및 개념들과 여러분 자신을 서로 연결하도록 돕기 위해 마련된 것이다. 또한 각 장은 추가 자료들에 대한 간략한 목록으로 끝이 난다. 이 자료들에 대한 탐구는 보강 수업, 가산점 혹은 강의 주제에 대한 보고서 작성을 위한 자료로 활용될 수 있다.

이 책은 주도적인 발달 이론가들, 실천가들, 그리고 연구자들이 그들의 연구 성과에 대해 논하는 "해당 분야 리더들과의 인터뷰"란을 여러 장에서 제시하고 있다는 특징이 있다. 나는 이와 같이 해당 분야의 리더들에게 특별히 의미 있는 연구 성과에 대한 심층 학습을 통해 그들의 연구와 이론을 보다 생생하게 전해 줄 수 있기를 기대한다.

일단 이론적인 내용을 다루고 나면, 여러분은 이론을 실세계의 상황에 적용하도록 돕기 위해 구안된 "오늘날의 딜레마"란을 살펴볼 것이다. 딜레마 활동은 여러분 자신의 도덕적 원칙에 대해 검토해 보도록 돕고, 토론이나 짧은 글쓰기 활동을 위해서도 사용될 수 있을 것이다.

적용이 이루어지는 장에서는 해당 장에서 제시된 개념들을 예시하는 책이나 영화에 대한 추천이 담긴 "미디어에서의 도덕성"을 포함한다. 나의 학생들이 특히 의미 있게 생각하는 수업 과제는 도덕 발달 이론의 렌즈를 통해 영화 혹은 소설의 캐릭터와 주제를 검토하는 간략한 분석 보고서를 작성하는 것이다.

여러분은 2장부터 5장까지는 각 이론의 강점과 약점을 정리한 〈표〉를, 그리고 8장과 9장에서는 이론적 기초를 적용으로 연결시키는 〈표〉를 접하게 될 것이다. 이러한 〈표〉들은 이론을 보다 잘 이해할 수 있도록 돕기 위해 해당 장의 아이디어들에 대한 간략한 개관을 제공할 뿐만 아니라, 이후에 적용이 이루어지는 장을 읽으면서 다시 이전 내용을 쉽게 확인할 수 있는 자료를 제공하기 위해 만든 것이다. 또한 이러한 이론들이 대두된 배경을 혹은 이를 뒷받침하기 위한 연구들을 이해하도록 돕기 위해 이 책에서는 해당 분야에서 사용된 가장 최근의 연구 방법 및 기법들도 검토한다.

또 다른 강조점은 이론과 동시대의 도덕적 이슈 간에 연결을 돕는 역할을 맡은 오늘날의 조력 전문가들에 의해 이론이 어떻게 사용되고 있는가를 풍부하게 기술한다는 점이다. 제2부의 적용에서 중요한 강조점은 제1부에서 다루어진 고전 이론들을 평가와 논의를 위한 동시대의 가이드라인과 통합하는 것이다. 적용이 이루어지는 장에서는 또한 반사회적 청소년, 사이코패스, 자폐 스펙트럼 장애 진단을 받은 개인들의 도덕 및 공감 발달에 대한 최신 연구를 강조할 것이다.

끝으로, 대학원 상담 수업을 위해 이 책은 인간 성장 및 발달의 공통 핵심 영역과 관련된 '상담 및 교육 프로그램 인증위원회(CACREP)'에서 설정한 교육목표를 언급하면서 수업을 위한 유용한 자료를 제공할 수 있다. 여러 장에서 유능한 상담가가 도덕적, 지적, 윤리적 발달에 관한 인지 구조 이론의 지식을 기술해야 하는 목표를 직접적으로 언급할 것이다.

내용

이 책의 제1부는 현대 도덕 발달 영역이 의존하고 있는 고전 이론들에 대해 탐구할 것이고, 전통적 발달 교재에서 거의 다루지 않았던 최근 이론 및 방향성에 대해서도 살펴볼 것이다. 모든 발달 교재는 프로이트, 피아제, 콜버그, 길리건을 다루고 있지만, 이 책에서 여러분은 나딩스의 배려 윤리, 반두라의 도덕적 이탈 이론, 튜리엘의 영역 이론과 같이 중요하지만 비교적 덜 알려진 이론들을 살펴보게 될 것이다. 교육자로서 나는 언제나 우리가 토론해 온 핵심적 '빅 아이디어'를 뽑아냄으로써 수업을 종료하려고 노력한다. 그런 이유에서 제1부의 결론 장(제7장)은 핵심 내용을 요약하고 다양한 이론적 접근의 강점과 약점을 평가할 것이다.

제2부에서 나는 교육과 상담 분야에서 도덕 발달 이론의 효과적인 적용을 강조한다. 예를 들어 건전한 발달 이론에 기초한 인격교육 프로그램들은 오늘날 공교육이 직면한 도전에 대응하기 위한 구체적인 가능성을 보여 준다. 만약 당신이 교육 분야에 몸담고 싶다면, 이 책에서 특별히 유용한 추가 자료로 소개한 것들의 일부를 찾아볼 필요가 있을 것이다. 전문직 교육과정 편성에 영향을 미치는 자격 취득 요건 강화로 인해, 오늘날 더 적은 수의 상담가, 심리학자, 혹은 사회복지사 등이 내담자의 인지적, 정서적, 행위적 문제들을 더 잘 이해하는 데 도움이 될 수 있는 도덕 발달 이론과 실천에 대한 깊이 있는 이해를 얻고 있다. 제9장과 10장에서는 제대로 기능하지 못하거나 발달적으로 부적합한 스키마 수준으로부터 행동 장애 및 사이코패스와 같은 심각한 행위 문제에 이르기까지 다양한 문제들을 가진 내담자를 돕기 위한 구체적인 접근들을 제시할 것이다.

감사의 글

최종적인 해석은(그리고 어떤 오해도) 전적으로 나의 책임이지만, 나는 이 책이 나오기까지 자신의 저작에 대해 나와 함께 얘기할 수 있는 친절함을 베풀어 준 여러 학자들에게 감사의 뜻을 전하고자 한다. Marv Berkowitz, John Gibbs, Tim Hatfield, Ann Higgins D'Alessandro, Dan Lapsley, Darcia Narvaez, Don Reed, Bob Selman, Norm Sprinthall, Steve Thoma에게 특히 감사드린다. 또한 Brigham Young University의 Sam A. Hardy, Muhlenberg College의 Stefanie Sinno, 그리고 Emory University의 John R. Snarey와 다른 익명의 두 리뷰어들에게도 감사의 마음을 전하고 싶다.

이 책을 저술하는 여러 해 동안 나의 가족, 친구들, 동료들은 한결같이 지원을 아끼지 않았다(그리고 인내해 주었다). 오랫동안 결코 지치지 않고 나를 지지해 준 사랑하는 사람으로는 Vincenzo와 Anahid, Peter와 Casey, Anne과 Alan, Mark와 Tema, Tim, Norm과 Lois, Becky, Lance, Mary, Tonya, Lisa, MJ, Maureen, Wayne, Ann, Mark, Rick, Kevin, Joan, Karen, Agnes, 그리고 Ken 등이 있다. 또한 날카로운 눈으로 꼼꼼하게 검토해 준 Gen Next와 지치지 않고

내 원고를 윤문해 준 Amie Senland, 그리고 나 같은 초보 저자가 쓴 초고로부터 최종본에 이르기까지 모양새를 갖추도록 도와준 상냥한 편집자인 Debra Riegert에게도 특별한 감사를 드리고 싶다. 무엇보다 가장 친한 친구이자 삶의 동반자인, 그리고 Cross Bronz Rhythm & Blues Revue의 리더 기타리스트이면서 존경 받는 남북전쟁 역사가인 내 남편 Paul Cimbala에게 감사드린다.

제1부

21세기의 도덕 발달

이론적 근원과 새로운 방향

1. 서론

인류는 우리가 인류의 질문에 대한 기록들을 가지고 있는 만큼 오랫동안 도덕성에 대한 질문에 대해서 숙고해 오고 있는 중이다. 메논이 소크라테스에게 묻는다. "소크라테스, 덕은 교수(teaching)나 실천에 의해서 획득되는 것인지 … 덕은 인간에게 선천적으로 유래하는 것인지, 아니면 어떤 다른 방식으로 유래하는 것인지?"(Plato, 380 B.C.E). 비교적 최근의 심리학 영역에서 인지 발달론자들이 한 범주의 대답들을 전개했고, 행동주의, 정신분석, 사회 학습 출신의 사상가들이 다른 범주의 대답들을 진척시켰으며, 거기에 대해 진화론 관점들이 또 다른 범주의 대답들을 내놓았다.

이 책의 목적을 위해, 나는 **옳고 그른 행위와 판단에 대한 원리**라는 일반적인 언어 용법으로 **도덕성**이라는 개념을 사용한다. 이 책은 두 가지 방식으로 도덕 발달의 범주라는 도덕성의 특수한 영역을 살펴볼 것이다. 하나는 **사람들이 옳음과 그름을 이해하는 방식에 있어서 시간과 경험에 걸친 변화**를 살펴보는 것이고, 다른 하나는 **도덕 판단, 정서, 그리고 행동에 있어서 개인차**를 살펴보는 것이다. 어떤 관점들은 도덕 행위의 원리들이 사회에 의해 만들어진다고 강조해 왔고, 다른 관점들은 도덕 행위의 원리들이 발달하는 아동에 의해 능동적으로 구성된다고 강조해 왔으며, 또 다른 관점들은 우리의 도덕 판단, 정서, 그리고 행위에 중대한 생물학적 기반이 있다고 역설한다.

이 책의 **제1부**는 현대의 도덕 발달 분야가 기대고 있는 고전적 이론들을 탐구할 뿐만 아니라, 전통적인 발달 교재에서는 거의 다루지 않았던 더욱 새로운 이론들과 방향들을 분석한다. 제2장에서 나는 여러분에게 중대한 두 사상가인 프로이트와 피아제의 작업에 대해 깊고 넓은 이해를 제시하기 위해 시도할 것이다. "우리는 거인의 어깨 위에 서 있다"는 상투적인 문구는, 우리가 모든 현대 이론은 프로이트에 의해 서술된 도덕성의 정서적이고 문화적인 구성 요소뿐만 아니라 피아제에 의해 기술된 도덕성의 인지적이고 구조적인 요소들까지 묘사하는 것을 해결하려고 노력해야 한다는 것을 고려할 때, 특히 적절하다.

제3장에서 나는 현대 도덕 발달 분야에서 가장 영향력 있는 사상가인 로렌스 콜버그와 제임스 레스트의 이론들을 제시할 것이다. 피아제와 마찬가지로, 두 사상가는 도덕성의 이성적 측면에 특히 주력했다. 비록 콜버그의 이론이 일반 대중들에게 더 잘 알려져 있지만, 세월과 후속 연구의 시험을 더 잘 견디어 온 미네소타 대학의 레스트와 그의 동료들에 의해서 발전되면서, 콜버그 이론의 도덕성 개념의 범주는 결과적으로 확대되어 왔다.

제4장과 제5장은 대부분의 교재에 등장하는 도덕 발달에 대한 논의 영역과 중대한 차이를 보여 준다. 대부분의 교재에는 프로이트, 피아제, 콜버그, 그리고 길리건을 제시하는 경향이 있지만, 이론과 연구의 역동적인 현황을 다루는 것을 도외시해 왔다. 이것은 마치 현재 살아 있는 가족에 대한 지식이 단지 가족의 가장 유명한 조상들에 대

한 이야기를 듣는 것에서 유래한다고 믿는 것과 같다. 제4장에서 우리는 고전적인 인지 발달 이론들이 캐럴 길리건과 넬 나딩스와 같은 배려 이론가들로부터 제기된, 그리고 보다 최근에 부각된 도덕적 자아/도덕적 성격에 대한 분야와 영역 이론으로 불리는 관점에서 제기된 실질적인 도전들 또한 살펴볼 것이다. 제5장에서 우리는 신경 과학과 진화론적 관점에서 유래하는 중요한 새로운 이론들의 발흥으로 넘어간다.

비록 전문직 전체에 걸쳐서(전문직 프로그램에서 다양성 혹은 차이에 관한 수업은 어디에나 있음) 젠더와 민족성에 대한 이슈들이 미국 교재와 연수 과정에 통합되는 경향이 있지만, 이 책의 고유한 특징은 글로벌 문화에 대한 이슈들을 이해하는 것이 새로운 필수품이 되는 환경(그리고 세계)에서 학생들이 활동하고 있을 것이라는 점을 인정하는 것이다. 예를 들어, 나의 고향인 코네티컷 주, 웨스트 하트포드에 있는 공립학교의 학생들은 65개 언어 사용 지역 출신들이다. 흔히 전문직 종사자라고 하더라도 다양한 문화들에 대한 깊이 있는 이해에 도달했다고 기대할 수 없다. 그러나 제6장은 전문직 종사자가 실제로 직면하게 될 다수의 문화적 차이를 이해하도록 도울 수 있는 매우 중요한 핵심적 도덕 가치들의 틀 내에서 도덕 발달 이론 및 연구, 그리고 쟁점들에 대한 구체적인 사례들을 제시한다.

제1부의 결론 장(제7장)에서는 핵심을 요약하고 다양한 이론적 접근들의 강점과 약점을 평가할 것이다. 우리는 이 부분에서 많은 이론적 연구 기반을 다룰 것이다. 그리고 그러한 모든 설명으로부터 물러서서, "그래서 이 모든 것이 무엇을 의미하는가?"를 묻는 것이 중요하다. 우리는 겉보기에 모순되는 견해들을 어떻게 이해할 수 있는가? 제7장은 우리의 지식 기반에서 계속 진행 중인 논란들과 격차들에 대

한 현실을 인정하면서 그러한 질문들에 대답하려고 시도할 것이다.

제2부에서 나는 교육과 상담 분야에서 도덕 발달 이론이 의미 있게 적용될 수 있음을 강조할 것이다. 나는 처음부터 여러분에게 도덕교육 연구 및 실천이라는 거대한 분야에 대한 포괄적인 그림을 제시할 수는 없을 것 같다고 솔직하게 인정할 필요가 있다. 그러나 제8장에서 나는 더욱 심도 있는 추가 자료를 원하는 학생들에게 도덕 및 인격 교육에 있어서 과거의 성취와 향후 방향성에 대한 간략한 조사 결과를 제공하기 위해 시도할 것이다.

그러나 학교를 유일한 혹은 심지어 가장 영향력 있는 도덕적 메시지의 원천으로 보기는 어렵다. 분명히 가정과 또래 집단이 더 큰 역할을 하지만, 차츰, 젊은이들은 대중매체에 빠지고 있다. 2009년 카이저 가족 재단의 대규모 조사 연구에서 8-18세 연령대는 일주일에 평균 56-60시간을 페이스북과 리얼리티 TV 프로그램을 보면서 보낸다는 것을 발견했다(Rideout, Foehr, & Roberts, 2010). 또한 제8장에서 나는 발달 과정에서 대중매체의 도덕적 메시지가 어떻게 지각되는지에 대한 최근의 몇몇 연구들을 공유할 것이다.

제9장에서 우리는 상담가와 치료 전문가가 어떻게 도덕 발달 이론을 그들의 실제 수행으로 통합시켜 왔는가에 대한 고려로 넘어갈 것이다. 나는 모든 학생들을 위한 도덕교육을 촉진시킬 목적으로 학교 기반 개입을 통해 "심리학을 선물로 주는 것"에 초점을 맞춘 실천가들의 관점을 간략하게 요약한 다음, 보다 구체적인 개인 및 집단 상담 기법으로 넘어갈 것이다. 제9장은 내담자의 핵심적 쟁점들을 평가하는 할스테드(Halstead)의 개념적 모델을 제시함으로써 마무리할 것이다.

많은 도덕 발달 이론가들(예를 들어, Hoffman, 2000; Selman, 1976,

2003)은 건전한 도덕 발달을 위한 역할 채택 그리고/혹은 공감의 중요성을 상정한다. 사실상 나는 발달 상담에 대한 개관을 한 후 도덕 혹은 공감 발달이 심각하게 흐트러졌을 때 무엇이 발생할 수 있는지를 제법 상세하게 보여 주는 장(제10장)을 다루는 것이 유용할 것이라고 생각한다. 마틴 호프먼의 공감 발달 이론과 앨버트 반두라의 도덕적 이탈 이론을 제시한 후, 나는 행동 장애, 자폐 스펙트럼 장애, 그리고 사이코패스로 진단받은 개인들에게서 발달과 관련된 결함이 어떻게 유발되는지에 대해 여러분에게 몇몇 사례를 제공할 것이다.

이 책은 톨스토이가 계속 반복했던 질문인 "어떻게 살아야 하고 무엇을 해야 하는가?"에 대한 성찰로 마무리될 것이다. 제1부의 제7장에서 다양한 이론적 관점들을 종합적으로 이해하려고 시도했던 것과 마찬가지로, 제11장에서는 어떻게 이론이 실천에 가장 잘 영향을 미칠 수 있는지(교재에서 검토된 이론과 실천 영역뿐만 아니라 도덕 발달에 대한 이론적 기초가 당신 자신과 다른 사람들을 더 잘 이해하는 데 도움을 줄 수 있는 광범위한 상황 범위를 포괄하여)에 대해 다루는 제2부로부터 어떤 일반적인 주제를 도출해 내려고 시도할 것이다.

윌리엄 페리(Perry, 1970)는 대학생들이 일련의 인식론적 입장 — 여기서 인식론적 입장이란 대학생들이 지식이란 무엇이며, 어떻게 지식을 얻는가에 대해 생각하는 방식에 있어서의 변화 과정을 의미하는 고급 용어 — 을 거쳐 발달해 간다고 주장했다. 간략하게 말해서, 많은 학생들은 어떤 문제들에 대해 흑/백, 옳음/그름이라는 대답을 기대하는 이원론적 사상가로 대학에 들어온다. 그들은 전문가들과 교재는 정답을 가지고 있으며, 학생으로서 그들의 과제는 정보를 기억하고 그 정보를 다시 내보내는 것이라고 믿는다. 나는 이것을 "되새김으로서의 학습(learning as regurgitation)"이라고 부른다. 대학에서 교수들과 학우들로부터 접하는 다양한 관점들은 학생들로 하여금 '옳은' 해답에 대한 자신의 확실성을 동요시키고, 다른 사람들은 다른 관점들을 가지고 있을지도 모른다는 상대주의 단계로 이동시킨다. 이 인식론적 단계에서 학생들은 "그건 그저 당신의 의견입니다"라는 그들 특유의 논평으로 그들의 교수들을 종종 화나게 한다. 결국 대부분의 학생들은 특히 그들의 전공 분야 과업에서 모든 의견들이 동등하지 않으며, 근거와 논증의 강점 및 약점을 결정하는 지침들이 있다는 것을 깨닫게 된다. 이것은 학생들이 기꺼이 "여기에서 나는 어떤 입장을 가지고 있다. 이러한 관점들과 해석들은 우리가 지금 가지고 있는 근거를 고려할 때 나에게 가장 설득력 있는 것이다. 하지만 나는 나중에 제시될 수도 있는 근거에 대해 열린 마음을 유지할 필요가 있다는 점을 인식하고 있다"라고 말하는 상대주의에 전념하는 단계로 이동해 간다는 것을 말한다.

이 책에서는 다루어진 주제들에 대해 내가 가진 "여기에서 나는 어떤 입장을 가지고 있다"라는 그 입장을 성찰한다. 이 책의 가장 중요한 목적은 도덕 발달 영역에서 지식 기반의 토대를 여러분에게 소개하는 데 있다. 로저 스트로한(1985, 푸카Puka에서 1994년에 재판 발행)은 이전에 콜버그의 이론에 대해 "6단계에 도달하는 방법과 나쁜 인간으로 남는 방법"이라는 제목이 분명하게 붙은 평론을 썼다.[1] 적용(application)을 강조하는 이 글은, 여러분이 자신의 실천력을 향상시키기 위해 책을 읽는 전문직 종사자든지, 아니면 수강하고 있는 강좌

1. 이 글에서 로저 스트로한은 높은 단계의 도덕 추론 능력을 가진 사람이 낮은 단계의 사람보다 그의 판단에 따라 행위할 가능성이 높다는 콜버그의 주장에 대해 보다 정교한 논의가 필요하다고 지적한다. 그는 콜버그가 도덕적 판단과 도덕 행동 간의 복잡한 관계에 대해 주의를 덜 기울였고, '가상적인' 연구 방법을 사용함으로써 한계를 유발했다고 지적한다: 옮긴이.

에서 책을 읽는 학생이든지 간에, 이론과 우리 시대에 긴급한 도덕적 이슈를 연결해 나갈 것이라는 진정한 기대를 반영한다. 나의 궁극적 목적은 도덕 발달 분야의 일부 아이디어들을 여러분 자신의 직업적 삶에 적용해 보려는 동기를 촉진시키는 정도까지 여러분의 관심을 촉발시키는 것에 있다. 모든 수준에서의 도전들, 즉 가족들의 압박에 맞서는 상황에서부터 테러리즘, 집단 학살, 그리고 전쟁이라는 국제적인 재앙들에 이르기까지 도전들로 가득 찬 세상에서 우리는 정의와 배려를 촉진시키는 데 헌신하는 핵심 조력 전문가 그룹을 필요로 한다.

2. 도덕성의 고전 이론

*

프로이트와 피아제

내 아들 피터는 일곱 살 때 야구 방망이를 휘두르면서 뜻하지 않게 그의 사촌 제이슨의 머리를 때렸다. 두 부모는 창문 바깥에서 들려온 일련의 비명을 들었고, 손에 야구 방망이를 들고 피터를 바짝 뒤쫓는 제이슨을 보았다. 우리는 서로 싸우고 있는 두 녀석을 떼어 놓고 피해자의 주장을 들었으며, 피터가 의무적인 사과를 해야 한다고 막 요구하려던 순간, 피터가 제이슨에게 돌아서서 "좋아, 좋아, 그냥 나를 다시 때려"라며 소리를 질렀다. 누군가가 때맞춰 제이슨에게서 방망이를 잡아채었으나, 분명히 두 녀석은 구약성서의 정의 유형에 꽤 만족했을 것이다.

인지 발달 이론이라는 렌즈를 통해 볼 때, 이 이야기는 도덕 추론의 성장 단계를 지칭하는 "눈에는 눈"이라는 사고 유형의 거의 완벽한 실례를 제공한다. 호혜성에 대한 암묵적인 이해에 의해 영향을 받은 제이슨과 피터의 도덕성에 대한 의존은 단순히 처벌을 피하기 위해서 성인에게 복종하는 초기 도덕 세계관으로부터 발달상의 이동을 보여주는 것이었다.

맥락: 도덕성 패러다임들

앙투안 드 생텍쥐페리(1943/1971)는 자신의 인기 많은 아동 도서인 『어린 왕자』를 코끼리를 삼켜 버린 무시무시한 보아뱀에 대한 그의 어린 시절 그림으로 시작한다. 생텍쥐페리는 예술 분야가 아니라 조종사라는 직업을 선택하게 된 것이 그의 어린 시절 명작을 '무섭지 않은 모자'로 해석했던 성인들 때문이라고 한다. 이런 경계의 메시지에 구애받지 않고, 나는 이 책의 첫 번째 장을 나의 도덕 발달 수업 강의록에 들어 있는 그림으로 시작한다(그림 2.1 참조).

그림 2.1. 도덕성 패러다임

이 볼품없는 예술 작품(파워포인트 이전의 기술 수준이 낮은 시대의 결과물)에 제시된 네 가지 이론적 패러다임 혹은 모델들 모두는 여러분이 향후 내담자와 학생들을 어떻게 이해하고 개입해야 하는지에 대한 중요한 함의를 가지고 있다. 우리가 적용(application)에 중점을 둔다는 고려 하에 이론적 개관에서는 패러다임의 철학적 기초보다는 심리학적 기초를 강조한다. 비록 도덕 이론가들이 아리스토텔레스, 플라톤, 니체에서부터 볼드윈, 미드, 듀이, 그리고 하버마스에 이르기까지 핵심적인 철학적 견해들에 아주 많이 기대고 있다 할지라도, 지면상의 한계로 그러한 사상가들에 대한 실질적인 논의는 불가능하다(참고로 랩슬리(Lapsley, 1996)와 리드(Reed, 1997)는 도덕 이론의 철학적 기초에 대해 수준 높은 논의를 제공하고 있다).

길렌(Gielen; Kuhmerker, 1991에서 재인용)은 주요 도덕 이론들이 도덕성의 본질에 대해 근본적으로 각각 다른 가정을 하고 있고, 이렇게 하여 비합리적이고 문화와 결속된 개념들, 혹은 이성적이면서 비상대론적 개념들 중 하나를 강조한다고 지적한다. 다시 말해서, 일부 이론가들은 정서와 사회 규칙의 주된 역할을 상정하고 강조하는 반면, 다른 이론가들은 개인적인 지적 능력의 우선적인 역할을 상정하고 강조한다. 프로이트와 행동주의자들(그리고 여기에 나는 많은 진화심리학자들을 추가하고자 하며, 이에 대해서는 5장을 참조할 것)은 도덕성이 근본적으로 비이성적이고 인간의 환경 그리고/혹은 사회의 규칙과 기대에 대한 인간의 적응을 나타낸다고 상정한다. 그에 반해서, 콜버그나 피아제 같은 인지 발달론자들은 사회의 인습들을 초월하여 일어날 수 있는 의식적이고 이성적인 의사 결정에 중점을 둔다. 각 사상가의 견해들을 어느 정도 깊이로 검토하기 전에, 각각의 이론적 관점을 간략하게 살펴보고자 한다.

정신분석: **도덕성은 사회적으로 받아들여질 수 없는 충동, 특히 성적이고 공격적인 충동에 대한 통제로서, 프로이트(1923)가 초자아라고 부른 성격 구조에 의해 가장 잘 이해된다.** 초자아는 용납될 수 없는 외부의 영향들을 억누르기 위해 죄의식, 수치심, 그리고 열등감을 사용한다. 이 개념에서, 초자아 혹은 양심은 부모에 의해 전수되는 문화의 내면화된 규칙들을 포함한다. 등장인물의 귀에 대조적인 충고를 속삭이는 천사와 악마라는 보통의 만화 관습은 생물학적 충동(이드)과 문화의 통제(초자아) 사이에 있는 정신분석의 긴장을 전형적으로 보여 준다. 만약 여러분이 도덕성에 대해 열심히 독서를 하면서 오늘 저녁을 보내고 있는 중이라면, 프로이트는 그것이 부모님의 엄중하고 내면화된 목소리 덕분이라고 말할 것이다.

행동주의: 반두라의 사회 학습 이론은 도덕성 분야에서 특히 영향력을 발휘해 왔다. **간단히 말해, 이 관점에서는 도덕성이 사회적 환경과 강화 수반성에 의존하는 일련의 학습된 습관, 태도, 그리고 가치로 이해될 수 있다**(Kuhmerker, 1991). 최근에 여러분은 헌혈 캠페인에서 헌혈을 했는가? 그렇다면 여러분의 가족 혹은 교우 관계 집단에서 누군가가 기부를 했고, 여러분은 그들의 이타적 행동에 따른 긍정적인 반응을 목격했을 가능성이 높다. 적십자사가 기부자의 가슴에 "나에게 잘해 주세요, 오늘 헌혈했거든요"라고 새겨진 스티커를 항상 붙여 주는 데는 충분한 이유가 있다.

인지 발달: **이 패러다임은 사람들이 그들의 사회 세계에서 능동적인 참여를 통해 도덕성을 스스로 구성한다고 주장한다.** 콜버그(1984)에게 있어 도덕성은 보편적인, 그리고 점점 더 복잡하고 적절한 도덕적 사고 단계의 발달을 의미한다. 이후의 사상가들에게 있어 도덕성은 다양한 전략들 혹은 문제 해결을 위한 스키마의 발달로서

더욱 잘 이해된다. 3세, 6세, 13세, 21세의 아이들이 캔디 랜드 게임을 하고 있다고 상상해 보자. 이 게임은 여러분이 주사위를 던져서 캔디의 성으로 나아가거나 껌 드롭 산으로 되돌아가는 고전적인 유아용 보드게임이다. 지금 3세 아이가 숫자 2를 굴리고 기분 좋게 자신의 말을 여섯 칸이나 앞으로 이동시켜서 멋진 껌 드롭 산에 도달한다고 상상해 보자. 이 행동에 대해 누가 정말로 화를 낼까? 누가 그 아이의 행동을 악의 없이 받아들이면서 주사위의 숫자에 맞게 칸 수를 움직이는 것에 대해 친절하게 설명해 줄까? (그리고 누가 캔디 랜드 게임을 하는 것이 사회적으로 너무 창피해서 게임이 신속하게 끝나기만 한다면 누군가가 어떻게 이동하더라도 이에 대해 개의치 않을까?) 인지 발달의 세계에 온 것을 환영한다.

진화론/생물학: 도덕성은 자연선택을 통해 진화해 온 어떤 사회적 정서와 행동의 유전적 소인에서 발생한다. 왜냐하면 그러한 사회적 정서와 행동이 생존하고 짝짓기하며 유전자를 다음 세대로 전달하는 우리 조상의 능력을 증가시켰기 때문이다. 예를 들어, 여러분 중 많은 이들이 동시에 혹은 다른 때에 어떤 친구가 이사하는 것을 도왔다고 생각해 보자. 만약 언젠가 여러분이 이사하는 데 도움이 필요하다면, 여러분은 그 친구에게 도움을 청할 수 있다는 걸 아마 상당히 확신할 것이다. 현대 이론가들은 과거에 자신과 음식을 공유한 적이 있는 침팬지와 음식을 나누려는 여러분의 침팬지 조상의 성향에서 여러분의 현재 행동에 대한 뿌리를 확인하려 한다. 음식이 부족한 시기에 이를 공유한 자는 생존 기회를 높였고, 그리하여 호혜성을 향한 유전적 성향이 출현하게 된 것이다.

이 장에서 우리는 도덕성 발달을 이해하기 위한 초기의 두 가지 이론적 시도를 검토할 것이다. 오늘날, 비록 프로이트와 콜버그 이론이 복잡한 도덕적 기능에 대해 더 이상 적절한 설명을 제공하지 못한다고 여겨지더라도, 모든 후기 이론들은 아이디어를 구축하는 토대로든, 아니면 도전을 받아서 보완이 이루어지는 체계로든, 어떤 방식으로든 프로이트와 콜버그의 이론을 고려한다.

프로이트와 도덕성: 정신분석학적 관점

> 우리는 엄격한 초자아와 그 지배를 받는 자아 사이의 긴장을 죄의식이라고 부른다. 죄의식은 처벌 욕구로서 자신을 나타낸다. 그러므로 문명은 개인의 위험한 공격 욕구를 약화시키고 누그러뜨림으로써 그리고 마치 정복한 도시에 점령군을 주둔시키듯이 개인의 내부에 공격성을 감시하는 주둔군을 둠으로써 개인의 위험한 공격 욕구를 통제한다.
>
> (Freud, 1930, pp. 123-124)

대체로 인지 발달 접근에 의해 주도된 도덕 발달 이론 분야에 대한 우리의 논의를 지그문트 프로이트에 대한 논의로 시작하는 것은 이상하게 보일지도 모른다. 비록 프로이트의 정신분석 이론이 20세기 초에 엄청난 영향력을 가지고 있었다 할지라도, 그의 견해의 많은 부분들은 엄격한 시험에 잘 버티어 오지 못했다. "오늘날 심리학계에서 프로이트의 저술들은 높이 평가되지 않고 있는데, 정말로 그래야 한다는 듯이 그렇게 되고 있다"(p. 210)와 같은 논평과 함께 프로이트의 저작에 대해 대체로 공감하는 어조로 호건과 엠러(Hogan & Emler, 1995)는 글을 시작한다. 나는 "비록 정신분석의 많은 측면들이 사실상 문제가 있다 할지라도, 정신분석의 가정들과 함의들은 꽤 통찰력 있으며, 우리는 위험을 무릅쓰고 그 가정들과 함의들을 망각하고 있다"(p. 210)라는 그들의 주장에 동의한다.

심리학에서 상위 수준의 수업(클래스 레벨 300 이상) 혹은 조력 분야에서 대학원 수업을 이수한 적이 있는 사람이면 누구나 프로이트의 기본적인 성격 모델 — 이드, 자아, 그리고 초자아 — 을 접해 본 적이 있을 것이다(Freud, 1923, 1930). 나는 여기서 여러분이 다양한 판본들로 읽어 본 적이 있는 여러 요약과 얕은 수준의 논의를 거의 그대로 반복하기보다 정신분석의 틀로 도덕성을 검토해 온 현대 사상가들에게 주목하고자 한다. 새로운 분석적 사상가들이 중요한 함의를 가진 몇몇 도발적인 통찰들을 부모들과 전문가들에게 제공하는 것을 알게 되면, 나는 여러분이 기분 좋게 놀랄 것이라고 생각한다.

그러나 이러한 최신 견해들은 최초의 포괄적 도덕 발달 교재에는 분명하게 드러나지 않았다(Lickona, 1976). 자신의 책에서, 정신과 의사인 제임스 길리건은 도덕성이 개인들을 억압한다는 고전적 정신분석의 입장을 잘 정리하여 제시한다. 길리건(1976)에게 있어 프로이트 이론은 도덕성에 대한 철학적 탐구라기보다는 과학적 탐구의 출발을 나타낸다.

> 도덕 경험에 대한 정신분석 이론은 도덕성을 삶과 사랑에 적대적이며 질병과 죽음 — 신경쇠약증과 정신병, 살인과 자살 — 을 유발하는 힘으로 간주한다. 나는 도덕성을 필요하지만 정서적이고 인지적인 발달의 미숙한 형태로 간주하기 때문에, 도덕 단계에 대한 고착은 발달 지연 혹은 미숙으로 나타나고, 도덕 단계에서 퇴행은 정신병으로 나타난다고 본다. (p. 145)

여기서 도덕성은 수치심과 죄의식에 의해서 동기화되고 정신분석의 목표 — 개인들이 사랑에 대한 긍정적인 욕구에 의해 동기화되는 건전한 작용 수준 — 와 대조되는 것으로 간주된다. 윤리학은 사람들에게 무엇을 해야 할지를 지시하는 경향이 있다. 반면 정신분석은 사람들에게 그들이 무엇을 원하는지 묻는 것을 겨냥한다. 분석가는 환자들에게 "어떻게 살아가고 무엇을 할 것인가"(Lickona, 1976, p. 145)와 같은 삶의 큰 물음을 언급하기 위한 지적 틀을 제공하고 싶어 한다.

인지 발달 전통에서 연구자들은 응답자들에게 하인즈라는 남성이 죽어 가는 그의 아내를 구하기 위해 약을 훔치는 것이 옳은지 결정해야 하는 도덕적 딜레마를 제시하길 좋아한다. 길리건은 다음과 같이 제안한다. 정신분석가는 하인즈에게 왜 그는 자신이 해야 하는 것 — 그는 자신이 하고 싶어 하는 것을 살펴보길 회피하는가? — 에 매달리는지 물어볼 것이다. 분석가는 하인즈가 도덕화하는 것(moralizing)을 방어기제로 간주할 것이다. 정신분석의 목적은 환자의 정의 추론(justice reasoning)의 타당성을 우려하는 게 아니라 환자들이 그들이 하기를 원하는 것과 그러한 선택에 의해 감수해야 할 것에 대해 솔직한 평가를 하도록 돕는 데 있다.

나는 양심을 정신질환의 근원으로 간주하는 도덕성 이해 방식에 대해 많은 독자들이 거북스러워한다고 보지 않는다. 우리 모두는 우리가 즐기는 어떤 것을 하기 위해 성가신 걸음마 아기를 배우자에게 맡기고 떠나는 것과 같은 행동에 대해 죄의식을 느낀다는 것을 성인기에 경험한 적이 있다. 우리는 우리 자신이 얼마나 이기적인지를 보여 주는 내면의 목소리 — 〈아바타〉 영화를 보기 위해 꽁무니를 빼기보다는 애니메이션 TV 프로(토마스와 친구들)를 보면서 가정에 있어야 하지 않을까? — 를 무시하려고 시도한다. 만약 프로이트가 맞다면, 우리의 모든 선행은 그저 신경증(노이로제)적인 순응 반응에 불과한 것인가? 다행스럽게도 많은 분석가들은 양심에 대한 더욱 건전한 개념을 프로이트식 틀 속으로 통합하는 방법을 알아냈다.

엘리 세이건(Eli Sagan)의 1988년 저작인 『프로이트, 여성, 그리고 도덕성: 선과 악의 심리학』은 설득력 있는 대안적 시야를 제공한다. 페미니스트인 낸시 초도로(Nancy Chodorow, 1978)와 마찬가지로, 세이건은 도덕성이 영아기와 걸음마기인 전(前)-오이디푸스 단계에서의 배려와 애착에 그 뿌리를 가지고 있다고 믿는다.

세이건(1988)은 이 관점을 아동이 자신과 다른 성(sex)의 부모에게 욕망을 느끼고 동성의 부모에 대해 분개하는 4-6세 사이에 도덕성이 발생한다는 프로이트의 신념과 비교한다. 어린 소년들에게 있어, 오이디푸스 콤플렉스는 크고 강력한 아빠가 그들을 거세할지도 모른다는 공포가 엄마에 대한 욕망을 중단하도록 납득시킬 때 해결된다. 어린 소녀들에게 있어, 오이디푸스 콤플렉스와 유사한 엘렉트라 콤플렉스는 어린 소녀들이 아빠를 차지하려는 희망을 단념하고 엄마와 운명을 함께하기로 결정할 때 해결된다. 두 경우 모두, 콤플렉스의 해결은 초자아의 창조로 이어진다. 초자아는 아동이 동성 부모와 경쟁하는 것을 중단하고, 대신에 그들 — 특히 그들의 도덕적 명령 — 을 자신의 성격으로 통합시킬 때 창조된다. 그러면 초자아는 부모의 대리자로서 기능할 수 있다. 문화와 관련된 당위, 의무, 금지는 지금 부모의 제약이라는 음성으로 아동의 머릿속에서 울려 퍼진다.

"식사하기 전에 우리는 항상 손을 씻는다."
"무언가를 좋다고 말할 수 없다면, 어떤 것도 말하지 마라."

"집 안에서 있었던 일을 집 밖에서 말하지 마라."

프로이트의 개념 구축에 관한 세이건(1988)의 주요 문제의식은 아동이 부모를 통째로 삼켜 버린다는 것 — 부모가 보살피는, 애정 어린, 격려하는, 존경하는 측면들, 그리고 부모가 벌주는, 비방하는, 공격적인, 무서운 측면들 — 을 사실로 상정한다 할지라도, 사실 프로이트는 초자아에서 애정 어린, 자애로운 측면보다 가혹하고 처벌하는 측면에 대해 무려 10배나 많이 집필했다는 점이다. 현대의 많은 독자들과 마찬가지로, 세이건 또한 여성은 남성과 동일한 정도의 초자아 발달이 불가능하다는 프로이트의 개념에는 동의하지 않는다. 왜냐하면 여성들은 그들의 엘렉트라 콤플렉스를 해결하도록 동기를 부여하는 거세의 위협을 가지고 있지 않기 때문에(이러한 이유로 여성들은 거세 불안을 갖지 않음), 프로이트(1923)는 어린 소녀들의 초자아는 결코 어린 소년들의 초자아만큼 그렇게 강인하지 않다고 여겼다. 세이건은 프로이트의 도덕성 이론이 양육과 사랑을 도덕성과 관련시키는 데 실패하고 있다고 주장한다. 이유가 무엇인가? 세이건은 정신분석이라는 도구를 프로이트 자신에게 돌려놓고, 프로이트가 전-오이디푸스 단계의 어머니에 대한 그의 기억을 억눌렀다고 결론짓는다. 그 같은 행동을 통해, 프로이트는 사랑(love), 동일시(identification), 그리고 이상화(idealization)에 대한 초기 경험들을 억압했다.

아동이 그들 부모의 규범을 받아들여 내면화할 때 초자아가 형성된다면, 초자아는 부모가 속한 특정한 사회에 전적으로 의존한다. 세이건(1988)은 이런 식으로 볼 때 노예사회에서 초자아는 노예제도를 정당화할 것이라는 점에 주목한다. 여성에 대한 성차별적 사회에서 초자아는 성차별주의를 정당화할 것이다. 아르메니아, 나치 독일,

그리고 르완다에서 초자아는 집단 종족 학살에 대한 공포를 정당화할 수 있을 것이다(그리고 실제로 정당화했다). 그러나 세이건의 주장에 따르면, 초자아는 지배적인 문화를 통째로 삼키는 그야말로 무도덕(amoral) 체계일지 모르지만, 그에 반해서 양심은 무도덕적 속성으로부터 도덕적 속성을 구분할 수 있다. 고전적 프로이트 학파의 이론은 우리가 우리 부모와 문화의 도덕성을 넘어서 나아가도록 용납하지 않는다. 그러나 사람들은 특정한 그들 가족의 부적절성과 그들이 속한 특정 사회의 편견들을 실제로 극복한다.

세이건(1998)은 도덕 발달에 대한 프로이트의 모델을 명쾌하게 잘 요약, 정리하여 제시하고 있다.

> 어린 소년들은 자위행위를 한다.
> 부모는(대개는 엄마가) 아빠나 의사 선생님이 그의 성기를 잘라 버릴 거라고 위협한다(프로이트가 활동하던 시대에는 부모의 흔한 위협임).
> 어린 소년은 이것을 믿지 않을 수 있다!
> 결국 그는 벌거벗은 소녀를 목격하고 믿게 된다.
> 그는 권위적인 부모를 그의 자아 속으로 내사하여(introject) "아버지의 엄격함을 이어받아 근친상간에 대한 아버지의 금지를 영속시키는"(p. 75) 초자아라는 핵을 형성한다.
> 그 과정은 어린 소년의 남근을 보존하고 무력하게 만들며, 프로이트의 잠복기로 그를 이동시킨다.

세이건의 대안 모델은 건전한 양심 발달의 3단계를 상정한다.

1. 아동이 영아기와 초기 유아기에 더욱 충분히 사랑받고 양육될수록

그 혹은 그녀는 건전한 양심을 발달시킬 가능성이 훨씬 크다.

2. 아동들은 어릴 때 두 유형의 동일시를 나타낸다.
   a. 그들의 양육자와의 동일시는 "받은 사랑에 대해 사랑을 되돌려 주는 … 보편적인 인간의 성향"(p. 160)으로 이어진다.
   b. 그들의 위로자(comforter)와의 동일시는 그들 자신을 피해자와 동일시하여 연민과 동정심을 느끼는 것을 가능하게 한다.
3. 사랑과 배려를 되돌려 주려는 아동의 욕구는 결국 그들의 가족을 넘어 타인들에게 일반화된다. 이 단계는 피아제(1932/1997)가 형식적 조작기 단계로 기술한, 일반화 및 추상화 능력의 발달에 의존한다. 성숙한 성인의 양심이 이 단계의 최종적인 결과물이다.

요컨대, 프로이트는 호혜성 — 받은 양육에 대해 그러한 양육으로 화답하는 것 — 에 대한 아동의 강력한 욕구를 무시했기 때문에 길을 잃었다(Sagan, 1988). 프로이트는 아동들이 오직 애정 상실에 대한 공포와 처벌에 의해서만 통제된다고 이해하였다. 세이건과 더불어 나는 양육자에 대한 동일시가 거세하는 아버지에 대한 공포보다 도덕 발달의 핵심 토대를 위한 훨씬 나은 후보자라고 주장한다.

도덕 발달에 대한 길리건 및 세이건의 모델로부터 호건과 엠러(1995)의 모델까지 이동하면서, 우리는 아동과 가족에 역점을 두는 전통적인 정신분석에서 벗어나 더 넓은 사회 내에서의 아동 발달로 강조점을 이동시키고자 한다. 이른바 사회분석적(socioanalytic) 관점은 특정한 시간과 장소에서 아동과 그 가족이 발달하는 방식을 강조한다. 호건과 엠러의 분석은 프로이트 학설의 중요한 통찰을 회복하고 그 통찰을 미드(Mead, 1934) 및 뒤르켐(Durkheim, 1961)의 사회학적인 개념, 그리고 에릭슨(1968)의 심리사회 이론과 통합을 시도한다는 점에서 조력 전문가들에게 유용한 모델을 제공한다.

사회분석 모델에서, 도덕 발달은 성격의 부산물로 개념화된다. 아동은 그들의 사회집단과의 관계에서 3가지 주요 변환(transformation)을 통해 발달한다.

1. 프로이트(1923)가 주목한 것처럼, 초기 유아기에 부모와의 동일시는 아동으로 하여금 권위에 대한 존중을 발달시키도록 돕는다.
2. 조지 허버트 미드(George Herbert Mead)의 저작을 인용하면서 호건과 엠러(1995)는 유아기 중기 혹은 청소년기 초기에 두 번째 변환을 상정한다. 역할 채택(role-taking) 및 관점 채택(perspective-taking) 기술을 발달시키는 것은 결과적으로 사회집단과의 동일시와 타인의 기대에 대한 민감성 증진을 야기한다.
3. 마지막으로, 청소년기 후기 혹은 성인기 초기에 성인 역할을 떠맡는 것은 개인으로 하여금 개인적인 정체감을 발달시키고 선택한 집단 혹은 기관의 규칙을 수용하는 것에 대한 정당한 이유를 설명하도록 돕는다.

호건과 엠러(1995)는 문명이 어떻게든 진화적으로 이미 익숙해진 이기심을 통제해야 한다는 프로이트의 진화론적 관점을 받아들인다. 호건과 엠러는 인간 사회의 규칙 혹은 인습으로서 도덕성에 대한 프로이트의 정의는 단순한 상대주의(naïve relativism)가 아니라, 오히려 성욕과 공격성에 대한 보편적인 인간 본성을 규제하기 위한 필요성에서 인습적 도덕성들이 발생하는 방식에 대한 타당한 분석이라고 주장한다. 이러한 현실들을 고려할 때, 사회가 우리에게 바라는 것 — 이드의 욕구에 대한 초자아의 통제 — 이 "고통스러운 금욕

(painful renunciation)"(p. 213)으로 이어진다는 것은 놀라워해야 할 것이 아니다. 그래서, 비록 프로이트가 사회(그리고 사회의 대리자인 초자아)는 필연적으로 억압적이고 신경쇠약증의 주된 원인이 된다고 주장하지만, 프로이트는 정의로운 사회를 "모든 사람이 똑같이 고통 받는 사회"(p. 213)라고 생각한다.

비록 이것이 언뜻 보기에 상대주의의 관점으로 보일지도 모르지만, 프로이트에 대한 더 심층적인 이해는 더욱 복잡한 시야를 보여 준다. 인간들은 천성적으로 이기적, 공격적이고, 욕정에 가득 차 있다. 사회는 이 본능들을 억제하기 위한 장치들과 규칙들을 발달시키지 않을 수 없다. 도덕적인 개인은 사회의 규칙에 순응해야 한다. 왜냐하면 달리 취하는 것은 혼란이기 때문이다. 그러나 프로이트는 자기 인식(self-awareness)을 추구하는 도덕적 의무(moral obligation)의 존재를 믿었다. 그가 믿었던 바와 같이, 정신분석의 과정이 산출할 수 있는 자기 인식이 없다면 사람들은 그들의 본능에 지배당하게 된다. 우리가 자기 이해(self-understanding)를 얻고 우리 본성의 동물적 측면을 인정하고 통합하게 될 때, 우리는 이제 사회의 규칙들이 얼마나 필요한지를 이해하기 때문에 사회의 규칙을 따르기로 선택할 수 있다.

프로이트의 이론에 대한 현재의 평가

비록 정신분석의 견해들이 서양 문화에서 여전히 중요하다 할지라도, 그것들은 심각하고 타당한 과학적 비판에 직면했고, 대부분의 현대 도덕 발달 개념에서 더 이상 중대한 역할을 하지 못한다. 다음 부분에서 나는 가장 중요한 도전들 몇 가지를 요약하고자 한다. 그러나 강점들은 다음을 포함한다.

- 성인기 이후의 기능(functioning)을 위한 초기 애착과 유아기의 중요성에 대한 강조
- 지금의 이중 처리 이론[1]의 전조가 된 이성적인 의식적 사고와 '무의식적인' 많은 정서적 작용들 사이의 긴장에 대한 주목
- 내면화, 동일시, 그리고 내사[2]의 개념들

도전들은 다음을 포함한다.

- 표준 개체군에 대한 무선표집보다 임상표집과 자기분석(self-analysis)에 대한 관찰에서 유래한 이론의 개발
- 내담자 결과(client outcomes)에 대한 검토(예를 들어 Kramer, 2006)를 통해 프로이트가 그의 견해에 도전했던 자료를 왜곡했거나 무시했다는 주장
- 심리성적 단계(psychosexual stage), 아동의 근친상간 욕구 혹은 오이디푸스와 엘렉트라 콤플렉스에 대한 프로이트의 이론을 지지하는 불충분한 증거

표 2.1 프로이트 이론의 강점과 도전들

흥미롭게도 신경 과학에서 나온 최근 결과들은 이드, 자아, 그리고 초자아라고 칭했던 구성 요소들 사이의 긴장에 대한 프로이트의 의견이 실제로는 뇌를 기반으로 하고 있을지도 모른다고 제안한다. 나바에츠와 베이디치(Narvaez & Vaydich, 2008)는 뇌 형성과 후기의 정서 조절에 있어서 양육의 평생 효과를 지지하는 증거들의 증가에 주목했다(〈표 2.1〉을 볼 것).

---

1. dual processing theory: 인간은 시스템 1(직관 시스템)과 시스템 2(논리 시스템)라는 두 종류의 시스템을 가지고 정보를 처리한다는 이론: 옮긴이.
2. introjection: 불안을 감소시키기 위해 자아에 의해 사용되는 방어기제로서, 다른 사람의 태도, 가치, 혹은 행동을 마치 자신의 것처럼 동화시키는 무의식적 과정: 옮긴이.

정신분석 이론의 적용

프로이트 이론 자체의 많은 측면에 대한 이유 있는 의심에도 불구하고, 조력 전문가들은 도덕성에 대한 정신분석의 관점으로부터 무엇을 배울 수 있는가? 만약 사랑이 위대한 스승(예를 들어, Sagan, 1988)이고 권위에 대한 정당한 존중이 부모에 대한 동일시로부터 발생한다면(Damon, 1988; Hogan & Emler, 1995), 반응적인 양육(responsive parenting)을 촉진하는 것과 반응적인 양육을 받지 못하고 있거나 받지 못했던 아동들을 위해 대안적으로 배려하는 성인을 제공하는 것은 사회의 우선 사항이 되어야 한다.

아동을 위하는 부모가 말 그대로 존재해 본 적이 없었거나(예를 들어, 아동의 삶에서 구실을 하지 못하는 친아버지) 정서적으로 존재해 본 적이 없었던(예를 들어, 약물 남용이나 정신병 문제를 가진 부모가 아동의 양육을 방해함) 아동들의 경우를 고려해 보자. 교육과 치료 분야의 전문 서적에는 흔히 권위와 규칙의 문제, 그리고 양심의 결여 문제를 포함하는 광범위한 문제들로 고심하는, 유기되거나 방치된 아동들에 대한 사례들로 가득 차 있다.

이와 같은 경우에, 전문직 종사자들이 상식적인 전략에 기대어 대안적인 양육자(alternative parental figure)를 제공하려는 시도는 흔히 볼 수 있다. 확장된 가족 구성원, 멘토, 교사, 상담가를 중심으로 한 빅 브라더/빅 시스터 프로그램[3]에서는 방황하는 아동들을 위해 배려하는 성인 지침(caring adult guidance)을 제공하려고 시도해 왔다. 아동들을 배려하는 데 있어서 그리고/혹은 일관성 있는 성인과 이어 주

3. Big Brother/Big Sister program: 한 부모 가정의 청소년에게 성인 친구를 제공할 목적으로 성인 자원봉사자(멘토)를 연결시켜 주는 프로그램: 옮긴이.

는 데 있어서, 조력자들은 아동으로 하여금 부모 혹은 양육자와의 동일시를 통해서 권위에 대한 존중을 발달시키도록 돕는다. 이는 프로이트 학파의 견해를 활용하고 있는 것으로 보인다. 이러한 연결은 또한, 결국 **사랑이 위대한 스승**이라는 세이건(1988)의 핵심 개념에 대한 관심을 반영한다. 친부모가 애정 어린 교사와 사회의 대리자 역할을 충실하게 수행하지 못한다면, 이때 대안적 양육자를 반드시 찾아야 한다.

피아제와 그의 구슬

> 한 아이가 게임에서 어떤 우월감을 느끼게 하는 것과 여러분이 단순한 마음으로 자신의 역할을 하는 것에 대해 의문을 제기하는 것(간헐적인 멋진 일격으로 여러분이 완전한 얼간이가 아니라는 것을 보이는 걸 빠뜨리지 않으면서)은 … 무엇보다 중요하다.
>
> (Piaget, 1932/1997, p. 24)

20세기 위대한 지식인들 중 한 명인 장 피아제(1896~1980)는 1932년에 아동의 도덕 발달에 대한 훌륭한 연구물을 출판했다. 『아동의 도덕 판단(*The Moral Judgment of the Child*)』은 자주 인용되는 다음과 같은 정의로 시작된다. "**모든 도덕성은 규칙 체계로 구성되어 있고, 도덕성의 본질은 개인이 이러한 규칙을 획득하는 것의 측면에서 추구되어야 한다**"(p. 13). 이 책은 아동에게 구슬 게임의 규칙에 대해 묻거나 짧은 도덕적 이야기에 대한 질문에 응답하도록 요청하는 것과 같은 방법을 이용하면서 아동이 규칙을 존중하는 데 있어서 발달상의 변화에 대한 그의 탐구를 기술한다. 비록 우리 대부분은 고전적 **단계**(*stage*) 이론으로서 피아제의 인지 발달과 도덕 발달 이론에 대해 학습했더라도, 나는 이 개념이 사실상 더욱 미묘한 차이가 있는 발달 **국면**[4]이라는 그의 개념에 해를 끼친다고 주장한다(Chapman, 1988; Gibbs, 1995; Lapsley, 1996).

위의 시작 부분의 인용문은 피아제의 획기적인 방법의 기저를 이루는 창의적인 정신을 정확히 포착하고 있다. 하지만 유감스럽게도 개론서나 발달심리학 교재에서 그의 방법론적 창의성, 개념적 복잡성, 그리고 많은 매력적인 짧은 경고들이 그의 저작에 대한 표준 표현으로부터 누락되는 경향이 있다. 나는 그의 실제 저술에 더욱 충실한 방식으로 그의 기본적인 견해들 중 일정 부분을 제시하고 그의 저작에 대한 현재의 비판과 재개념화에 대한 간략한 논의를 제공하려고 시도할 것이다.

프로이트의 이론은 (초자아에 의해 작용하는) 사회적으로 수용 가능한 표준 및 규칙에 대한 순응과 (자아에 의한 이드의) 자기통제라는 측면에서 도덕성에 대한 관점을 우리에게 제공한다. 그러나 상호적인 행위의 질은 단순히 처방적인 규칙 및 제한에 대한 수용 기능에 달려 있는 것이 아니다. 도덕성은 "하지 말라는 것" 그 이상의 것이다. 흥미롭게도 피아제와 그 이후 콜버그의 강조점은 개인이 무엇을 해야 한다는 것에 대한 처방적인 도덕 규칙 또는 표준에 기초한 사회적 행위도 이와 동등하게 중요하다는 것이다.

---

4. phases: 피아제는 피험자가 보이는 수준의 통일성을 의미하는 '단계' 개념보다는 연령이 증가함에 따라 도덕 판단 양식에 대한 아동의 선호가 전도덕, 타율, 자율의 방향으로 점차 변화하고 또한 '일정한 방향성'을 갖고 발달한다고 보았기 때문에 '국면' 개념이 타당하다고 강조하였다: 옮긴이.

피아제의 도덕 판단 이론은 1928년에 발표한 인지 발달에 대한 그의 초기 이론과 유사하며, 거기에 기반을 두고 있다. 이 유명한 이론은 아동이 성숙해지고 폭넓어지는 사회 경험을 접함에 따라 그 사고가 더 복잡한 계열성으로 이동한다고 상정한다는 점을 상기해 두자.

인지 발달에 대한 피아제의 개념

감각 운동적 사고(생후부터 약 2세까지) — 감각 입력과 운동 행위를 조화시키기 위한 발달 능력을 특징으로 한다. 아동은 대상에 영향을 미치는 것을 통해서 그들의 세계에서 대상에 대해 학습한다(예컨대, 응시, 잡기, 입짓). **이 국면의 주요 성취는 사물이 시야에서 사라졌을 때 존재한다고 이해하는 대상 영속성이다.**

전조작적 사고(대략 2-7세) — 정신적 이미지의 사용 능력을 향상시키는 것을 특징으로 하나 문제나 상황의 가장 두드러진 혹은 분명한 특징에 집중하고 다른 중요한 특징은 무시하는 경향인 **중심화**(*centration*) 경향에 의해 방해 받는다. 여러분은 자신이 어린아이였을 때 선물의 가치와 무관하게 큰 상자에서 나온 선물에 더욱 기뻐했던 것을 기억할지도 모르겠다. 이 시기의 또 한 가지 사고의 한계는 "아동이 전체적인 세계에 대한 관점을 공유하고 있다"고 여기고 있지만 "여전히 자신의 관점에 갇혀 있다"(p. 36)는 것을 의식하지 못하는 것으로, 피아제(1932/1997)가 규정한 자기중심성(egocentrism)을 향하는 성향이다. 내가 5살 때, 나는 아버지에게 야구를 하면서 지하실 창문을 깨뜨렸다고 말하게 되어서 두려워한 것을 기억한다. 아버지 자신이 야구 선수이고 유치원생의 기술적 한계를 이해하는 좋은 아빠이기 때문에 아버지가 나를 벌줄 필요성을 느끼지 않는다는 것을 이해하는 데 몇 년이 걸렸다. 그 당시 나는 아직 아버지의 입장에서 생각할 수 없었고, 내가 보기에 내 자신이 장난꾸러기라는 것 외에는, 아버지가 나를 다른 방식으로 볼 수도 있다는 것을 상상조차 하지 못했다.

구체적인 조작적 사고(7-11세) — 분명히 실재하는 구체적인 대상 및 사건과 같은 이미지에 대해 가역성과 탈중심화와 같은 조작을 수행하는 아동의 능력을 특징으로 한다. 예를 들어, 아동은 많은 형태들을 삼각형과 원으로 분류하고, 여러분에게 원보다 삼각형이 더 많다고 말한다. 구체적인 조작적 사고를 이용하는 아동은 전조작적 사고를 이용하는 보통의 아동을 어리둥절하게 하는 질문, 예컨대 "삼각형들이 많니, 아니면 모양들이 많니?"와 같은 질문에 올바르게 대답할 수 있다. **피아제는 구체적 조작의 주요한 인지적 성취를 보존**(*conservation*), **즉 심지어 모양 혹은 외관이 바뀔 때조차도 물리적 양은 변함이 없다는 것을 이해하는 능력으로 규정하였다.**

형식적인 조작적 사고(11세부터 시작) — 구체적인 대상뿐만 아니라 추상적인 대상에 대해서도 조작을 사용하는 능력을 특징으로 한다. 여러분은 정의와 의무 같은 추상적인 주제에 대해 십대들과 활발하고 의미 있는 대화를 나눌 수 있다. 또한 아동은 그들의 사고에 있어서 더욱 체계적인 상태가 된다. 우리는 나이든 아이들이 그들 행위의 결과를 곧바로 마음속에 그릴 수 있고, 그리하여 결과에 많은 책임을 져야 한다는 것을 정확하게 가늠하면서 학교와 가정에서 나이든 아이들에게 더 많은 것을 기대하기 시작한다(만약 내가 14살에 지하실 창문 근처에서 야구 연습을 했다면, 나의 아버지는 그렇게 너그럽지 않으셨을 것이다). **이 마지막 국면**(phase) **에서 아동의 사고는 이와 같이 더욱 논리적, 체계적, 추상적인 상태로 된다**(Elkind & Flavell, 1969; Flavell, 1963; Flavell, 1982; Flavell, Miller, & Miller, 2002; Piaget 1936; Piaget, 1960).

미국 학자들에게 자신의 연구를 소개하는 초기 저작들 중의 어느 서문에서(Flavell, 1963), 피아제는 "내가 너무나 많은 상이한 문제들에 관심을 두고 있을 뿐만 아니라 … 무엇보다 쉽게 글을 쓰는 저자가 아니기 때문에"(p. vii) 플라벨 교수의 목표가 얼마나 성취되기 어려운지 기술한 바 있다. 피아제는 이러한 문제의 가장 중요한 원천을 자신이 심리학이 아니라 인식론에 우선적인 관심을 가지고 있고 동식물 연구자이자 생물학자로 훈련받았다는 사실에서 기인한다고 보았다. 그는 "나의 가장 중요한 관심은 지식의 획득 과정에서 그 사람의 활동들이 어떤 기여를 하고 어떤 측면이 제한 요인으로 작용하는지 결정하는 것이다. … 내 책을 읽은 사람들은 흔히 스스로 혼란스러워한다"(p. vii)고 기술한 바 있다. 피아제의 저작을 가지고 고민한 대부분의 학자들은 아마도 이에 대해 동의할 것이다(예를 들어 Chapman, 1988과 Lapsley, 1996을 보라). 플라벨이 자신의 서론에서 지적한 바와 같이, 피아제의 이론과 연구는 최소한 25권의 저서와 150여 편의 학술 논문 등에 흩어져 있다. 이 중 많은 저작들은 불어에서 영어로 번역되지 않았으며, 언어와 관계없이 이 모두는 읽고 이해하기 어렵다.

인지로부터 도덕성으로 옮겨 가기 전에 우리는 발달에 대한 피아제 이론의 네 가지 중심 개념을 살펴보아야 한다(Piaget, 1932/1997). 피아제는 아동이 사물 혹은 사건에 대한 일반화된 지식 구조인 스키마(*schemas*)를 구성하는 것을 관찰하였다. 여러분은 스키마를 사고 및 지식의 구성 요소로 간주할 수 있을 것이다. 예를 들어 우리는 어머니가 무엇과 같은지, 교실에서 어떻게 행동해야 하는지, 그리고 새로운 사람을 만날 때 어떻게 해야 하는지에 대한 스키마를 가지고 있다. 피아제는 **동화**(*assimilation*)와 **조절**(*accommodation*)이라는 두 가지 방식으로 사고가 변화한다고 믿었다. 동화는 그들이 기존의 스키마 속으로 새로운 정보를 통합할 때 일어나는 것이고, 조절은 새로운 정보에 대해 그들의 스키마를 조정할 때 발생한다.

함께 인사하는 스키마에 대해 생각해 보자. 신경질적인 사람의 전형적인 특징은 비효과적인 혹은 짜증내는 스키마를 소유하는 경향이 있다는 점이다. 내가 "안녕하세요?"라고 물으면, 건강한 사람은 "내가 몹시 우울해요. 아무도 내 두드러기, 내 침울한 연애 사업, 그리고 공격적인 내 직장 상사에 대해 관심을 두지 않는 것 같아요"라고 말하는 대신 "네. 괜찮아요. 당신은 어떠세요?"와 같은 반응을 기대한다. 누군가 "한심스럽구나(poor me)" 스키마를 가진 경우, 그들은 흔히 이러한 스키마 속으로 정보를 받아들이고 끼워 맞춘다. 앞서 언급한 것처럼, 사랑에 속 태우는 사람에 대해 치료사는 흔히 새롭고 보다 건강한 스키마를 구성하도록, 즉 조절하도록 독려한다.

피아제에게 있어, **평형화**(*equilibration*)의 메커니즘은 아동이 사고의 상태를 바꾸는 방식을 설명한다. 동화와 조절은 아동이 세계를 이해하려고 시도할 때 비평형을 야기하는 인지적 변화를 낳는다. 인지와 도덕 발달의 국면은 자신의 세계에 대한 아동의 능동적인 탐구에서 발생하는 평형의 지점을 나타낸다.

피아제는 규칙 체계로서 도덕성에 대한 조작적 정의를 사용해, 그리고 인지 발달에 대한 자신의 관념을 기반으로 해, 그 당시 흔한 아이들의 구슬 놀이 규칙에 대한 아동의 개념과 존중에 대해 다른 연령대의 아동들을 인터뷰하면서 도덕성에 대한 연구를 시작했다. 그는 인지 발달이 특정한 계열성(sequences)을 통해 진행되는 것과 마찬가지로, 도덕 추론 역시 아동의 인지능력에 있어서 커지는 복잡성과 관련되는 국면 속에서 앞으로 나아가야 한다고 상정했다. 그는 프로이트의 임상 면접 방법을 차용하였고, 구조화된 질문을 사용함으로써 자신만의 방식을 추가했다. 피아제의 연구 결과를 보면서, 통찰력 있게 유도해 주고 질문을 명료하게 함으로써 질문에 대한 과학적 표준화와 아동의 추론을 따라가는 창의적인 능력 둘 모두를 확인할 수 있다.

『아동의 도덕 판단』(Piaget, 1932/1997)은 네 개의 주요 부분으로 나누어진다. 첫 번째인 "게임의 규칙(The Rules of the Game)"에서 피아제는 구슬 놀이 연구에 대한 계획서를 기술하고 상이한 연령대의 아동들을 대상으로 한 많은 응답 사례를 제공한다.

> 실험자는 대략 다음과 같이 말한다. "여기에 구슬 몇 개가 있어. … 네가 게임 방법을 내게 가르쳐 줘. 나도 어렸을 때에는 게임을 많이 하곤 했어. 하지만 지금은 어떻게 하는지 완전히 잊어버렸거든. … 같이 하자. 네가 나에게 규칙을 가르쳐 주면 너랑 같이 게임할 거야." (p. 24)

아동과 인터뷰어가 게임을 하고 있을 때, 인터뷰어는 아동이 새로운 규칙을 만들어 낼 수 있는지, 새로운 규칙이 새로운 게임으로 이어질 수 있는지, 그리고 어떤 규칙이 가장 공정한지와 같은 일련의 문제를 물어본다. 피아제는, 매우 어린 아동의 경우, 게임은 하고 있지만 실제로는 형식적인 규칙에 대해 거의 고려하지 않은 채 구슬을 다룬다는 것을 그들 스스로 알고 있다는 점을 발견했다. 대략 2세부터 5세까지의 아동들은 다른 친구들이 사용하는 규칙을 보고 흉내내기 시작하지만, 여전히 매우 자기중심적으로 게임을 한다. 그들은 아마도 함께 게임을 할지는 모르지만 통일적인 규칙을 사용하지는 않았다. 피아제가 면접했던 7세에서 8세 사이의 아동들은 이기려고 시도하기 시작하고 표준 규칙을 사용하는 데 관심을 갖기 시작했다. 그러나 그 아동들은 여전히 일관성 없는 규칙의 형태를 가지는 경향이 있었다. 단지 11세에서 12세 사이의 아동만이 규칙을 체계화한 것처럼 보였고, 상당한 수준의 일관성 있는 규칙을 기술했다. 피아제의 저작에 대한 번역 과정에서 가바인(Gabain, 1997)은 이러한 변화들에 대한 논의를 하면서 **단계**(*stage*) 개념을 일관되게 사용하였다. 그러나 피아제는 그 부분을 요약했을 당시에 그의 저작을 통해 간간이 섞여 있는 많은 경고들 중 하나를 추가했고, 단계를 기술하는 것으로 그의 저작을 해석하려는 전통을 약화시킨 바 있다. "우리는 아동의 사고가 정도에 있어서 뿐만 아니라 그 본질에 있어서도 성인의 사고와 다르다는 것을 제시하기 위해 전력을 다한 후에, 이 용어들이 의미하는 것을 더 이상 정확히 알지는 못한다고 고백한다"(p. 84). 그는 때로는 아동의 사고 특징이 성인에게도 나타나며, 때로는, 특히 아동이 동년배들과 동등하게 협력할 때 성인의 사고 특징이 아동에게도 나타난다는 것에 주목한다. **"모든 아동의 내면에 성인이 존재하고, 모든 성인의 내면에 아동이 존재한다"**(p. 85).

피아제의 가장 중요한 발견은 아동기에 두 가지 도덕성의 존재였다. 그의 책 두 번째 부분인 "성인의 통제와 도덕 실재론"에서, 그는 초기 학령기 사고의 특징적인 사고 유형을 기술했다. 피아제는 이 국면에서의 사고에 대해 유사한 두 용어, 즉 **도덕 실재론**(*moral realism*)과 **통제의 도덕성**(*morality of constraint*)을 사용한다. 대부분의 책에서 **타율적 도덕성**(*heteronomous morality*) **단계**로 기술되는 도덕 실재론은 성인의 권위에 복종을 보이는 모든 행동은 선하다는 아동의 믿음을 특징으로 한다. 게다가, 아동은 법의 정신보다는 문자를 사용하면서 추론하고, 근본적인 동기보다는 객관적인 결과로 행동을 평가한다. 나이가 더 어린 아동에게 규칙은 외부로부터 유래하는 경향이 있다. 그들은 어떤 내적인 결의 혹은 진정한 양심보다는 외적인 통제 때문에 복종한다. 피아제(1932/1997)는 7, 8세의 연령까지 아동의 사고는 성인의 권위에 정의를 상당 부분 종속시키는 것으로 보이나, 8세부터 11세까지의 연령대에서는 "평등주의"(p. 315)로 향하는 경향을 보여 준다고 믿었다.

> 통제의 도덕성은 다름 아닌 의무의 도덕성이고 타율의 도덕성이다. 아동은 성인들로부터 어떠한 상황에서도 복종해야 하는 일정 수의 명령들을 받아들인다. 옳음은 이 명령들에 따르는 것인 반면, 그름은 그렇게 하지 않는 것이다. (p. 335)

피아제(1932/1997) 책의 세 번째 부분인 "협력과 정의감 발달"은 아동이 타인과의 진실한 평등감으로 이동하는 때인 11세와 12세 즈음에 시작하는 발달 시기의 사고를 기술한다. 대부분의 학부생용 교재들은 이 시기를 '**자율적 도덕성의 단계**(*stage* of autonomous morality)'로 기술한다. 피아제는 이 단계를 흔히 '**협력의 도덕성**(*morality of cooperation*)'으로 지칭하는데, "이 도덕성의 지도 원리는 연대(solidarity)이고, 이 단계는 양심의 자율성, 의도성, 그리고 결론적으로 주관적인 책임에 주된 역점을 둔다"(p. 335).

이 책은 뒤르켐, 볼드윈(Baldwin), 포코네(Fauconnet), 그리고 보베

(Bovet)의 이론에 비해서 피아제의 도덕성에 대한 연구 기반 이론의 우위를 주장하는 폭넓은 논의로 끝난다. 오늘날의 독자들은 몇몇 혹은 이 모든 사상가들이 익숙하지 않을지도 모르겠지만, 당시에 매력적으로 작용했던 지적 견해들에 대한 피아제의 적극적인 대처를 알아차려야 한다.

나는 단계라는 단어의 사용을 피하기 위해 내가 얼마나 조심하는지 여러분이 알아차리길 바란다. 피아제(1932/1997)는 "일반적인 단계는 없다"(p. 14)고 진술한 1960년의 저작에서 이 사안에 대해 자신이 직접 아주 명백히 밝혔다. 그의 연구는 아동이 때때로 상이한 내용 영역에 걸쳐서 상이한 사고 유형을 이용한다는 것을 보였다. 피아제의 이론에 대한 랩슬리(1996)의 탁월한 분석은 피아제의 인지 발달 '단계'가 아동의 사고에 대한 형식상의 어떤 속성을 기술하는 것이지, 아동 그 자체를 기술하려고 의도된 것이 아님을 풍부하게 밝히고 있다.

인지적 정교함과 무관하게, 우리들 대부분은 친숙하고 구체적인 사례를 통해서 언제 우리가 추상적 사고에 접근할 수 있는지를 잘 알기 때문에, 이러한 구분을 더욱 분명하게 하는 예를 제공하고자 한다. 한 아동이 인후염과 발열 증상을 보인다고 상상해 보자. 그녀의 의사가 목에서 표본 채취와 조직 배양을 통해 연쇄상구균 박테리아 감염이 발열과 인후염이라는 외부 증상을 초래한 근본적인 구조라는 것을 드러내 보인다. '아동 = 질병'이라는 등식이 아니라 아동이 질병을 가지고 있고, 그래서 아동은 병의 증상을 보이는 것이다. 이와 비슷하게, '아동 = 구체적 조작'이라는 등식이 아니라, 특정한 상황에서 그 혹은 그녀가 이용하는 사고의 구조가 구체적 조작인 것이다. 연쇄상구균을 가진 아동이 인후염을 보인다고 말하는 것과 마찬가지로, 구체적인 조작적 사고를 사용하는 아동이 보존 능력을 보여 줄 것이라고 말할 수 있다.

피아제의 도덕 발달 이론에 의존하면서, 나는 같은 유형의 모델을 언급한다. 콜버그에게서 확인할 수 있는 발달에 대한 경성 단계 이론(hard stage theory)에 반해서, 도덕 발달에 대한 피아제의 **국면**(그가 선호하는 개념)은 아동이 사회적, 도덕적 상황을 이해하는 방식을 기술한다. 마이클 채프먼(Chapman, 1988)에 의해 인용된 것처럼, 피아제는 다음의 입장을 분명히 하고 있다.

> 나는 아동 발달의 어떤 단계에서도 구조적 통일성을 확인한 적이 없으며 … 그리고 만약 구조적 통일성이 없다면, 모든 영역, 그리고 모든 기능들 사이에서 검증할 수 있는 변치 않는 유사성을 가능하게 하는 일반적인 단계는 없다. (p. 346-347)

도덕 발달에 대한 피아제의 '국면' 이론

피아제는 3, 4세 연령까지의 아동을 **전도덕**(premoral)이라고 표현한다. 그가 보기에, 유아는 규칙을 진정으로 이해하지 못하므로, 규칙의 위반에 대해 판단을 내릴 수 없다. 취학 전 아동은 기이한 방식으로 게임을 하고 자신의 규칙을 자주 만들어 내거나 마음대로 규칙을 변경한다. 그들은 자신들의 사적인 공상과 바람에 따라 게임을 한다.

아동은 성숙해 가면서, **타율적 도덕성**, **통제의 도덕성** 혹은 **도덕 실재론**으로 번갈아 지칭되는 피아제의 실재하는 첫 번째 도덕 추론 국면(phase of moral reasoning)을 사용하기 시작한다. 이 추론의 유형은 전조작적 사고에 해당한다. 피아제는 거의 3-6세 연령대의 유아

학문 분야 리더들과의 인터뷰: 다니엘 랩슬리 박사(Daniel Lapsley), **노트르담대학교 심리학과 교수이자 학과장**

랩슬리의 연구는 청소년의 비취약성과 위험 행동에 대한 저작물을 포함하여 청소년의 사회 인지와 성격 발달 영역에서 다양한 주제(자기도취, 분리-개별화, 자아-에고-정체성 발달, 그리고 대학 적응)에 주목한다. 그는 또한 성격의 도덕적 차원과 도덕 심리학에서 다른 주제들을 연구하고, 도덕 정체성 그리고 도덕교육과 인격교육에 대해 집필해 왔다. 그의 저작에서 가져온 아래와 같은 발췌 부분에서 확인할 수 있는 것처럼, 랩슬리는 피아제의 기초 연구를 존경하면서, 자신의 현재 작업은 도덕적 성격 형성에 뿌리박고 있는 도덕 발달의 더욱 복잡한 개념의 중요성을 탐구하는 것임을 밝히고 있다.

> 피아제는 우리에게 많은 것들을 알려 주었는데, 우리가 세상에 대해 아는 것은 우리의 이해(understanding)에 의존한다는 것이 가장 중요하다. 그리고 이 통찰은 도덕 심리학의 많은 분야에 대한 연구에서 계속해서 큰 도움을 줄 것이다.
>
> (D. Lapsley, 개인 교신, 2012년 9월 27일)

> 그럼에도 불구하고 지금은 절정기가 이미 지났고, 콜버그 이후의 도덕 심리학의 시대에 도덕 단계 이론의 위상에 어떤 일이 일어났음을 시사할 것이다. … 도덕 단계 이론은 이제 활기찬 연구 활동의 원천이기보다는 오히려 희미해져 가는 역사적 관심의 대상이다(Lapsley, 2006, p. 38). … 이는, 도덕적 자아 그리고 도덕과 자아정체성 발달의 궤적이 도덕적 성격에서 이상적으로 결합되듯이, 도덕적 정체성의 형성이 도덕과 정체성 발달의 분명한 목표임을 시사한다.
>
> (Lapsley, 2006, p. 60)

는 도덕 절대론자인 경향이 있다는 것을 관찰했다. 그들은 규칙을 권위(예를 들어, 부모, 교사, 경찰)에 의해 전수되는 것으로 여기고, 그리하여 규칙은 고정된, 신성시되는, 변경 불가능한, 그리고 절대적인 것이 된다. 옳음과 그름에 대한 견해에 있어 융통성이 없고, 정의는 성인의 권위에 종속된다. 이 개념을 시험하기 위해 피아제(1932/1997)는 아동기의 도덕 위반에 대한 이야기 쌍(pairs)을 아동에게 들려 준다.

> 한 어린 소녀는 새와 새장을 가진 친구가 있었다. 그녀는 이것이 너무 잔인하다고 생각했다. 그래서 그녀는 새장을 허락 없이 가지고 가서 새를 풀어 주었다. [다른] 어린 소녀는 사탕을 훔쳐 먹었다. 그들 둘 다 버릇이 없니, 아니면 두 소녀 중 한 명이 다른 한 명보다 더 버릇이 없니? (p. 132)

피아제는 일반적으로 아동이 나이가 들어감에 따라 물리적인 결과로 행위를 판단할 가능성이 적다는 것을 발견하였다(새장이 더 크다. 그래서 첫 번째 소녀가 더욱 버릇이 없다). 대신에 그들은 의도(intentions)를 고려한다. 그러나 원문에서 다시 피아제(1932/1997)는 조심스럽게 "두 가지 태도는 동일한 연령대에 그리고 심지어 동일한 아동에게도 공존할지 모르지만, 일반적으로 말해 이러한 두 가지 태도는 동시에 발생하지 않는다"(p. 133). 피아제는, 어린 아동이 의도를 종종 의식한다고 인정하더라도, 어린 아동은 의도보다는 결과에 주력한다는 것을 발견했다.

그의 연구에서, 피아제는 타율적 도덕성의 단계에서 내재적 정의[5] 개념 혹은 규칙을 위반하거나 권위에 불복종하는 것은 분명히 처벌

---

5. imminent justice: 나쁜 행동에 대한 처벌은 절대적이고 피할 수 없다는 생각: 옮긴이.

을 야기할 것이라는 관념을 드러내는 아동을 자주 맞닥뜨렸다. 예를 들어, 내가 4살 때, 나의 어머니는 개미 살충제를 집 문틀 몇 군데 주위에 두고 나에게 "만지지 마. 해로운 독이야"라고 말하였다. 어머니가 방에서 나가자, 나는 손을 내밀어 살충제를 만졌다. 대략 다음 해까지 나는 하는 수 없이 죽기를 기다리면서 매일 밤 침대에 누웠다.

11세쯤, 피아제가 연구했던 아동은 **자율적인 도덕성**을 드러내는 사고를 더 많이 사용하기 시작했다(또한 피아제에 의해 도덕 **상대주의**, 그리고 **상호 호혜성의 도덕성**으로 기술됨). 특히 또래들과의 상호작용, 다년간의 사회적 상호작용은 아동이 상호작용에서 상호 호혜성에 대한 요구 관념을 발달시키도록 돕는다. 나이 든 아동은 모든 사람이 정의에 대한 동일한 권리를 가지고 있다는 의견을 갖게 된다. 그들은 규칙이 관습에 대한 진술이고 합의나 동의에 의해 변경될 수 있다는 것을 깨닫게 된다. 이제 그들은 권위에 대한 맹목적인 복종을 거부하고, 도덕 규칙을 협력, 상호 호혜성, 그리고 또래들 사이의 상호작용의 산물로 간주한다. 그들의 도덕 판단은 많은 유연성을 보이고, 행위자의 관점, 정서, 그리고 느낌뿐만 아니라 개인의 행동에 대한 여건도 고려한다.

예를 들어, 피아제는 순종적인 딸과 반항적인 딸을 가진 한 엄마에 대한 이야기를 아동들에게 들려 주었다. 어머니는 순종적인 딸을 가장 좋아해서 그녀에게 가장 큰 케이크 조각을 주었다. 아동들은 "어떻게 생각하니?"라는 질문을 받았다. 6-9세 아동의 70%는 좋은 일을 했다고 생각했다. 10-13세의 아동은 40%만이 동의했다(Piaget, 1932/1997). 대신에, 그들의 논평은 프레스와 더의 응답에서 입증된 것처럼 발달하고 있는 정의 개념을 드러냈다.

프레스(10세): "엄마는 반항적인 딸도 사랑해 주고 친절하게 대해 주어야 했는데, 그러면 아마 그 딸도 더욱 순종적으로 되었을 거예요. — 순종적인 딸에게 더 많이 주는 것이 공정하니? — 아니요."
더(10세): "엄마는 두 딸에게 같은 양을 주었어야 했어요. — 왜? — 왜냐하면 두 아이 모두 엄마의 딸이기 때문에, 엄마는 두 딸 모두를 똑같이 사랑해 주었어야 했어요." (p. 265)

피아제는 타율적 사고 스키마에서 자율적 사고 스키마로의 이행은 보다 높은 인지 능력과 보다 확대된 사회적 경험의 결합 기능이라는 의견을 가졌다. 아동이 성숙함에 따라 아동의 인지는 중요한 두 가지 변화를 드러낸다.

1. 자기중심성(egocentrism)의 감소
2. 역할 채택과 다른 관점을 상정하는 능력의 증가

어린 아동은 자신의 주의를 사로잡는 두드러진 특징에 주의를 집중하는 반면(centration), 나이 든 아동은 **탈중심화**(decentration) — 사회 현실의 다양한 특징에 주의를 기울이는 능력 — 할 수 있다. 깁스(Gibbs, 1995)는 사회적 상황에서 더 어린 아동에게 종종 가장 두드러진 특징은 자신의 "주장, 요구 혹은 바람"이라는 중요한 지적을 한다. 그에 반해서, 나이 든 아동은 어른이 "만약 …한다면, 너는 어떨 것 같니?"라고 말하면서 그를 상기시키지 않아도 종종 다른 사람의 관점에서 생각할 수 있다.

피아제 이론에 대한 최근의 평가

발달심리학에 대한 피아제의 기여가 엄청나다는 것은 의심의 여지가 없다. 수십 년 동안 연구가 진행된 이후에도 이 이론의 어떤 부분은 다른 부분보다 더 유효하다. 오늘날 대부분의 발달 이론가들은 아동의 사고가 하나의 일반적인 인지 시스템이라기보다는 느슨하게 연결된 일련의 시스템과 같다고 믿는다(Flavell et al., 2002). 선행 연구에서는 수행이 종종 영역 특수적(domain specific)이라는 것을 입증했다. 예를 들어, 아동은 대인 관계에 관련된 문제를 해결하는 영역보다는 수학 문제를 해결할 때 더욱 고급 전략을 드러낼지 모른다. 그래서 현대 발달 연구자들은 “주의, 기억 능력, 전문성, 문제 해결 전략, 그리고 사회적 지지”(p. 9)가 인지 과제 수행에 어떤 영향을 미치는지 보다 관심을 기울여 왔다. 피아제는 강한 생물학적 배경을 가진 학자이기 때문에, 아동의 인지를 “복잡한 환경에서 복잡한 유기체의 생물학적 적응의 특수한 형태”(p. 5)로 간주한다. 이러한 관점은 인지와 도덕 판단을 이해하는 데 있어서 훌륭하고도 중요한 틀이었고, 여전히 그러한 틀로 남아 있다. 플라벨 등(2002)은 인지심리학에서 피아제의 학설이 너무 중심이 되어서 우리들 대부분은 피아제의 학설에 대단히 철저하게 동화되어 왔으며, 결국 우리는 얼마나 자주 우리가 피아제 학설의 모습(〈표 2.2〉를 보라)을 통해서 새로운 정보를 여과하고 있는지를 알아채지 못하는 위험에 처해 있다고 언급했다.

강점들은 다음을 포함한다.

- 동화, 조절, 스키마, 그리고 보존과 같은 중요 개념들
- 적극적인 지식 구성자로서의 아동관
- 아동을 관찰하는 창의적인 방법들
- 발달을 촉진시키기 위해 아동의 현재 발달 수준을 약간 넘어서 환경을 구조화할 수 있다는 견해

도전들은 다음을 포함한다.

- 피아제는 몇몇 영역(예컨대, 자기중심성)에서 아동의 역량(competence)을 과소평가했다 — 아기들과 어린아이들은 그의 이론이 예측했던 것보다 더욱 유능하다.
- 피아제는 다른 영역(예컨대, 형식적 조작)에서 아동의 역량을 과대평가했다 — 많은 십대와 성인은 형식적인 조작적 사고를 결코 많이 사용하지 않는다.
- 피아제는 인지 발달 및 도덕 발달을 촉진시키거나 지체시키는 데 있어서 문화와 교육의 역할을 과소평가했다(Flavell, Miller & Miller, 2002; Santrock, 2010).

표 2.2 피아제 이론의 강점과 도전들

조력 전문가를 위한 적용과 함의

교사, 학생, 상담가, 그리고 사회복지사는 그들이 대상으로 하고 있는 학생/아동/내담자의 입장에서 생각할 수 있을 때 가장 효과적이다. 피아제의 이론은 일반적으로 아동이 나이를 먹으면서 원시적인 사고 국면에서 더욱 진화된 사고 국면으로 이동한다는 것을 우리가 이해하도록 돕는다. 아동은 "물리적인 외관 및 결과와 관련된 외재적 도덕성으로부터 되갚음의 호혜성과 관련된 실용적 도덕성으로, 그리

고 최종적으로 심리적 맥락과 이상적 호혜성에 대한 고려를 수반하는 더욱 내재적인 혹은 자율적인 도덕성으로 나아간다(Gibbs, 1995, p. 31).

피아제는 임상가가 아니라 연구자이지만, 약간의 실제적인 조언을 제공한다. 그는 부모가 더욱 평등주의적이고 덜 권위주의적인 상태가 됨으로써 아동이 자율적 도덕성 국면으로 발달하도록 도울 수 있을 것이라는 견해를 가지고 있다. 『아동의 도덕 판단』이 출판된 이후 수십 년이 지나서야 비로소 콜버그와 다른 연구자들(예를 들어, DeVris & Zen, 1994; Hayes, 1994; Power, Higgins, & Kohlberg, 1989)이 교육의 장에서 도덕성에 대한 피아제의 인지 발달 접근에 대한 몇몇 실제적인 적용을 탐구하였다. 이러한 적용은 제2부에서 상당히 자세하게 논의하지만, 먼저 우리는 피아제의 견해를 기반으로 하는 로렌스 콜버그(그리고 이후 제임스 레스트)가 20세기 심리학에서 가장 잘 알려지고 (추론과 과거 경험을 활용하는) 가장 발견적(heuristic)인 이론 중 하나를 전개하는 방식을 검토한다.

토론 문제

1. 여러분이 현재 갖고 있는 도덕적 가치가 부모에 의한 처벌의 두려움에 의해 어떤 식으로 형성되었고, 양친 혹은 그중 한 분과의 동일시에 의해 어떤 식으로 형성되었다고 생각하는가?
2. 관계가 어떻게 작동하는지에 대한 여러분의 스키마가 발달 과정에서 어떻게 변화되어 왔는지 생각해 보자. 이상적인 낭만적 파트

너에 대한 스키마가 어린 시절부터 지금까지 상당히 바뀌었는가? (바뀌었다면) 어떤 식으로 바뀌었는가?

추가 자료

- 이 사이트(www.iep.utm.edu/freud/)는 프로이트의 폭넓은 견해와 이론 내에서 도덕성에 대한 그의 저작을 살펴보는 데 도움을 줄 것이다.
- 이 사이트(www.intelltheory.com/piaget.shtml)는 피아제가 영향을 미친 사상가뿐만 아니라 피아제에게 영향을 미친 사상가와의 몇몇 흥미로운 연결과 더불어 피아제에 대한 간략한 전기를 살펴보는 데 도움을 줄 것이다.

3. 단계에서 스키마로

*

콜버그와 레스트

로렌스 콜버그(1927-1987)의 도덕 발달 6단계 이론은 현대 심리학에 지대한 영향을 끼쳤다. 오늘날 시중 도서 중에 그것에 대해 한 섹션이라도 지면을 할애하지 않은 발달심리학 책이나 입문서는 없다고 나는 감히 말할 수 있다. 도서들은 일반적으로 "콜버그에 대한 비판" 혹은 "콜버그의 이론 평가하기"와 같은 논의와 더불어 그의 이론에 대해 간략한 개요를 다루고 있다. 피아제의 인지 · 도덕 발달에 대한 경우와 마찬가지로, 콜버그적 패러다임 내에서 치열한 연구를 시도한 초기 이후에, 많은 이론가들과 연구자들은 콜버그의 기본 가정, 연구 방법, 그리고 도덕성의 다른 요소보다 도덕적 인지의 우선성을 강조하는 것에 도전하기 시작했다. 여러분은 이 장과 제4장에서 이러한 도전의 간략한 개요를 접하게 될 것이다.

콜버그의 유명한 발달 단계 이론보다는 비교적 덜 알려져 있지만, 제임스 레스트(James Rest)의 신콜버그주의적 접근법이 등장하였다. 이는 수십 년에 걸쳐 도덕 추론 능력의 발달에 대한 측정 도구인 도덕 판단력 검사(Defining Issues Test; 이하 DIT)를 이용하여 세심하고도 철저하게 분석된 것이다. 미네소타 그룹 출신의 레스트 동료들은 자신들의 접근법이 "콜버그의 기본 관점(즉, 도덕 판단이 인지적이며 발달적이라는 관점)을 재확인함으로써 안정시키는 힘으로서 기여할 뿐만 아니라, 이론과 측정의 변화 모두를 촉진시킴으로써 그 분야의 진보를 이끄는 힘을 갖는다"고 믿는다(Thomas, 2002, p. 225).

앞으로 다룰 장에서 대부분의 이론가들은 피아제, 콜버그, 그리고 레스트의 초기 인지 발달적 설명에서 도덕적 추론에 강조점을 둔 것에 대해 심각한 우려를 표명한다. 그러나 나의 입장은 세 가지 이론의 핵심인 인지적 복합성에서 발달적 성장 개념은 조력 전문가에게 적용을 위한 중요한 실천적 가치를 지속적으로 갖는다는 것이다.

콜버그의 보편적인 구조적 단계 이론

> 도덕교육자인 나에게 … 모교 교직원을 위한 강연 부탁이 … 들어왔다. 내가 도착했을 때 수많은 은사들이 불신의 눈빛을 띤 채 객석에 앉아 계셨다. 그분들은 나를 흡연, 음주, 인근 학교 여학생을 쫓아다니다 근신하던 고교생으로 기억하고 계셨다. 이런 면에서 나는 … 옛 친구들과 크게 다를 바가 없었는데, 그들은 교칙 제정에 대해 어떤 발언권도 없어 책임감을 거의 못 느꼈었다. 내가 어겼던 교칙은 나에게 타인의 권리와 안녕에 대한 관심과 정의의 차원이 아니라 임의적인 인습일 뿐이었다.
>
> (Kohlberg, 1986, p. 4)

콜버그 이론의 적용을 탐구하기 전에, 그것을 이해하고 평가하는 것이 필요하다. 우리는 이론 이전에 인간 콜버그와 그의 이론이 나오게

된 혁신적 박사학위논문에 대해 간략하게 살펴보고자 한다.

인간 콜버그

콜버그의 중심 관점, 즉 보편적 정의 중심의 도덕성은 제2차 세계대전 말엽에 겪은 그의 강렬했던 삶의 경험을 고려할 때 놀라운 일이 아니다. 콜버그는 상선대(Merchant Marines)에서 2년 복무 후, 스무살 때 강제수용소의 공포가 생생한 유태인 난민을 팔레스타인으로 밀입국시키는 하가나(Haganah) 호에 엔지니어로 고용되었다. 영국이 그 배를 나포했고, 선원들은 아이러니하게도 사이프러스(Cyprus)에 있는 영국 강제수용소에 억류되었다. 그들은 구조되어 결국 팔레스타인으로 가게 되었는데, 그곳에서 콜버그는 유태인 키부츠의 삶을 잠깐 경험하게 된다. 이러한 사건들은 그를 홀로코스트의 공포에 대해 말하려는 거의 본능적 욕구를 지닌 사람으로 만들었다. 그는 정신적인 사람이었기에, 동료 노암(Gil Noam)의 말처럼, "'결코 다시는(Never again)'이라는 빈번하고도 공허한 슬로건에 현실성"을 부여하기 위해 철학과 심리학에 의지하게 되었다(Fowler, Snarey & DiNicola, 1988, p. 40).

콜버그는 보편적 도덕 발달 이론을 설명하고 적용하는 데 자신의 삶을 바쳤다. 철학자 리드(Reed, 1997)가 언급했듯이, 콜버그는 자신의 프로젝트의 핵심 질문, 즉 "어떻게 우리가 정의를 조성하고, 문화에 기반을 둔 인위적인 생각들을 하지 않으면서 불의에 반응할 수 있을까?"(p. 56)라는 질문에 답하는 데 30년 이상을 헌신했다. 콜버그의 프로젝트는 획기적인 연구로 시작되었지만, 그것은 당시의 시대적 맥락에 대한 고려가 없다고 너무나 자주 비판 받아 왔다.

박사학위논문: 도덕 발달에 관한 콜버그의 독창적 연구

1958년 콜버그의 시카고 대학 박사학위논문은 현대 도덕 발달의 체계를 세운 것으로 간주된다. 콜버그는 독자적인 이론, 방법론, 그리고 영역을 지닌 분야로서 도덕 발달에 대한 주장을 분명히 했을 뿐만 아니라, 피아제의 생물학적인 초점에서 물러서서 듀이, 미드, 그리고 뒤르켐의 전통에서 다루어지던 사회 이론에 대한 강조 쪽으로 이동해 갔다(Puka, 1994).

콜버그는 사회적 은둔형 대(對) 융화형, 그리고 중상 계층 대 중하 계층으로 구성된 4, 7, 10학년 남자 아동들의 도덕 추론 능력을 비교하는 기획을 마련하였다. 오늘날 사회적 은둔형과 사회적 융화형이 어떻게 도덕 추론 능력에 영향을 끼치느냐에 대한 그의 관심은 거의 잊혀졌다(Vozzola, 1996). 대신에 사람들은 여성 피험자의 부재(Gilligan, 1982)라는 표집 설계의 특징 하나는 기억한다. 즉, 표집 선택의 모든 세부 사항을 자세하게 살핀 후 이러한 빈틈이 연구자의 고의적인 편견을 나타내는 것이라는 점에 대한 이의가 제기되었다. 사실 콜버그의 일대기에 대한 초창기 연구에서, 리드(1994)는 콜버그의 학위논문 멘토인 코크(Helen Koch)가 이런 종류의 연구에는 소녀들보다 소년들의 반응이 훨씬 좋은 경향이 있다는 피아제의 연구 발견 때문에 그에게 소년들을 연구 대상으로 하라는 조언을 했다고 한다. 또한 리드는 콜버그의 학위논문에 대해 "정치적 · 개인적으로 나치의 참상에 대한 의미 있는 반응이다. 콜버그는 사회 정의에 대해 근본적인 문제를 제기하려고 하였고, 동시에 직접적으로 사람들을 도우려고 했다"라고 쓰고 있다. 코크는 이 천재에게 듀이, 미드, 피아제의 업적을 소개해 주었다. 콜버그는 이러한 사상들을 하나의 이론으로 통합했는데, 이는 독창성, 중요성, 그리고 범위 면에서 박사학위 연구에서는 거의 전례가 없는 것이었다.

역사적인 중요성을 넘어, 콜버그의 학위논문은 오늘날 도덕 발달과 관련된 많은 사상들을 담고 있다. 초기 연구물은 도덕교육의 전망에 대한 그의 미래 관심의 전조를 보여 준다. "그러나 도덕교육자의 이해는 관대한 치료사의 이해가 아니다. 용서뿐만 아니라 더 높은 요구로 이끌어 내는 이해여야 한다"(Puka, 1994, p. 367).

콜버그의 도덕 발달에 대한 구조적 단계 이론

피아제의 이론에 근거를 둔 콜버그는 도덕 판단에 대해서 불변의, 계열적, 심층-구조적 단계의 발달 패러다임을 제시하였다. 그러나 콜버그의 업적은 피아제의 두 국면을 여섯 단계로 확대한 것과 이후 전 생애에 걸쳐 일어나는 불변의 다섯 단계 도덕 발달로 수정한 것이다. 각 **발달 단계는 규칙, 역할 그리고 제도에 대해 점점 더 적절한 논리적 구조를 나타낸다.** 이 이론에서 중요 개념은 단계적 진행이 도덕 문제나 딜레마를 풀기 위한 훨씬 논리적이고 포괄적인 상호 호혜성의 발달이라는 점이다. 도덕의 정수는 인습 이후적 판단, 즉 상호 호혜성이 관련 당사자의 균형 있는 권리와 책임을 수반하여, 보편적 원칙에 대한 헌신과 상호 존중의 태도로부터 생겨난다. 정의(justice)는 콜버그 이론의 핵심 개념이며, 연속적인 단계들의 각각은 더 많은 사람들을

1단계	복종의 도덕성: 지시된 대로 행동하라.
2단계	도구적 이기주의와 단순한 맞교환의 도덕성: 거래하자.
3단계	관계적 조화의 도덕성: 신중해라, 착해라, 친절해라. 그러면 친구를 사귈 것이다.
4단계	사회질서에 대한 법과 의무의 도덕성: 사회 구성원 모두는 법에 의해 보호받고 법을 준수해야 한다.
5단계	합의 구축 과정의 도덕성: 당신은 정당한 절차에 의해 합의된 것에 따를 의무가 있다.
6단계	비임의적인 사회적 협력의 도덕성: 도덕성은 합리적이고 불편부당한 사람들이 어떻게 이상적으로 협력 관계를 구축하는가에 의해 정의된다.

표 3.1 협력 개념의 6단계

출처: Rest & Narvaez, 1994, p. 5.

위한 정의를 내포하고 있다(Colby & Kohlberg, 1987; Kohlberg, 1976, 1981, 1984; Lickona, 1976).

콜버그는 6단계를 수년간에 걸쳐 여러 번 수정했으며, 따라서 도덕 발달 분야의 초기 또는 이후 문헌의 독자들은 그 단계들을 요약해 놓은 도표에서 용어나 정의(definition)의 상이한 점을 알아차릴 것이다. 여러 저서나 논문에 실린 〈표〉들은 때때로 혼란스럽고 "독창적인 해석"을 야기했다(Rest & Narvaez, 1994, p. 5). 명료성과 단순성을 위하여, 나는 협력 관계를 가장 잘 구축해 놓은 레스트와 나바에츠(Rest & Narvaez, 1994)의 단계 개념을 사용하였다(〈표 3.1〉).

수준 1: 인습 이전의 도덕성

콜버그의 연구는 도덕성을 3수준 6단계로 규정했다. 첫 번째 수준에서, **인습 이전의 도덕성**은 일반적으로 약 4-10세에서 나타나며, 판단은 신체 중심적이고 보통 더 높은 권위에 기초한다. 옳고 그름의 판단 기준은 내재적이라기보다 외재적이다.

1단계, 복종의 도덕성: 콜버그가 **벌과 복종 지향**적이라고 명명한 인습 이전 수준의 첫 번째 단계에서 아이들은 자신들이 옳은지, 그른지를 판단하기 위해 행동의 물리적 결과에 의존한다. 그러므로 아이들은 성인들이 더 큰 힘을 갖고 있기 때문에 도덕적으로 행위한다. 아이들은 어른들의 중요한 특징인 신체적인 우위와 더 강한 힘을 정확하게 자각한다. 이 단계의 사회적 관점은 자기중심적이다. 그들은 타인의 이익을 고려하지 않거나 자신의 이익과 다를 수도 있다는 것을 제대로 인식하지 못한다.

만약에 누군가가 선생님의 지시대로 수학 노트에 정확하게 선을 긋지 않았을 때, 1학년 학생들이 서로에게 말하던 방식을 나는 기억하고 있다. 우리는 그 위반자들에 대해 "말해야 할 것 같은" 도덕적 의무감을 느낄 뿐만 아니라 위반에 대해 도덕적으로 격분할 것이다. "이빈스 선생님께서 상자들을 모두 2인치로 그리라고 하셨잖아. 그런데 너는 3인치로 그렸어 — 내가 얘기하고 있잖아!"

2단계, 도구적 이기주의와 단순한 맞교환의 도덕성: 인습 이전 수준의 두 번째 단계인 **개인주의, 도구적 목적 그리고 맞교환**(콜버그의 좀 더 난해한 제목을 사용)에서 아동들은 행위를 구체적이고 개인적인 관점에서 판단한다. 그들은 모든 사람들이 추구하는 이익이 있으며 이런 것들이 갈등할 수 있다는 것을 알아차리게 된다. 따라서 행위의 올바른 과정은 상대적이다. 타인에 대한 이익은 아동 자신의 필요에 의해서 제한되는 경향이 있고, 종종 "네가 나의 등을 긁어 주면, 나는 너의 등을 긁어 줄게"라는 상호작용으로 표현된다.

예를 들면, 1950년대 후반에는 바비 인형 놀이가 소녀들에게 중요한 사회적 활동이었다. 어느 날 오후, 나는 인형과 인형의 이브닝 가운, 자그마한 플라스틱 신발이 들어 있는 케이스를 들고 3학년인 친구 돈나(Donna)네 집으로 인형놀이를 하러 자전거를 타고 갔었다. 큰 숙모께서 바비 인형을 위한 예쁜 보라색 벨벳 이브닝 코트도 만들어 주셨는데, 돈나는 그것을 빌려 달라고 하였다. 나는 가정교육을 잘 받은 맏딸이었기 때문에 그러라고 응답했고, 나도 돈나의 바비 인형을 사용할 수 있는지 물었다. 돈나는 "미안해, 우리 엄마는 내 것을 다른 애들과 같이 사용하지 말라고 하셨어"라고 하였다. 다음 날 그 애의 집에 다시 놀러 갔는데, 돈나는 또 벨벳 코트를 빌려 달라고 하였다. 나는 미안하지만 우리 엄마도 내 것을 다른 애들이랑 같이 사용하지 말라고 하셨다고 얘기했다. 그 애는 즉시 자기 것을 가지고 놀아도 된다고 하였다. 나도 다시 코트를 빌려주었다. 모든 등은 잘 긁을 수 있었고, 옷도 잘 입힐 수 있었다.

수준 2: 인습적 도덕성

콜버그의 다음 수준인 **인습적 도덕성**은 다양한 연령층에서 광범위하게 발견되는데, 외재적인 기준과 영향에 근거를 두던 판단이 점차 인간의 집단 규범과 규칙에 근거를 두게 된다. 개인은 그들의 특별한 준거 집단의 옳고 그름에 대한 정의를 내면화하게 된다.

3단계, 관계적 조화의 도덕성: 상호 간의 대인 관계에 대한 기대, 관계 그리고 대인 관계의 조화와 순응 등이 특징인 콜버그의 2수준 3단계에서 아동의 사회적 관점은 다른 사람들과의 관계에 있어서 개인의 관점으로 이동한다. 초기의 인습적 사고자들은 "개인의 이익보다 우선하는 공유된 감정, 동의, 기대"에 대해 알게 된다(Kohlberg, 1976, p. 34). 그러나 그들은 아직 일반화된 체계적 관점은 고려하지 않는다. 하지만 판단 과정에서 신뢰, 충실, 감사, 관계 유지와 같은 원리를 고려하고 이에 대해 보다 높은 가치를 부여한다는 점에서 볼 때, 인지 복합성이 향상되고 있는 것이 분명하다.

3단계의 도덕적 관점은 특히 고등학교 수준의 청소년이 제시하는 도덕적 이유에서 분명히 나타난다. 교사와 관리자들은 종종 청소년들이 라크로스[1] 팀원에게는 배려하고 공감적인 태도를 보이다가, 돌아서서는 고스파[2] 출신의 동료 학생을 무자비하게 괴롭히는 것을 보고 좌절감을 느낀다.

4단계, 사회질서에 대한 법과 의무의 도덕성: 물리적, 사회적 환경이 확장됨에 따라 청소년의 규범에 대한 개념도 확장된다. **사회 시스템과 양심**(또한 법과 질서)을 중시하는 콜버그의 4단계에서 사람들은 의무, 권위에 대한 존중, 그리고 법과 규칙에 대한 복종에 초점을 맞춘다. 4단계 사고자들은 대인 관계적 합의와 동기로부터 사회적 관점을 구별하게 된다. 개인은 이제 규칙과 역할을 규정하고 양산하는

1. 하키와 비슷한 구기: 옮긴이.
2. Goth: 말 그대로 고스, 즉 검은 옷을 입고, 흰 피부 분장을 한 젊은이들을 일컬음. 주로 영국에서 나타나는 사회 현상으로, 기성세대에 저항하는 부류: 옮긴이.

시스템적 관점을 갖게 된다. 4단계에서 개인은 더 큰 시스템에서 그들의 위치와 관련하여 개인적인 관계를 고려하게 된다.

나는 콜버그 사상의 많은 부분을 교육철학과 방법론으로 채택한 스카즈데일 대안학교(Scarsdale A-School)에서 박사 인턴십을 했었는데, 그때 매주 열린 공동체 모임을 종종 관찰했었다. 특히 이 학교 학생들이 학교 마약 정책을 "수용하기" 위해 투표해야 하는지에 대해 일주일간에 걸쳐 펼친 논쟁에 매료되었다. 비록 대부분의 학생들은 다소 전통적이며 세련되지 못한 논쟁으로 규칙 유지의 의무감에 대해 반대하였지만(예를 들어, "이것은 자유 사회가 아니지 않는가?"), 3단계("만일 우리가 비난받는 학교에 다니게 된다면 우리는 서로를 위한 좋은 공동체가 될 수 없게 돼")와 4단계가 흥미롭게 혼합된 추론을 하는 학생들이 결국에는 승리하였다. "문제의 진실은 이것이 학교 시스템의 규칙이고, 우리가 그것을 '수용'하든 그렇지 않든 간에, 그 규칙이 적용될 거라는 것이다. 책임감을 가지는 것이 훨씬 합리적이고, 바보처럼 행동하는 것보다 모두의 안녕을 위하여 제정된 규칙이니 받아들여야 되고, 또한 지역의 다른 학생들이 갖지 못하는 권리를 지녔다고도 할 수 있다."

수준 3: 인습 이후 도덕성

피아제의 이론과 마찬가지로 콜버그의 이론(1976, 1984)도 도덕 발달이 인지 능력의 발달에 달려 있다고 한다. 콜버그는 인지 성장이 필요는 하지만 도덕적 추론 능력의 성장을 위한 충분조건은 아니라고 믿었다. 원칙에 근거하고 **인습 이후 도덕성**인 3수준으로의 이행은 개인이 인지적으로 정의, 개인 권리, 계약에 대한 고려를 개념화할 수 있을 때 일어난다. 개인적 판단은 외부 권위에 의해 받아들여지는 것이 아니라 스스로 선택한, 내적 원칙에 의해 결정된다.

5단계, 합의 구축 과정의 도덕성: 콜버그가 **사회계약 지향성**이라 부르는 5단계 기간 동안 규칙과 법이 명확한 공정성의 수단으로 지속적으로 존중된다. 하지만 인습 이후 수준의 사고자는 규칙이 변해야 되거나 심지어 무시되어도 되는 상황이 있음을 알게 된다. 사회에 우선하는 관점(a prior-to-society)이 이 단계의 사고를 특징 지으며 사회적 관계나 계약보다 더 우선순위를 가진 권리와 가치가 있음을 인지한다. 5단계의 개인은 갈등이 도덕적, 법적 관점 사이에서 발생되며, 그것이 해결되기 어렵다는 것을 알지만, 계약, 공정성, 그리고 정당한 절차 등과 같은 공적 메커니즘에 의해 관점을 통합한다.

예를 들면, 코네티컷 주는 최근에 법정 소송 없이 동성애자 시민연대를 합법화하는 최초의 주가 되었다. 하지만 게이 권리 집단은 이러한 진보가 여전히 "분리 불평등(separate but unequal)" 원칙[3]을 나타내는 것이니 동성애자의 결혼을 합법화해 달라고 주장하였다. 인습 이전 및 인습 수준의 사고자들에게는, 자신들의 근본적인 신념으로 판단한다면, 그 문제는 간단해 보였을 것이다. 코네티컷 주가 결국에는 게이들의 결혼을 합법화해 주었으나, 향후 수년 동안 많은 사람들의 의식 속에 원칙(개인의 시민권 대 종교적 믿음에 대한 존중)과 정당한 절차(시민연대가 결혼에 대해서 평등한 지위를 합법적으로 가지는지)에 대한 복잡하고도 상충되는 개념을 5단계의 어려운 논쟁거리로 만들어

3. 분리시켜 준 것이지만 여전히 법 앞의 자유와 시민적 권리, 그리고 소수자들의 평등을 박탈한다는 주장: 옮긴이.

버렸다.

6단계, 비임의적인 사회적 협력의 도덕성: 콜버그의 발달적 계열성에서 마지막 단계는 보편적 윤리 원칙 지향의 여섯 번째 단계 이론이다. 이 단계에서 개인은 자신의 판단을 정의, 상호 호혜성 그리고 존중과 같은 근본적이고 보편적인 윤리 원칙에 근거를 둔다. 6단계 사고의 특징은 "도덕성의 본질을 인식하는 합리적인 개인의 관점이나 인간 그 자체가 목적이며, 그에 상응하게 대우받아야 한다는 사실이다"(Kohlberg, 1976, p. 35). 6단계를 지지하는 연구 근거들은 그렇지 않은 근거들과 섞여 왔었고, 콜버그는 결국 평가(assessment) 혹은 검사 차원의 고려 대상에서 이 단계를 누락시켜 버렸다(Colby & Kohlberg, 1987; Lapsley, 2006).

콜버그가 초기에는 연구 참여자의 일부를 6단계로 평가했지만, 그의 나중 저서에서는 역사적으로 드문 인물들, 즉 예수, 부처, 간디 그리고 마틴 루서 킹 주니어와 같은 분들만이 그러한 추론 능력의 예를 보여 주는 경향이 있다고 주장하였다. 그러나 콜버그는 계속해서 6단계는 자신의 이론을 세우는 데 있어 철학적으로나 논리학적으로 중요하다고 주장한다. 나는 많은 도덕 귀감들(예: Colby & Damon, 1992)이 5, 6단계의 혼합적 양상을 보여 준다고 생각한다. 하지만 우리가 레스트의 4구성 요소 모형을 연구할 때 알게 되듯이, 도덕적 추론에 주된 초점을 맞추고 있는 콜버그의 한계는 6단계를 정의하고 평가하는 데 그 자신도 어려움이 있었다는 것을 설명해 줄 것이다.

콜버그 이론에 대한 최근의 평가

과학철학자들은 좋은 이론에 대해 몇 가지 기준을 설정했는데, 간결함 또는 단순성, 포괄성 그리고 발견적(heuristic) 가치가 포함된다. 콜버그의 이론을 살펴보면, 그것은 간결하면서 포괄적이고, 그의 생각은 명백히 심리학 분야에서 가장 발견적인 면모를 지니고 있다. 파울러 등(Fowler, Snarey & DeNicola, 1988)은 "내 경험상, 콜버그만큼, 아주 능력 있고 수많은 동료들 및 친구들을 자신에게로 끌어들인 동시대의 학자는 없었다"(p. 1)고 말한 바 있다.

2008년, 『도덕교육저널(*Journal of Moral Education*)』(Reed, 2008b)에서 콜버그의 1958년 학위논문 50주년 행사에 즈음하여 특별호가 발행되었다. 튜리엘(Turiel, 2008)은 서문에서 도덕 발달 분야에 대한 콜버그의 지대한 영향과 그의 저술 여러 편의 강점과 도전에 대해 기술하였다. 특별호의 의도는 콜버그의 저술을 기반으로 해서 좀 더 포괄적이고 통합적인 도덕 기능(moral functioning) 모형을 구축하려는 시도를 보여 주고자 한 것이었다. 2009년에 깁스(Gibbs), 모쉬맨(Moshman), 버코위츠(Berkowitz), 배싱어(Basinger), 그리고 그림(Grim)은 특별호에 대한 비판의 글을 실었는데, 그들은 부적절하게 제시된 발달 주제에 대한 에세이, 특히 콜버그와 피아제의 "문화적 맥락과 특정한 사회화 관습으로 환원될 수 없는 보다 깊고 적절한 이해 구축으로서 발달의 핵심 개념"(p. 271)을 비판하였다. 다음 섹션에서 나는 조력 전문가들과 많은 연관이 있어 보이는 면들에 주목함으로써 콜버그의 이론과 연구에 대한 선행 연구를 요약하고자 한다.

불행히도, 보편적인 정의의 도덕성에 대한 콜버그 관점의 간결함과 단순성, 그리고 칸트적인 형식주의 우선은 그를 다수의 고뇌하는 비

강점은 다음을 포함한다.

- 단순성과 포괄성: 발달과 문화 전반에 걸친 도덕적 추론 능력의 차이는 6개의 질적으로 다른 계열적 단계로 설명이 된다. 그 단계들은 내담자나 학생들의 현재의 기능(functioning)을 평가하는 데 매우 유용하다.
- 발견적 가치: 오늘날 그 분야의 많은 연구자들과 이론가들은 자신들의 작업을 콜버그와 직접적으로 연결해 시작하거나 콜버그의 아이디어를 테스트해 보기도 한다. 초기의 정의 공동체 학교 실험은 연구에 기초한 무수한 다른 사회 정서 프로그램에도 영향을 주었다.
- 그의 이론은 발달 과정에서 어떻게 하면 사람들이 "문화적 관여와 특정한 사회적 관습으로 환원될 수 없는 좀 더 깊고 적절한 이해를 구성할 수 있을까"에 대한 설득력 있는 설명을 제공한다.
- 내용보다는 구조를 설명함으로써 도덕 상대주의에 대한 강력한 도전뿐만 아니라 왜 일부 의견과 주장 그리고 입장들이 다른 것보다 "더 나은지" 혹은 다른 것들보다 더 적절한지를 평가하는 기준을 제공한다.

도전들은 다음을 포함한다.

- 콜버그는 도덕적 추론을 지나치게 강조하였다.
- 그는 너무 과도하게 가상적 딜레마를 활용한 측정법에 의존하였다.
- 그는 도덕적 추론과 도덕 행위 간의 간극에 대한 적절한 설명을 제공할 수 없었다.
- 도덕성의 보편적 구조에 대한 그의 주장은 "문화적 틀에 의해 달라질 수 있는 자아 및 사회적 관계의 개념에 관련된 근본적으로 상이한 합리성"에 대해 설명할 수 없다(Turiel, 2008, p. 284).
- 그의 이론은 여성과 여아들의 "다양한 목소리"에 대해서 편향적이다(e.g., Gilligan, 1982). (Note: 이 도전은 4장에서 자세하게 다루어진다.)

표 3.2 콜버그 이론의 강점과 도전

평가들에게 공격받게 만들었고, 그들은 콜버그의 정의에 대한 초점이 이론의 포괄성을 제한한다고 주장하였다. 비평가들은 콜버그의 발달적 연구 방법에서 제기 가능한 도전들과 젠더, 문화적 편견에 관련된 주장뿐만 아니라 결과에 대해서도 다루었다(〈표 3.2〉 참조).

아마도 가장 중요한 문제 중의 하나는 콜버그가 제기한 도덕적 추론의 단계들이 도덕적 행동에 있어서의 차이와 논리적으로 관련성이 있느냐에 관한 관심일 것이다(Blasi, 1980; Thoma, 1994). 다음 섹션에서 나는 레스트의 보다 포괄적인 4구성 요소 모형이 적어도 도덕적 사고와 도덕 행위 간의 간극의 일부분이라도 설명할 수 있도록 도울 수 있다는 점을 주장할 것이다.

조력 전문가를 위한 적용과 시사점

피아제의 이론과 마찬가지로, 사람들의 사고 및 역지사지 능력이라는 복잡성 측면에서 콜버그의 발달 과정에 대한 개념은 우리에게 불합리하게 보일 수도 있는 행위를 하는 학생과 내담자의 입장을 이해하는 데 매우 도움이 되었다.

예를 들어, 나는 한때 보모가 세 살짜리 아이를 부적절한 방식으로 어루만지는 가정에서 일한 적이 있었다. 가족은 아이에게 굉장히 다정하고 지원적이었으며, 이런 행위를 하는 보모가 얼마나 나쁜 사람인지를 말해 줌으로써 문제를 개선하려고 하였다. 그런데 아이는 화를 내면서 "보모는 나쁜 사람이 아니야!"라고 소리쳤다. 그때 나는 구체적인 조작적 사고자에게 기분 좋을 수도 있는 쓰다듬음을 "나쁜 행위"로 개념화하는 것이 얼마나 어려울 수 있는지를 가족에게 설명했다. 이를 통해 그들은 "수영복에 가려진 신체의 일부분은 만지지 않는 것이 규칙이야. 만약 그런 일이 발생하면 엄마, 아빠에게 말하렴. 그러면 보모에게 규칙을 따르라고 분명히 말할게"라는 말로 자신들의 지지 방식을 변경할 수 있었다. 아주 어린 아이에게는 어른이 규칙을 만들고 시행토록 하는 것이 꽤나 적절해 보일 수 있고, 이런 언사는 상처입지 않고 자신이 안전하다는 것을 느끼도록 하는 데 도움이 되었다.

콜버그 이론은 수많은 학교 기반의 개입을 유도했는데, 그것은 민주적 기능, 배려하는 공동체, 그리고 좀 더 복잡한 도덕적 추론 능력 향상 등을 이끄는 긍정적인 도덕적 풍토를 촉진하려는 시도였다. 이후 장에서 우리는 콜버그의 정의 공동체 모형의 개입에 대해서 특별히 집중하면서 탐구할 것이다.

대부분의 조력 전문가들은 오늘날에도 사람들의 사고뿐만 아니라 정서, 강점과 약점, 목표, 그리고 환경적 상황을 포함하는 전인적(whole-person) 또는 전 아동적 관점에서 일하고 있다. 비록 콜버그의 많은 개념들이 내담자와 학생들을 상대하는 데 꽤 유용하지만, 도덕적 추론에 대한 집중은 좀 더 전체적인 적용 모형에 응용하기에는 제한적이다. 하지만 콜버그의 제자 중 한 사람인 제임스 레스트는 좋은 이론을 위해 포괄적 기준을 좀 더 충족시킬 수 있는, 좀 더 복잡한 모형을 제안하였다.

제임스 레스트와 미네소타 그룹: 단계에서 스키마로

> 심리학에 대한 피아제의 영향은 지대했지만, 인지적 절차를 모형화하기 위한 논리적 형식주의의 사용과 단계 개념에 대한 의구심은 계속 제기되어 왔다. 오늘날 콜버그가 살아 있다면 당연히 변경된 관점을 받아들였을 테지만 … 당시에는 인간의 마음에 대해서 피아제의 이론이 가장 심오하고 방어 가능했기 때문에 콜버그는 그의 의견을 수용했다. 만약 학습과 인지에 있어 더 심오하고 방어 가능한 이론이 발견된다면, 우리는 이러한 새로운 접근법을 채택할 것이다.
>
> (Rest, 1991, p. 203)

제임스 레스트는 시카코 대학에서 로렌스 콜버그를 만났고, 하버드에서 박사후 연구원으로서 그를 따랐다. 그는 콜버그 전통의 도덕심리학에 대해 연구를 시작하였고, 도덕 판단에 대한 이해력 측정, 즉 DIT(the Defining Issues Test)를 개발 중이었다. 하지만 그 과정에서 콜버그 학파는 [도덕적 정당화를] 자발적으로 생산하는 도덕 단계 평가 방식인 **도덕 판단 면접**(MJI)에 대해 의문을 갖게 되었다(Rest, Narvaez, Bebeau, & Thoma, 1999; Thoma, 2002).

레스트는 미네소타 대학에서 도덕 이해력에 대해 계속 연구를 하였다. 하지만 도덕 기능이 도덕적 추론에 대해서만 집중한다고 해서 적절하게 설명되지는 않는다고 점점 더 확신하게 되었다. 1980년대에 그는 『아동 심리학 핸드북』에 도덕성에 대한 논평을 쓰게 되었다. 여기에서 요즘 학계에서 널리 받아들여지고 있는 도덕적 행동에 대한 4구성 요소 모형을 발표하게 되었다(Thoma, 2006).

1988년에 레스트는 퇴행성 신경계 질병(Machodo-Joseph)을 진단받게 된다. 이것은 그의 어머니와 삼촌을 잃게 한 질병이었다. 하지만 1999년 사망 때까지 활발하고 생산적인 학자적 연구를 거듭해 결국에는 '단계'보다 더욱 일반화된 지식 구조인 '스키마'에 초점을 맞춘(도덕 영역의 또 다른 재개념화로 막을 내린) 신콜버그주의를 탄생시켰다(Rest et al., 1999).

단계에서… DIT

레스트는 박사후 연구 기간 동안 DIT I이라고 불리는 객관식 측정 도구를 개발하였다. 이는 72개의 도덕적 고려 혹은 논쟁에 대한 인식과 선호도에 근거를 둔 도덕 발달 혹은 성숙도를 지수화한 것이다. 그 도구는 각 발달 단계에 있는 사람들이 도덕적 딜레마의 중요한 이슈들과 특정 상황에서 무엇이 옳고 그른지에 대해 다른 해석을 한다는 전제에 기초한 것이다. 딜레마가 정의되는 방식에서 차이점을 드러내는 응답들이 도덕적 경험을 조직하는 피험자의 근본적인 성향을 측정하기 위해 만들어졌다.

종합형 검사 도구는 실험자들에게 6개의 가상적 딜레마를 제시하며,[4] 그것은 사람들이 각각의 딜레마를 풀 때 고려할 수도 있는 질문과 주장의 형태인 문제 목록으로 구성되었다. 점수는 전형적으로 P점수 형태로 나타나는데, 이는 원리화된 혹은 인습 이후 수준의 추론에 대한 피험자의 선호도를 지수화한 것이다. 도덕 발달 연구에 광범위하게 사용되는 DIT I은 업데이트되고 개선되었으며, 최근에는 전산

4. 간편형의 경우 3개의 가상적 딜레마 제시: 옮긴이.

화된 DIT II가 개발되어 몇몇 새로운 면에서 도덕 기능에 관한 추가 정보를 제공한다.

구성 요소로: 도덕성의 4구성 요소 모형

콜버그의 이론만큼 널리 알려지지는 않았지만, 레스트의 4구성 요소 모형은 도덕적 추론과 보다 넓은 범위의 도덕성에서 이러한 추론의 위치에 대해 가장 적절하게 입체화되고 설득력 있는 개념을 제공하였다(Rest, 1983, 1986). 도덕성의 심층적인 사회적 본질을 향한 그의 이론적 지향은 내담자 혹은 학생들의 도덕 행위에 대한 질문을 만들 때 가장 개념적인 모형을 제공해 준다. 레스트(1986)에게 **도덕성**이라는 용어는 "인간의 복지를 향상시킨다는 면에서 인간들이 어떻게 협업하고 조화로울 수 있는가, 개인 간의 이익에서 발생하는 갈등을 어떻게 해결하는가와 관련이 있는" 구체적인 사회적 가치의 유형을 의미한다(p. 3). 콜버그가 그랬던 것처럼, 레스트도 도덕성을 사람들이 함께 살아가고 서로에게 영향을 미치는 행위로부터 발생하는 것으로 여겼다. 그는 개인의 도덕 행위라는 종착점을 이해하는 것은 네 가지 기본적인 심리적 과정을 포함하는 4구성 요소 모형을 이해하는 것을 포함한다고 주장하였다.

1. **도덕적 민감성** — 개인은 있을 법한 행동 과정과 관련하여 특정 상황을 해석할 수 있어야 하며, 이것에 의해 누가 영향을 받을 수 있는지에 대해 결정하고, 영향 받는 대상이 어떻게 생각하는지에 대해 이해할 수 있어야 한다. 예를 들어, 십대였을 때 나는 근처에 경

찰이 없으면 속도위반을 하는 것에 대해 아무런 생각이 없었다. 하지만 첫 아이를 임신했을 때, 문득 차에 가득 타고 있는 아이들과 사람들의 목숨이 과속 운전자에 의해 위험에 처할 수도 있다는 생각이 들었다. 그때 처음으로 교통 법규를 준수해야 한다는 도덕적 특성 — 교통 위반 딱지를 떼지 않으려고 하는 콜버그의 1단계적 걱정을 제외하고는 다른 측면에서는 결코 생각해 보지도 않았던 문제 — 을 "직시했던" 것이다.

2. **도덕적 판단** — 개인은 어떤 가능한 행동 과정이 도덕적으로 옳은지에 대해 판단할 수 있어야만 하고, 그에 따라 특정 상황에서 어떻게 행동해야만 하는지에 대해 결정하여야 한다. 이런 요소는 콜버그 이론에 자세하게 설명된 도덕 영역과 관련이 있다. 예를 들면, 버락 오바마 미국 대통령이 아프가니스탄 전쟁의 전략을 언급하면서 병력 증강과 단계적 철수를 결정할 때 도덕적 문제와 실용적 문제 사이에서 치열하게 고민한 경우이다.
3. **도덕적 동기화** — 개인은 "다른 개인적 가치(예: 물욕과 집단 규범에 대한 순응)보다 도덕적 가치에 우선순위를 부여"해야만 한다(Rest, 1986, p. 3). 이런 이유로 도덕적으로 옳은 것을 하도록 결심해야 한다. 내 의견으로는 이것이 레스트의 요소 중 가장 어려운 부분이다. 동기화라는 용어의 일상적인 언어 사용을 위반하는 것처럼 보이기 때문이다. 사람들이 어떤 문제에 굉장히 민감해서 옳은 행동을 해야 한다는 것을 알지만 그렇게 하도록 동기가 부여되지 않는다면 도덕 행위를 하지 않을 수도 있다는 사실에 동의한다. 동기화는 진실로 실용적인 관심사보다 옳은 것을 우선적으로 하도록 한다. 하지만 나는 우선순위를 매기는 것보다 동기화 자체를 제3의 핵심적인 구성 요소로 간주한다.

4. 도덕적 품성 — 개인은 자신의 의도대로 행하기 위해서 "충분한 인내심, 자아 강도,[5] 그리고 실행 기술"(Rest, 1986, p. 3)을 가져야만 한다. 학부생들에게 중·고등학교 및 대학교 시기에 옳다는 것은 알았지만 아무런 조치도 취하지 않았던 경우를 서술형으로 쓰라고 했는데, 중학교에서 가장 보편적 주제가 커닝하는 애나 괴롭힘을 당하는 친구를 보면서도 아무런 행동을 하지 않았다는 것이었다. 어린 청소년들은 많이들 동료들의 판단에 대해 정서적 불안감을 느끼고 극도로 민감하며, 흔히 인기 없는 친구들의 편을 들 때에 자아 강도 혹은 자기주장 기술이 부족하다.

스키마로: 도덕적 사고에 대한 레스트의 신콜버그주의적 접근법

1999년에 레스트와 동료들은 4구성 요소 모형을 더욱 정교하게 다듬었으며, 인지과학에 대한 최신 연구와 자신들의 이론과 연구를 신콜버그주의적 접근법으로 통합시켰다. 미네소타 팀은 그들의 연구를 안내하기 위하여 콜버그적 작업으로부터 다음과 같은 네 가지 핵심 아이디어를 가져왔다.

1. 사람들이 세상의 이치를 깨닫는 방식을 이해하는 최상의 방법으로서 인지에 대한 강조
2. 개인들이 문화로부터 수동적으로 흡수하기보다 정의와 같은 도덕성의 기본 범주들을 스스로 구성하고 있다는 가정

5. ego strength: 자신이 옳다고 결정한 것을 실제로 행하는 능력이며, 굳센 의지(iron will), 용기, 단호한 결심 등과 관련됨: 옮긴이.

학문 분야 리더들과의 인터뷰: 스티븐 토마 박사(Stephen J. Thoma)

교수 및 프로그램 코디네이터, 교육심리학과, 연구방법론 및 상담학, 앨라배마 대학교

토마는 DIT의 사용에 대해 광범위하게 저술하였다. 그의 연구 관심은 도덕 판단의 발달뿐만 아니라 청소년기 후기나 청년기의 인격과 사회성 발달에 있다. 나는 4구성 요소 모형에 관한 스티브의 최근 생각에 대해 두 가지 질문을 하고 응답해 줄 것을 요청하였다.

시간이 흐르면서 4구성 요소 모형에 대한 개념은 변화되어 왔는가? 4구성 요소 모형은 도덕 행위를 일으키는 과정을 설명하고 새로운 측정 도구를 활성화시키기 위해서 개발되었다. 당연히 이 모형은 시간이 흐르면서 새로운 정보와 더불어 변화되었다. 예를 들면, 제2구성 요소(도덕적 판단)는 다양한 과정들을 보다 잘 조직하기 위해 보완되었으며, 그 과정에서 우리가 어떻게 행동해야 할지를 더욱 명확하게 판단하도록 하였다. 마찬가지로, 제3구성 요소(도덕적 동기화)는 도덕적 정체성 발달에 초점을 맞춘 이론에 근거하여 재해석되었다. 레스트는 항상 도덕적 동기화는 진화하고 있는 연구라고 하였는데, 최근의 재해석은 그가 옳았음을 암시한다.

인지가 우선시되는가? 4구성 요소 모형은 인지 및 발달 과정을 부분적으로 우선시한다. 왜냐하면 도덕 기능의 이런 면들이 지도(instruction)와 좀 더 좁은 범위에서 측정 도구 개발에 기여해 왔기 때문이다. 이 말은 정서적 과정이 이 모형에 결여되어 있다는 것이 아니다. 처음부터 레스트는 도덕적 행동에 영향을 미치는 요인으로서 직관과 정서에 주목했다 — 특히 도덕적 동기를 촉진시키는 데 있어서. 우리 관점에서 어려움은 이러한 많은 영향의 상호작용적 특성을 확인하는 것이고 또 그것이 어떻게 함께 작용하여 도덕적 동기를 촉진시키는지를 보여 주는 것이다.

(S. Thoma, 개인 교신. 2013년 1월 17일)

3. 단순한 것에서 복잡한 것으로 도덕적 판단이 발달되어 간다는 주장
4. 청소년들이나 청년들이 사회 시스템(예; 법, 제도, 역할)을 알아 가고, 단순히 대인 관계적 도덕성에 대한 관심을 넘어서 시스템의 도덕성에 대한 관심이 커짐에 따라 인습 수준으로부터 인습 이후 사고 수준으로 이동한다는 점

미네소타 팀은 콜버그의 이론이 사회의 법률 및 제도와 같은 "거시적 도덕성" 상황에서 표현의 자유와 정당한 절차 같은 도덕적 문제를 거론하는 것으로 간주하였다. 하지만 도덕적 삶의 상당 부분은 특정한 타인과의 대인 관계 속에서, 즉 "타인을 대할 때 일반적으로 일상에서 품위 있고, 책임감 있게, 공감적인 방식으로 행동하는" 미시적 도덕성 수준에서도 일어난다(Rest et al., 1999, p. 2). 레스트와 그의 동료들은 콜버그 연구의 한계가 다음과 같은 방식에 의해 극복되기를 바랐다.

- 수십 년간의 연구 테스트를 통과한 핵심 가정과 생각들을 견지하기,
- 도덕적 판단이라는 좁은 영역을 4구성 요소 모형으로 확대하기,
- 스키마 이론과 같은 사회 인지 연구로부터 개념들을 통합하기.

신콜버그주의적 접근법은 DIT를 측정 도구로 개념화시켰는데, 이는 사회 인지 연구가 인간의 의사 결정에 상당한 기저를 이루고 있다는 것을 보여 주는 암묵적인 과정과 지식에 근거를 둔 도덕 스키마를 이용한 것이다.

> 지난 5년 동안 DIT와 그것이 측정하고자 하는 도덕 발달 이론에 수많은 중요한 변화가 있어 왔다. 오늘날 DIT는 개인이 도덕 문제라고 해석하는 기본 스키마를 측정하는 것으로 제시된다. … 그것은 이제 콜버그의 단계 이론보다 현대의 스키마 이론과 좀 더 잘 부합하게 되었다.
>
> (Thoma, 2006, p. 87)

이어지는 장들에서 우리는 좀 더 상세하게 암묵적 과정에 관한 문제를 살펴보겠다. 하지만 레스트와 미네소타 팀이 도덕 발달 분야에서 도덕적 사고의 보편적 단계로부터 도덕성의 다면적 특성이라는 새로운 지평으로 초점을 옮기는 데 중요한 역할을 했다고 할 수 있다. 도덕성의 다면적 특성이란 **다양하게 변화하는 복잡성에 대해 다중적 스키마를 사용하는 능력**으로 도덕적 추론을 개념화한 것이다.

비록 레스트의 신콜버그주의적 접근법에 대해서 기술한 이 장을 마치지만, "좀 더 심오하고 방어 가능한 학습과 인지의 새로운 이론"(p. 203)을 적용하려는 그의 정신은 계속해서 동료들의 연구 속으로 스며들 것이다(〈표 3.3〉 참조). 특히 나바에즈(Darcia Narvaez)는 인지, 신경 과학, 그리고 진화심리학의 발전에 부응하여 지속적으로 그녀의 이론과 연구를 업데이트하고 확장시키고 있다.

조력 전문가를 위한 적용과 시사점

가장 일반적인 수준에서, 레스트의 생각은 학생이나 내담자가 사람들 및 상황에 대하여 습관적이고, 흔히 검토되지 않은, 도덕 반응에 의존하는 경향이 있다는 점에서 그들의 "기본(default)" 스키마를 이 강점들은 다음을 포함한다.

- 포괄성
- 강력한 연구 기반
- 심리학의 광범위한 분야에 걸쳐 이루어지는 통합 연구

도전들은 다음을 포함한다.

- 연구는 지속적으로 도덕적 사고에 우선순위를 부여하는데, 이는 부분적으로는 다른 세 가지 요소들에 대한 신뢰성과 타당성을 갖춘 측정 도구의 결여 때문
- 이론적 아이디어들이 지나치게 DIT 연구 결과에 의존함

표 3.3 레스트 이론의 강점과 도전

해하는 데 상당한 도움을 준다. 예를 들면, 반복적 학업 실패에 따른 부담감은 학습 장애를 지닌 어느 고등학생으로 하여금 학업을 채근하는 교사에 대해서 다음과 같이 이중적인 전인습적 생각으로 퇴보하게 할 수도 있다. "선생님들이 나에게 해 준 것은 C 마이너스나 D를 준 것밖에 없어. 왜 내가 선생님들을 기쁘게 해야 하지?" 도덕 스키마의 수준과 내용을 이해할 때, 교사와 치료사는 도덕 성장을 촉진할 수 있는 학습과 개입을 발전시킬 수 있고, 인지적 왜곡을 다룰 수 있다.

좀 더 구체적으로, 4구성 요소 모형은 어떤 혁신적인, 연구 기반의 중학교 교육과정에 이론적 기초로서 사용되었다(Narvaez, Endicott, Bock, & Lies, 2009). 나바에츠와 동료들은 발달의 초보자 대 전문가 모형을 이용해서 도덕적 민감성, 판단, 동기화, 행동에 대한 세부적

목적, 목표 그리고 교수(教授) 아이디어를 담은 네 가지 활동 책자를 개발하였다.

이어지는 장들에서, 도덕성의 신경 생물학과 구체적인 도덕교육적 개입을 검토할 때 우리는 이런 생각을 재고해 볼 것이다. 이쯤에서 요약해 보면, 조력 전문가들에게 도움을 줄 수 있는 가장 중요한 점은 도덕적 추론과 도덕 행위 간의 상대적으로 약한 관계가 다음과 같은 것을 잘 이해함으로써 설명될 수 있다는 점이다. 즉, 학습 및 생물학적 특성으로부터 기인하는 다양한 구성 요소 간의 복잡한 상호작용이 도덕 행위의 저변에 있다는 것을 이해함으로써 이런 약한 관계가 가장 잘 설명될 수 있다는 것이다. 4구성 요소 중 어느 것의 결핍 부분은 우리의 내담자, 학생, 환자를 부적응적 결정과 행위에 취약하게 할 수 있다. 그것과 관련하여 존 깁스(John Gibbs, 2010)가 비행에 관한 연구에서 너무나 명확하게 증명했듯이, 도덕성의 단 한 가지 요소를 목표로 하는 개입은 포괄적인 이론 및 연구 기반의 프로그램보다 훨씬 덜 효과적이다.

토론 문제

1. 콜버그의 도덕 단계에서 당신은 몇 단계에 속한다고 생각하는가? 주로 하나의 단계에 속한다고 생각하는가, 아니면 특정 상황의 "끌어당김" 현상 때문에 생각이 자주 변화하는 '다층 케이크'식 단계에 속한다고 생각하는가?
2. 누군가를 도왔던 최근의 경험에 대해서 생각해 보라. 어떤 동기로

그렇게 했다고 생각하는가? 레스트가 설명한 것처럼 도덕적 관심에 대한 인지적 우선시 때문인가, 아니면 정서적 요인이 더 강하게 작용한 것 때문인가?

추가 자료

- 콜버그의 유산에 대한 사려 깊은 평가를 위해서는 www.gse.harvard.edu/news/features/larry10012000_page1.html을 참고할 것.
- DIT를 주문하거나 보다 자세하게 배우고 싶은 학생 혹은 직업인은 윤리발달연구센터 웹페이지(www.centerforthestudyofethicaldevelopment.net/)를 방문할 것.

4. 고전적 인지 발달 모델에 대한 이론적 도전

*

배려 윤리 이론, 영역 이론, 도덕적 성격 및 정체성 이론

앞의 세 장에서는 도덕 발달의 연구 및 적용에 막대한 영향을 준 고전적 이론들에 대해 자세하게 살펴보았다. 도덕 발달 분야가 이러한 기초 이론들로부터 상당 수준 이동하였음에도 불구하고(4구성 요소 모형에 대한 지속적인 의존은 예외), 최근의 이론들은 어떤 방식으로든 고전적 이론들에 대한 반응을 보인다. 그러므로 독자들은 최근 이론가들이 기반으로 삼고 있으면서 동시에 도전하고 있는 생각들을 깊고 철저하게 이해할 때 비로소 최근의 개념들을 이해할 수 있다.

이 장에서는 프로이트, 피아제, 콜버그, 레스트에 대한 세 가지 주요 도전을 살펴볼 것이다. 그것들은 배려 윤리, 영역 이론, 그리고 최근 떠오르는 도덕적 자아에 대한 이론이다. 영향력 있는 차기 이론들의 핵심을 간단히 요약한 후, 나는 이러한 새로운 이론들이 어떻게 여러분들이 맡게 될 학생, 내담자, 환자에 대한 이해를 풍부하게 하는지 설명할 것이다.

여성주의의 도전: 길리건과 나딩스의 배려 윤리

토머스 쿤(Thomas Kuhn, 1970)은 **패러다임**[1]을 "일정 기간 동안 연구자들의 공동체에 문제 해결의 모델을 제공하는, 일반적으로 인식되는 과학적 성취"라고 익히 정의했었다(p. 62). 로렌스 콜버그의 1958년 학위논문과 1987년의 이른 죽음 사이의 시기에 "콜버그의 작업과 생각은 도덕교육 분야에서 학자들의 국제적 연결망을 결속시키고 … 콜버그 연구에 대한 확증과 도전, 나아가서 그의 패러다임의 확장을 폭발적으로 일으켰다"(Vozzola, 1991, p. 22). 정의를 중심으로 한 합리적, 구성주의적인 콜버그의 이론에 대한 주요 반론은 경쟁적 패러다임인 배려 윤리를 주창한 캐럴 길리건(Carol Gilligan, 1982)의 널리 읽힌 책 『다른 목소리로(*In a Different Voice*)』에서 찾을 수 있다. 그 책과 이어지는 연구(예를 들어, Gilligan & Wiggins, 1987)에서 길리건은 피아제, 콜버그, 에릭슨, 베일런트(Vaillant)와 같은 발달주의자들의 주요 이론들이 여성들을 이론의 장에서 배제함으로써 남성 위주의 연구 표본으로 이루어진 편향을 보이는 것은 아닌지에 대한 의문을 불러일으켰다.

배려 윤리 이론은 출현 이후 모양을 잡아 갔고, 문화적 내러티브가 과학적 연구에 어떤 영향을 주는지 보여 주는 뛰어난 예시를 제공했다. 1980년대 초에 여성주의 운동이 사회와 학계에서 두각을 보이면서 길리건의 경쟁적인 패러다임은 많은 학자들의 상상력을 사로잡았다.

---

1. paradigm: 특정 시기의 과학자 집단이 공유하는 문제 해결의 모델: 옮긴이.

길리건은 정확히 무엇을 말했나?

> 나는 사람들이 자신이 당면한 갈등과 선택에 대해서 그리고 자기 자신에 대해서 말하는 걸 듣는 방식으로 정체성과 도덕성의 발달을 연구해 왔다. … 배제되는 것, 남겨지는 것, 버려지는 것에 대해 여자 아이와 여자 어른이 갖게 되는 강한 감정과 판단, 분리나 무관심과 마주한 여자 아이와 여자 어른의 절망스러운 행동은 여성의 삶과 서구 문화 사이의 괴리에 대한 인식을 반영한다.
>
> (Gilligan, Ward, & Taylor, 1988, pp. vii-viii, xi)

피아제와 마찬가지로, 길리건의 생각은 시간에 따라 진화해 갔지만, 핵심 요소는 다음과 같이 일관되게 그녀의 저작에 남아 있었다 (Gilligan, 1982; Gilligan & Wiggins, 1987 et al., 1988).

- 길리건은 발달 이론, 특히 콜버그의 도덕성 발달 이론이 여성에게 편향적이며, 콜버그의 초기 평가 방법은 불공정하게도 관계 유지를 지향하는 여성의 문화적으로 구성된 지향을 낮은 점수로 강등시켰다고 주장했다.
- 길리건은 콜버그의 정의와 권리에 대한 윤리는 분리와 원리에 지나치게 제한적으로 초점을 맞췄다고 주장했다. 그녀는 관계, 연결, 책임, 위해를 줄이는 일에 초점을 맞춘 배려적 성향까지 포함하도록 도덕적 영역을 넓힐 필요가 있다고 주장했다.
- 비록 초기 저작에서 남성이 정의와 권리라는 더 추상적인 목소리를 선호하고 선택하며, 여성은 배려라는 더 맥락적인 "다른 목소리"를 선호하고 선택한다고 주장했지만, 그녀는 나중에 이런 입장을 완

화하고 남성과 여성 모두 이성적으로 생각하면서 공감을 느낄 수 있다고 인정했다. 길리건(Gilligan & Wiggins, 1987)은 표본(sample)에서 교육 변수가 통제될 때 도덕 추론에서 성차가 발견되지 않았다는 포괄적 분석(예를 들어, Thoma, 1986; Walker, 1984) 결과에 놀라지 않았다. 그러나 그녀는 도덕적 행동에서 지속적인 성차가 나타나고, 그 결과 감옥은 남성으로 차 있고 아동보호센터는 여성 인력으로 차 있는 것이라고 발언했다.

길리건의 배려 윤리의 현 상태

오늘날에는 그녀의 주장이 증거에 비해 과장되었다는 일반적인 합의가 있으며, 그녀의 쉽고 잘 쓰인 책들의 상식적인 호소에도 불구하고 그녀에게는 적은 표본을 일반화하고 반박 증거를 무시한 혐의가 있다. 브로튼(Broughton, 1983)은 길리건의 인터뷰 자료 일부를 검토한 뒤 길리건이 자료를 자의적으로 골라낸 증거를 찾아냈다. 예를 들어, 길리건은 정의 언어를 사용한 한 남성 참여자로부터 인용구를 따왔지만, 그가 인터뷰 후반에서 동등하게 훌륭한 배려 추론을 사용했다는 사실은 무시했다. 그러나 기능적 자기공명영상(fMRI)을 활용한 최근 연구는 배려와 정의 도덕 추론에 관련된 신경 연결망 사이의 유의미한 차이를 발견했다(Cáceda, James, Ely, Snarey, & Kilts, 2011). 이는 학자들이 관찰한 배려 추론과 관련된 차이의 생물학적 토대를 암시한다.

결국, 나는 정의/배려 논쟁이 쿤이 말한 과학혁명처럼 한 연구가 기존 연구를 전복한다기보다는, 길리건의 도전은 이 분야를 헤겔의 정반합의 나선으로 옮겨 도덕적 영역을 넓힌 것이라고 주장할 것이다. 한 패러다임(또는 새로운 패러다임)이 한 분야를 지배할 때, 그 패러다임은 연구의 성격뿐만 아니라 결과에 대한 해석에도 영향을 미친다. 수년 동안 콜버그와 그의 동료들은 도덕 추론을 평가하기 위해 가상적인 도덕적 딜레마를 사용했고, 그의 이론을 종단적, 범문화적으로 검증했다. 반대로 길리건과 그의 동료들은 여자 아이와 여자 어른의 목소리를 더 잘 듣기 위해 실생활 딜레마와 인터뷰를 사용했다. 두 패러다임 모두 발견법[2]을 입증했으며, 광범위한 분야의 학자들과 학문에 걸쳐 흥분을 불러일으켰다. 오늘날에는 두 패러다임의 방법론을 포괄하는 혼합식 방법이 널리 사용되기 때문에 이 두 가지가 눈에 띄지 않을 정도다. 이제 우리는 콜버그의 (a) 인지적 · 도덕적 복잡성의 증가 그리고 (b) 발달에서의 탈중심화 같은 개념뿐만 아니라, 도덕 추론을 복잡한 관계와 상황 안에서 일어나는 것으로 보는 길리건의 강조를 우리의 이해와 연구 속에 포괄하고 있다.

쉐블롬(Sherblom, 2008)은 길리건의 성차에 대한 포괄적인 주장이 증거에 비해 과장되었다는 것에 동의하지만, 배려의 도전이 남긴 유산에 대해 그것이 "도덕적 참여와 도덕 발달에 대해 철학적으로 통합적이고 심리학적으로 현실적인 개념을 만들어 … 해당 분야에 진화적인 효과를 가져왔다"고 매우 호의적인 분석을 남겼다. 워커와 프라이머(Walker and Frimer, 2009)는 길리건과 그 외 배려 이론가들이 "배려, 반응, 상호 의존성에 대한 강조를 확대했고, 심리학 이론에서 여성의 경험을 더 잘 대표해야 한다는 주의를 주었으며, 개인적으로 생

---

2. heuristic: 시간이나 자료(정보)의 부족, 인지적 자원(생물학적 에너지, 주의 집중 등)의 제약, 잘 정의되지 않는(혹은 명확한 답이 없는) 문제 특성이 있을 때, 경험과 직관을 통해 가장 좋은 해답 혹은 최적의 해결법에 접근하려는 전략: 옮긴이.

성되고 실생활의 도덕적 딜레마와 관련된 … 방법론적인 혁신을 남겨" 해당 분야에 공헌했다고 명시했다(pp. 53-54). 그러나 그들은 길리건의 작업과 유산에 대한 쉐블롬의 긍정적인 평가를 단호히 거부했으며, 배려 관점의 주요한 주장은 경험적으로 신빙성이 없다고 주장했다. 지금까지의 가장 적절한 증거에 따르면, 성별에 따른 도덕적 성향이 있다기보다는, "실생활 딜레마의 제한된 맥락 안에서도" 개인의 도덕적 성향은 일관적이지 않다(p. 65). 그리고 콜버그 모델에 여성 혹은 배려 지향적인 사람들에 대한 편견이 반영되어 있다는 길리건의 주장 역시 지지되지 못한다. 수많은 후속 연구에서도 성차나 여성에 대한 편견은 발견되지 않았다(예를 들어, Jaffe & Hyde, 2000; Walker, 1989).

내가 보기에 현대의 도덕철학자들(예를 들어, You, Maeda, & Bebeau, 2011)은 콜버그의 이론에서 성차나 성 편향과 관련된 논쟁은 논외로 해야 한다는 워커(2006)의 호소에 동의하는 것 같다. 우리는 도덕 추론의 복잡성을 설명하는 데 교육 수준이 성별보다 더 중요하다는 것을 안다. 우리는 특정한 타입의 딜레마와 상황적 필요가 도덕적 판단과 행동에서 갖는 영향력에 주의를 기울일 필요가 있다는 사실을 안다. 콜버그의 훌륭한 단계 이론과 길리건의 명쾌한 목소리 이론은 둘 다 도덕 추론에 초점이 집중된 시기에 떠올랐다. 오늘날, 우리의 도덕적 기능에 대한 모델은 더 포괄적이고, 가끔은 인지과학, 진화론, 신경과학의 경험 연구를 통합하려는 시도를 통해 강력함을 보인다. 하지만 그건 더 뒷장에서 다룰 이야기다. 영역 이론의 도전을 살펴보기 전에 먼저 또 다른 뛰어난 배려 이론가를 간단하게 살펴보자.

넬 나딩스의 배려 윤리

> 한편으로, 자유민주주의 사회의 시민으로서 우리는 종교적 자유를 위해 헌신한다. 다른 한편으로, 우리는 양성평등을 위해 헌신한다. 우리는 학교에서 여자아이들이 자신의 사회적 역할에 대한 자율적 결정을 내리는 데 필요한 비판적 사고 기술을 얻을 수 없게 교육하는 일을 허용할 수 있는가? … 우리의 양성평등에 대한 헌신을 부정하지 않은 채 우리는 소통의 장을 열어두기 위해 노력해야 한다. 강압은 배제한 채, 우리는 계속 설득해야 한다.
>
> (Noddings, 2005, p. 126)

발달주의의 한 신조는 "우리는 우리가 하는 것이 된다"이다. 콜버그의 철학에 대한 사랑은 그의 이론적 작업에 이성 중심성이 스며들게 했으며, 이것은 그의 이론에 커다란 강점과 약점을 모두 주었다. 길리건의 강한 문예적 배경(문학과 춤)은 그녀에게 목소리와 위치성[3]의 주제에 주의를 기울이도록 만들었다. 존경받는 철학자인 넬 나딩스는 더 실제 지향적인 배경을 배려 윤리적 작업에 접목했다. 그녀는 10명의 아이의 엄마이며 전직 초등학교 수학 교사이자 학교 행정가로 일했다. 남을 돌보는 교직에서의 초기 경험은 나딩스로 하여금 학생과 교사의 관계에 대해 평생의 관심을 갖도록 만들었다(Smith, 2004).

나는 개인적으로 나딩스의 연구를 길리건의 연구보다 더 좋아하지만, 나딩스가 해당 분야에서 더 존경받는다고 해도, 그녀의 연구는 길리건의 연구만큼 광대한 사회적 영향력을 미치지는 못했다. 가족

---

3. positionality: 다른 사람 혹은 사물과의 관계 속에서 자신의 입장을 취하는 속성: 옮긴이.

모델을 기반으로 한 교실을 만들자는 그녀의 제안은 미국이 60-70년대의 실험 정신을 뒤로 하고 학생 성적에 대한 교사의 책무성(accountability)과 고부담 시험(high-stakes testing)의 시대로 진입하는 시기(예를 들어, 그 악명 높은 아동낙오방지법No Child Left Behind Law)에 제시됐다. 어찌 됐건, 나는 독자들이 윤리와 도덕교육에 대한 그녀의 여성주의 접근을 최소한 간략하게라도 보길 원했다.

나딩스(1992)의 배려에 대한 정의는 관계에 기반을 두고 있다. 그녀는 배려적 관계를 "두 인간 존재 사이의 연결 또는 만남"이라고 정의했다(p. 5). 이런 만남은 일방통행이 아니다. 양측이 모두 무언가에 기여하지 않으면 연결은 깨지고 배려는 일어나지 않을 것이다. 가장 중요한 점은, 나딩스(2002)는 배려가 기본적인 생애 과정이라고 주장했다는 점이다. 남성과 여성 모두 종종 "자연적 배려"(p. 2)를 나타낸다. 그것은 자신이 배려 받았던 경험에 기반을 둔 관계 속에서 수용적이고, 관계적이며, 몰두하는 상태를 말한다.

그녀는 관심을 갖는 것(caring about)과 돌보는 것(caring for) 사이의 유용한 구분을 제공했다(Noddings, 1984). 대부분의 사람들은 우리가 배고픈 사람들에게 관심을 갖고 있으며, 휴일에 여는 지역 무료 급식소에 수표를 보낼 수도 있다고 말할 것이다. 그러나 우리의 주의와 참여에는 한계가 있다. 반대로 우리는 자기 자신을 돌봐 오면서 다른 사람을 돌보고, 그런 다음 넓은 의미에서 남에게 관심을 갖는 법까지 배웠다. 우리가 배고픈 사람을 돌볼 때, 우리는 그 사람과 면대면으로 관계를 맺으면서, 수프 조리실에서 일하거나 그 사람의 집에 정기적으로 식사를 배달할 수도 있다. 나딩스의 배려 이론은 남에게 관심을 갖는 것에서 정의감의 기원을 찾는다(부유한 국가에서 배를 주린 채 밤에 잠을 자러 가는 어린이가 있다는 것은 옳다고 할 수 없을 것이다).

내가 나딩스의 연구를 그렇게 좋아하는 이유 중 하나는 그녀가 자신의 이론을 실제나 사회 정책을 위한 구체적인 함의로 연결한다는 점이다. 가정이 배려의 주요한 교육자로 기능한다고 가정하면, 그녀는 모든 아이들이 "최소한 적절한 물질적 자원과 관심 및 사랑이 있는 가정에서 살아야" 하며, "학교는 가정생활을 위한 교육을 교육과정에 포함해야" 한다고 주장했다(Noddings, 2002, p. 289). 나는 "우리는 우리가 하는 것이 된다"라는 신조를 약간 비튼 그녀만의 방식에도 감탄했다. "다른 사람을 배려하는 사람을 만들고 싶다면, 학생들이 그런 상황에서 배려와 숙고를 하도록 연습하게 만드는 것이 합당하다"(O'Toole, 1998, p. 191).

종합하면, 나딩스는 그녀가 본성적인 도덕적 태도라고 믿는 것에 기반을 두고 부모와 교육의 지향점을 제공했다. 이 장의 마지막에서 나는 그녀의 긍정적 전망 이면의 어두운 면을 조금 비출 것이다. 전문가가 자신이 대응할 사람이 배려적이지 않은 가정이나 학교에서 온(그리고 다시 돌아갈 수도 있는) 사람일 때 겪는 어려움에 대해서 말이다.

사회적 인지 영역 이론: 튜리엘, 누치, 스메타나

도덕이란 무엇인가? 그것은 사회적 규칙과 같은가? 종교적으로 독실한 아이들에게 도덕은 다른 것인가? … 도덕은 보편적인가, 아니면 문화에 따라 변하는 것인가? … 사람들이 각자 어떻게 하느냐에 달려 있지 사회적 규칙에 의해 제약받는 게 아닌 무언가가 있는가? 이런 개인적이고 사적인 것이 어떻게 도덕과 관련되어 있는가?

(Nucci, 2009, p. 5)

콜버그의 이론을 비롯한 야심찬 단계 이론들은 명확하고 검증 가능한 모델이다. 이것은 그것들의 강력한 장점이지만, 연구자들이 **변칙 사례**, 이론의 예측에 어긋나는 발견을 찾아냈을 때 이의에 취약하게 만든다. 그래서 튜리엘(Elliot Turiel), 누치(Larry Nucci), 스메타나(Judith Smetana)는 도덕 판단의 중심적인 중요성에 동의하고 발달이 그런 추론에서 일어나는 과정이라고 보기는 하지만, 콜버그가 그린 도덕 영역에 대한 조망이 심각한 문제를 안고 있다고 본다. 비록 영역 이론이 인지 발달 전통의 기본 교리를 고수하고 있지만, 그들의 발견은 인지 발달론자들이 "우와! 사회적 인습 추론을 도덕적 복잡성 발달의 한 **단계**로 보는 건 심각한 오류잖아"라고 외치게 만들었다.

모든 아이들은 복잡한 사회 세계를 어떻게 살아 나갈지 이해해야 한다. 예를 들어, 유치원의 기대와 규칙("말하기 전에는 손을 들어야 한다")은 아이가 적극적으로 말하는 것을 좋게 생각하는 집에서 자란 사랑받는 외동아이일 경우 예상치 못한 충격을 준다. 그 아이는 많은 상황적, 조건적 스키마를 구성해야만 한다. 예를 들어, "집에서는 좋은 생각을 크게 소리쳐도 괜찮지만, 학교에서는 손을 들고 차례를 기다려야 한다." 아이는 "다른 사람을 때리면 **안 된다**"(Smetana, 2006)와 같은 어떤 규칙은 그것이 일어나는 장소나 대상이 중요하지 않다는 것도 이해해야 한다.

아동의 사회질서에 대한 이해를 묻는 구조화된 질문을 사용한 기발한 연구 프로그램을 사용하여, 누치, 튜리엘, 스메타나 같은 연구자들은 5세 정도의 아동은 실용적/개인적, 도덕적, 사회 인습적 영역을 구별할 줄 안다는 사실을 발견했다. 이들은 어떻게 이 사실을 발견했을까? 그들은 먼저 아이들에게 이야기를 제시했다(예를 들어, "어떤 사람들은 공공장소에서 종교적인 머리 가리개를 쓰고 싶어 한다." "한 여성이 오래된 국기를 가지고 있고, 더 이상 그 국기가 필요하지 않아 그것을 찢어서 걸레로 사용하고 싶어 한다"). 그런 다음 그들은 일반적인 핵심 질문들에 대한 일부 변형을 포함해서 아래와 같은 일련의 질문들을 던졌다.

- 그것을 하는 건 옳은가요? 그른가요?
- 왜 그런가요?
- ____ 하는 걸 막는 규칙이 없다면 어떨까요? 여전히 그것은 나쁠까요?
- ____ 하는 걸 허락하는 국가가 있다면 어떨까요? 여전히 그것은 나쁠까요?

반응 패턴을 통해 볼 때, 어떤 해악이 관련되어 있다면 아이들은 그 행동을 그른 것으로, 그 행동을 금지하는 규칙이 없을지라도 그리고 국가가 그 행동을 허락하더라도 그른 것으로 본다. 그러나 행동이 사회적 합의, 권위에 의한 명령을 위반하는 것으로 보일 때, 아이들은 그 행동이 허용될 수 없거나 허용될 수 있는 상황을 조건으로 다는 경향이 있었다. 누치(2009)는 우리가 도덕적 영역을 사회 인습적 영역으로부터 구별할 수 있으면 도덕의 보편적 특성을 알아낼 수 있다고 주장했다.

이제부터 이런 영역들이 어떻게 정의되는지 그리고 청소년과 성인 간의 상호작용에서 어떻게 역할하는지 살펴보자. 기존의 영역 이론가들의 생각을 종합함으로써, 튜리엘과 스메타나는 이론의 최신 개념화를 반영하는 신선한 요약을 내놓았다.

> 영역 이론은 … 도덕성을 아동이 발달시키는 사회적 지식의 갈래 중 하나로 [본다] … 따라서 정의, 복지, 권리 — 모든 도덕적 주제 — 와 관련된 관심은 권위, 전통, 사회규범(사회 인습적 주제)과 관련된 관심이나 사생활, 신체적 완전함과 통제, 선호에 따르는 제한된 선택지들(개인적 영역)에 대한 관심과 공존한다. 영역 이론(Turiel, 1993, 1998)은 이런 것들이 아동이 사회적 환경에서 경험하는 다른 종류의 규칙성에 의해 생기는 사회적 지식으로 이루어진 유기적 체계 또는 영역을 구성한다고 주장한다.
>
> (Smetana, 2006, p. 120)

이제 몇 가지 명시적 정의와 예시를 나열해 보자.

1. **도덕적 영역** — 이 범주에 속하는 주제들은 어떤 행동을 하거나 하지 말아야 할 규칙이 있어서가 아니라 행동이 다른 사람에게 주는 영향(해악이나 이익)에 대해 아이들이 어떻게 인식하는지에 따라 분류된다(Nucci, 2009). 예를 들어 비열한 페이스북 게시 글은 많은 10대에게 도덕적 주제로 보일 것이다.
2. **사회적 인습 영역** — 두 번째 범주에 속하는 주제들은 규칙이나 규범이 있을 때에만 옳거나 그른 경우다. 규범이나 규칙은 사회적 합의에 따라 변할 수 있는 것이기 때문에, 사회적 인습은 임의적이다(Nucci, 2009). 내가 고등학생일 때 여학생의 치마는 무릎 중간까지 내려와야 했다. 1968년에 나는 패셔너블한 새 페이즐리 스커트

를 무릎의 중간이 아닌 위쪽에 닿도록 입었다고 교장실에 불려 갔었다. 미니스커트의 시대의 가장자리에 있었던 많은 여성들이 그랬듯이, 나에게 그건 임의적이고 불공정한, 부숴 달라고 애원하던 규칙이었던 게 아주 분명했다.

3. **개인적 영역** — 어떤 행동과 선택은 개인에게만 영향을 미치며, 우리는 사회생활의 이런 측면을 "사생활과 재량의 개인적 문제"로 보는 경향이 있다(Nucci, 2009, p. 25). 따라서 개인적 영역은 옳고 그름에 관한 것이 아니라 자기가 느끼거나 선호하는 어떤 것과 관련되어 있다. 우리가 선택한 친구, 듣는 음악, 모자를 쓰는 방법과 같은 것들 말이다. 흥미롭게도 페이스북과 유튜브 시대의 젊은이들은 그들의 개인적 영역을 가끔은 다른 세대의 사회적 인습(때로는 친구들의 사생활)을 위반하는 방식으로 열심히 공유한다. 나는 밤 9시면 잠자리에 드는 사람(나는 대학교에 다닐 때 파티 도중에 내 방에 가서 잤다)이자 술을 적당히 마시는 사람으로 친구들 사이에서 오랫동안 알려져 있었다. 20대 시절의 어느 날 밤, 나는 빈백(bean bag) 의자에서 입을 벌린 채 코를 고는 당혹스러운 모양새로 자고 있었다. 내 친구들은 내 손에 배일리스 아이리시 크림[4] 병을 받치고 사진을 찍으면 아주 우스꽝스럽고 재밌을 거라고 생각했다. 그리고 그건 그들이 사진을 앨범 속에 넣고 복사본 하나를 나에게 주었기 때문에 재미있었다. 만약 사진이 페이스북에 올라가 인터넷에 열풍을 일으키는 걸 본다면 나는 즐겁지 않을 것이다. (존경받는 전직 도덕 이론 교수의 술 취한 젊은 시절!)

독자들은 이미 범주의 정의(定義)들이 제시하는 것처럼 일이 깔끔

4. 도수 17% 정도의 크리미한 아일랜드 위스키: 옮긴이.

하고 단순하지 않다는 사실을 알고 있을 것이다. 그리고 영역 이론가들도 이에 동의할 것이다. 우리가 어떻게 사건들을 영역에 따라 범주화하는지는 발달, 교육, 문화에 영향을 받는다. 우리는 뒷장에서 문화적 질문을 다시 다룰 것이다. 따라서 나는 문화적 영향에 대한 언급은 그때까지 미루겠다. 하지만 "60년대에서 가져온" 사건 하나를 더 살펴보자.

1967년 코네티컷의 전형적인 흐리고, 덥고, 습한 어느 날이었다. 그리고 나는 오후에 치과 진료 예약이 잡힌 고등학생이었다. 내가 반바지와 티셔츠를 입고 떠날 준비를 마쳤을 때, (유럽에서 태어나 인도네시아에서 네덜란드 고위 육군 장교의 딸로 자란) 우리 엄마는 내가 약속 장소에 나가기 위해서는 치마로 갈아입을 필요가 있다고 말했다. 나는 눈을 치켜뜬 못마땅한 표정을 지었다. 나의 개인적 영역은 엄마의 사회 인습적 영역과 충돌했고, (나의) 열띤 항의와 (엄마의) 확고한 입장이 오랜 씨름을 한 끝에, 나는 아무 치마나 입고 치과에 갔다.

나는 내가 얼마나 전형적인 사례였는지 몰랐다. 아이들은 자라면서, 부모는 도덕적이거나 중요한 사회적 인습(예를 들어, 존경, 예절, 올바른 의복)으로 보지만 아이들은 "단지" 사회적 인습에 불과하거나 개인적 선택에 해당한다고 보는 일로 부모와 논쟁하기 시작한다. 예를 들어, 많은 10대들은 몰래 돌아다니는 것을 신뢰(부모의 도덕적 주제)를 위반하는 것으로 보지 않는다. 그들은 그것을 독단적인 규칙을 피해 가는 방법이라고 본다("우리 부모님은 정말 통금에 관해서 불합리하셔"). 나는 콜버그의 도덕 판단 3단계("좋은 사람은 친구를 도와준다")에 해당하는 추론을 10대들이 빈번하게 사용한다는 사실과 그들이 숙제를 공유하는 것이 도덕적 영역이 아닌 개인적 영역이라고 암묵적으로 인식한다는 사실을 조합하면, 왜 10대들이 종종 부정행위를 대수

롭지 않게 여기는지 설명할 수 있다고 생각한다.

도덕적 성격 이론과 연구

사람들은 종종 인간에 대한 깊은 관심, 특히 성격이나 핵심적인 삶의 이야기에 대한 관심 때문에 가르치는 직업이나 남을 돕는 직업에 끌린다. 스키너(B. F. Skinner, 1948) 같은 급진적인 행동주의자도 자신이 쓴 소설 『월든 투』의 이야기를 통해 철학적 예시를 더 설득력 있게 주장할 수 있었다. 도덕적 자아에 대한 최신 연구의 훌륭한 요약으로서, 나는 노트르담 대학에서 열린 도덕적 성격에 대한 학회를 기록한 책(Lapsley & Narvaez, 2004)을 강력히 추천한다. 하지만 이 장에서 쓸 수 있는 분량이 적기 때문에, 나는 도덕 발달에서 성격의 영향에 대해 연구한 영향력 있는 이론가이자 연구자를 두 사람만 소개할 것이다. 도덕적 자아를 집중적으로 연구한 블라지(Gus Blasi)와 우리가 어떻게 이야기와 삶의 신화를 통해 자아를 구성하는지 연구한 맥아담스(Dan P. McAdams)이다.

블라지 그리고 판단과 행동의 차이를 연결하는 도덕적 자아

적어도 세 가지 측면에서 나는 나의 경력에 행운이 따랐다고 말할 수 있다. 나는 심리학의 범위를 넘어서는 결정적인 중요성을 갖고 있는 영역인 도덕 발달과 기능에 대한 흥미를 갖고 심리학에 입문했다. 20년 전쯤

> 나는 도덕성과 성격의 관계에 대한 질문을 스스로 제기했는데, 당시는 도덕 심리학이 그 방향으로 관심을 확장할 필요가 있었다. 마지막으로, 나는 나와 흥미를 공유하는 마음이 맞는 동료들과 친구들을 만날 수 있었다.
>
> (Blasi, 2004, p. 335)

도덕 발달 분야는 실제 '도덕적 행동이나 행위'와 '측정된 도덕 판단의 복잡성' 사이의 격차를 보여 주는 증거가 가지는 함의 때문에 오랫동안 씨름해 왔다. 블라지(1980)의 이 문제에 대한 오래된 논평은 도덕적 추론이 도덕 행동에 작은 기여만 한다는 사실(해당 변수의 10%만 설명)에 이목을 집중시켰다. 분명히 학계는 더 포괄적인 설명 모델이 필요했고, 블라지를 위한 기념 논문집에서 편집자 랩슬리와 나바에츠(2004)는 지금은 우리가 알고 있는 사실을 언급했다. "블라지의 '자아 모델'은 이제 도덕 인지와 도덕 행동의 관계에 대한 표준적인 설명이다"(p. vii).

그 기념 논문집은 로렌스 워커(2004)의 자아 모델에 대한 분명하고 간결한 요약과 함께 시작한다. 콜버그가 정의를 도덕 기능의 중심적인 설명 원리라고 주장했다면, 블라지는 도덕적 정체성을 "도덕 행동을 더 잘 설명해 주는 틀에 도덕 인지와 도덕 성격을 통합시켜 주는"(p. 2) 개념이라고 주장했다. 자아 모델은 도덕 기능의 세 가지 요소를 제시한다.

1. 도덕적 자아 — 도덕적 고려 사항과 가치가 개인의 자아 정체성에서 중심이 되는 것의 정도라고 할 수 있다. 분명히, 개인적 목표와 자신의 도덕적 목표 및 이해가 일관적인 정도는 개인마다 다르다.

2. **도덕 행동에 대한 개인적인 책임감** — 도덕 판단대로 행동하는 도덕적 의무감은 애착과 관련된 초기 발달 과정에 뿌리를 두고 있을 것이다. 따라서 도덕적 책임감의 기원은 우리가 공감, 죄의식, 헌신을 관찰하고 배우는 가깝고 개인적인 관계에 있을 것이다(p. 3).
3. **심리적 자아 일관성** — 자신과 다른 사람에게 도덕적이고 좋은 사람으로 보이고 싶은 깊은 동기는 믿음과 행동 사이의 자아 일관성이나 프로이트가 설명한 합리화, 방어기제를 야기할 수 있다.

영역 이론에서와 마찬가지로, 블라지는 도덕성에서 합리성을 중심적 위치에 놓는 것을 고수하고 있다. 이성은 우리가 의미를 창출하고 진실을 결정할 수 있도록 도와준다. 블라지(예를 들어 2004, 2009)에게 자아 정체성은, 최소한 부분적으로라도, 도덕적 추론을 통해 구성되는 것이다. 그러나 그가 "이해는 도덕성의 정수"(Blasi, 2004, p. 338)라고 일관되게 주장함에도 불구하고, 그는 자신이 그 용어(즉, 이해)를 콜버그의 이론적 구조에서가 아닌 일상 언어의 의미에서 사용한다고 주장한다. 그는 사람들이 감탄할 만하고, 의도적이며, 도덕적 동기로부터 제기된 기준에 근거하여, 칭찬 받을 만한(praiseworthy) 도덕적 행동과 단지 감탄할 만한(admirable) 도덕적 행동을 실생활에서 구별한다고 설명했다.[5]

워커와 마찬가지로, 나는 블라지 이론의 핵심은 도덕적 원리와 가치가 점차 통합되면서 개인의 진정한 자아의 중심이 된다는 **자아 정**

5. 블라지는 2004, p. 339에서 아기가 피아노 건반을 누르는 것은 부모가 감탄할 만한 일이지만, 의도적이지 않기 때문에 칭찬 받을 만한 일은 아니라고 설명한다. 이는 도덕적 기능에서 감정을 강조하는 정신분석, 생물학, 학습 이론에 반대하기 위해 펼친 논증이며, 일상 언어의 맥락을 언급한 것은 이런 논증에 콜버그만큼의 추론에 대한 강조가 필요 없다는 뜻으로 보인다: 옮긴이.

체성의 형성 개념에 있다고 본다. 청소년과 젊은 성인은 자아의 측면을 종종 **탐색**하지만, 블라지(2004)에 따르면 많은 성인들은 "어떤 측면이 자신의 존재의 정수 또는 중심이 되어 간다는 것을 인정하면서" (p. 342) 점차적으로 자아의 측면들을 위계적으로 **조직**해 간다. 이 시점에서, 사람들은 의도적이고 지속적으로 핵심 도덕적 가치에 맞춰 행동함으로써 자신의 도덕적 자아를 유지하고 그것에 솔직할 수 있도록 동기화된다.

랩슬리와 나바에츠(Lapsley & Narvaez, 2004), 그리고 나바에츠와 랩슬리(Narvaez & Lapsley, 2009)가 편집한 영향력 있는 특별호에 글을 수록한 적극적인 연구자들은 블라지(2004)의 말대로, 블라지 자신의 생각에 대한 "진지한 토론과 논의에 계속 참여하고 있다"(p. 335). 그들의 연구는 또한 도덕적 추론과 도덕적 행동의 격차에 대한 것뿐만 아니라 우리가 왜 우리 같은 사람이 되었는지를 설명해 주는 기제가 되는 새로운 도덕적 자아 이론에 공헌하고 있다. 우리는 이제 우리가 어떻게 개인적 신화를 창작함으로써 자아를 찾는지에 대해 탐구한 연구자로 관심을 돌릴 것이다.

맥아담스와 "삶의 이야기"

> 만약 당신이 나에 대해 알고 싶다면, 당신은 나의 이야기를 알아야 합니다. 왜냐하면 나의 이야기가 내가 누구인지 규정하기 때문입니다. 그리고 내가 삶의 의미에 대한 통찰을 얻기 위해 나 자신에 대해 알고 싶다면, 나 역시 나의 이야기를 알아야 합니다.
>
> (McAdams, 1993, p. 11)

도덕적 성격이란 정확히 무엇인가? 그것은 성격의 어떤 측면을 이야기하고 있느냐에 따라 다르다. 그것은 기질적 특성, 특유의 적응, 삶의 이야기일 수 있다(McAdams, 2009, p. 13). 맥아담스(1993)는 "정체성은 삶의 이야기, … 개인이 청소년기 후기나 성인기 초기에 그의 삶에 통일성이나 목적을 제공하기 위해 만드는 개인적 신화다"라고 주장했다(p. 5). 맥아담스의 연구는 사람들이 의식적으로 또는 무의식적으로 "자신의 영웅적 이야기"를 만듦으로써 자신에 대해서 알게 된다는 것을 함의한다(p. 11). 그는 사람들이 자신의 자기 규정적 이야기 안에 새겨 넣는 주요한 인물상의 유형 — "전사, 현자, 연인, 돌보는 사람 … 모험가"(p. 13) — 이 우리의 정체성을 결정한다고 믿는다. 어린 시절의 불만족스러운 이야기는 앞으로의 시간에서 방향과 의미를 찾을 때 [생길 수 있는] 문제를 알려 줄 수 있다. 중년기가 되면, 사람들은 가끔씩 이야기의 반대되는 부분을 가져와 조화시키려 하거나 개인의 이야기와 더 넓은 사회의 집단적 이야기를 연결하는 생산성[6] 신화를 개발하려고 노력한다.

맥아담스(1993)는 생애 초기 2년이 "우리에게 자신, 타인, 세계에 대한 무의식적이고 말로 표현할 수 없는 '태도'와 그 셋이 연결되는 방식을 남긴다"(p. 47)고 믿는다. 이 태도들은 우리가 성인기에 구성하는 신화를 위한 "서사적 분위기"를 만든다. 에릭슨의 사회심리적 이론을 활용하여, 그는 이런 초기 경험이 애착 관계가 견고하게 형성된 영아에게 희망의 유산을 남긴다고 상정한다. 그 아이들은 그들의 필요가 다른 사람을 배려함으로써 채워질 거라고 배워 왔다. 그런 아

6. generativity: 에릭슨의 심리학에서 다음 세대를 양성하고자 하는 욕구를 이르는 용어: 옮긴이.

이들, 그리고 이후 성인들은 그들의 초기 경험에 근거해 세상은 믿을 만하고 예측 가능하며 알 수 있는 것이고 선하다는 낙관적 서사 분위기를 채택하게 된다. 반대로 애착이 견고하게 형성되지 못한 영아는 세상이 종종 "변덕스럽고 예측 불가능하며, 서사는 예상할 수 없는 변화를 겪고, 이야기는 불행한 결말을 맞을" 거라고 배워 왔다(p. 47). 그들의 초기 경험은 소망이 이루어지지 않는 비관적인 서사 분위기를 개발하도록 그들을 이끈다.

하지만 맥아담스(1993)는 삶의 역사와 서사적 분위기 사이의 단순한 대응을 주장하지는 않았다. 오히려 그는 우리의 구성된 삶의 이야기나 개인적 신화가 "구상된 미래에 비추어 상상을 통해 과거를 재구성하는 일과 관련되어" 있다고 믿는다(p. 53). 그러나 애착의 초기 경험은 다른 사람의 의도와 세계가 돌아가는 방식에 대한 기본 태도에 영향을 미치는 것처럼 보인다.

이런 이론적 도전들이 어떻게 남을 돕는 직업에 적용될 수 있을까?

내가 길리건의 연구에서 가져온 요점 중 하나는 목소리, 관계, 위치성의 관념을 인간의 도덕적 복잡성 및 이해에 대한 나의 이해에 통합시킨 것이다. 내가 가르치는 학생들에게 던지는 주요 비판적 사고 유발 질문은 상담 및 교수(teaching)에도 똑같이 적용할 수 있다.

- 누가 말하고 있는가? (인지와 도덕 발달 측면에서 그 사람은 어디에 위

치해 있는가? 인종은? 계급은? 성별은?)

- 청자는 누구인가? (조력 전문가에게: 관계의 본질은 무엇인가? 그것은 동등한 사람 사이의 상호작용인가? 아니면 신분이나 권력 문제가 화자에게 영향을 주는가?)
- 무엇이 제기되었는가? (그 사람이 우리와 공유하고자 선택한 것은 무엇인가? 어떤 주제, 단어, 서사가 떠오르는가? 문화 규범이 어떻게 서사를 형성하는가?)
- 무엇이 무시되었는가? (어린 사람들은 강하고 신뢰할 수 있는 관계가 있기 전에는 삶의 힘든 점을 어른들과 나누려고 하지 않는다. 때로는 학생이나 내담자는 수치심을 느낀다. 어떤 때에는 그것들이 중요할 수도 있다는 단순한 지식 부족 때문에 무언가가 무시되기도 한다)

또한 길리건의 연구에 대한 비판적인 반응은 복잡한 도덕 추론 능력을 발달시키기 위해 교육과 의미 있는 삶의 경험이 가지는 결정적인 중요성을 우리로 하여금 인식하도록 돕는다는 점에서 중대한 의의를 갖는다고 생각해 왔다. 어떤 사람의 나이와 교육 수준을 알면, 나는 그가 세계와 타인을 이해하기 위해 불러오는 스키마의 종류를 파악할 수 있다. 예를 들어, 나는 대부분의 대학생이 콜버그의 4, 5단계 추론을 이해하고 사용할 수 있다는 것을 안다. 나는 대부분의 초등학생이나 중학생은 2단계의 "눈에는 눈" 사고를 많이 사용한다는 걸 알고 있다.

우리는 또한 추론이 반드시 도덕적 행동의 중심 요인은 아니라는 사실을 인지하게 해 주었다는 점에서 길리건(그리고 레스트)에게 진실한 감사를 보내지 않을 수 없다. 배려 윤리를 받아들인 학자와 그것에 도전하는 학자 모두 현실 세계의 도덕을 매우 어지럽게 만드는 정서와 관계 주제에 참여하기 시작했다(〈표 4.1〉 참조). 당신이 하인즈 딜레마에 어떻게 답하는지 아는 것은 당신의 도덕적 이해를 평가하는 데 유용하지만, 우리는 이를 아는 것이 당신의 배우자가 죽어 갈 때 그 목숨을 살릴 약을 훔칠 기회가 있다면 당신이 실제로 어떻게 행동할지 예측하는 데는 흔히 별 소용이 없음을 알아내었다.

넬 나딩스가 가족을 교실의 모델로 사용하려는 생각은 배려적 환경을 만드는 데 관심 있는 교육자들에게 하나의 모델을 제공할 뿐만 아니라, 우리가 아이들에게 관심을 갖고 그들을 돌보려는 노력을 새롭게 하도록 만든다(예를 들어, Noddings, 2008). 전면에 나서서 조력 전문가의 역할을 수행하는 사람은 모두 배려를 배우지 않거나 이해하지 못하면 어떤 위험이 있는지 분명하게 안다. 특히 미국에서 우리는 평등주의와 사회적 문제에 대한 만능 해결책에 매혹되어 있다. 하지만 대부분의 조력 전문가들은 학생과 내담자 개인의 미시적 수준에서 일하고 있으며, "어떤 아이/사람을 위한 것이며, 어떤 환경 아래에 있는가?"라는 또 다른 발달적 신조의 심오한 가치를 알고 있다. 인격교육 교재는 조용하고 책임감 있는 아이를 위해서 가치 있는 도구를 제공한다. 그러나 당신의 활기 넘치는 교실 속 말괄량이에게는 남을 돌보는 일을 배우기 위해서 움직일 공간과 (체육 시간에 특별한 도움이 필요한 학생의 친구가 되어 주는 일 같은) 손으로 하는 과제가 필요하다. 그리고 폭력적인 가정에서 자라고, 다른 아이에게 화풀이를 해 온 아이에게는 집중적이고 개인화된 치료와 성장을 돕는 프로그램이 필요하다.

1980년대에 미네소타 주 위노나 시에서는 유아 교육 프로그램으로 부모 교실을 제공했는데, 여기에 참여한 일부 부모들은 아이를 학대하고 방치한 혐의로 법원에 소환되었다. 통찰력 있는 프로그램의 책

이론	이론가	핵심 개념
배려 윤리	길리건 나딩스	도덕 영역은 가상적 정의 딜레마에 대한 도덕 추론에 초점을 맞추는 것을 넘어서야 하며, 관계, 배려, 실생활 딜레마와의 연결이라는 주제와 관련지어져야 한다.
영역 이론	튜리엘 누치 스메타나	아주 어린 아이라 해도 도덕, 개인, 사회 인습 영역을 구별할 수 있다. 사회 인습 추론은 단계가 아니라 범주이다.
성격/자아/ 정체성 이론	블라지 맥아담스	우리는 성숙하면서 도덕적 관심과 이해가 도덕 행동을 동기화하는 데 주요한 또는 사소한 역할을 하도록 자아를 구성한다. 우리가 자아를 구성하는 방법 중 하나는 개인적 서사를 만드는 것이다.

표 4.1 이론적 도전들의 핵심 개념

임자는 한 부모의 발언 — "다른 부모가 자신의 아이에 대해서 말하는 걸 들으면서 나는 완전히 어둠에 빠진 것 같았어요. 나는 건강한 가족이 어떤 건지 아무것도 몰라요." — 에 말문이 막혔다. 책임자는 학대, 방치, 알코올 중독, 정신 질환이라는 가족력을 지닌 부모를 위한 특별 그룹인 "어둠에 빠진 부모들의 모임"을 만들었다. 그는 상처 입은 부모들이 아이들을 사랑하고 아이들과 어울리는 데 어려움이 없는 부모와 자신을 비교하며 부끄러움을 느끼는 일 없이 자신의 아이를 돌보는 법을 배울 수 있도록 돌봄을 위한 안전한 장소를 만들었다.

배려 윤리가 도덕적 영역을 넓혔다면, 영역 이론은 다중 영역으로 지형을 다시 그리려고 시도하였다. 나는 영역 개념이 내담자/가족, 학생/교육자의 상호작용을 이해하는 데 특별히 유용한 렌즈라는 걸 발견했다. 영역 이론은 우리가 문화적 혹은 발달적 충돌에 있어 그 충돌의 뿌리에 대한 유용한 통찰을 통해서 반응할 수 있도록 돕는다.

내가 앞서 사용한 부정행위의 사례를 보자. 교사와 관리자가 숙제를 베끼는 일을 어떻게 보는지(부정행위라는 도덕적 문제)와 청소년들이 그것을 어떻게 보는지(친구와의 공유라는 개인적 문제)의 차이는 학생이나 내담자가 자신의 사회적 세계를 어떻게 지각하는지 확인하는 일이 유용하다는 걸 보여 주는 분명한 사례다. 교실에서 실제로 적용하기 위해 영역 이론의 연구 기반 결과물을 찾을 때 유용한 자료 중 하나는 누치(2009)의 『멋진 걸로는 충분하지 않다: 도덕 발달 촉진하기(*Nice Is Not Enough: Facilitating Moral Development*)』이다.

실제 상담에서 독자는 영역 문제가 가족 갈등 그리고 가족 규칙의 협상 및 재협상의 건강한 발전을 망치는 일의 근저에 있다는 걸 종종 볼 수 있을 것이다. 내담자/학생의 나이와 인지 능력에 따라, "심리학적 근거를 찾아보고" 영역 접근의 발견을 공유하는 것이 꽤 생산적일 수 있다. 도덕 발달은 인지 발달, 역할 채택 능력에 기초한다. 따라서 대안적 관점을 "자극하는 건" 효율적일 수 있다. "어떤 사람은 제시간에 오는 것을 예의의 문제라고 생각하고, 어떤 사람은 개인의 선택이라고 생각한다. 당신은 당신과 당신의 아버지가 사물을 보는 방식의 차이를 인지한 적이 있는가?"

그러나 내 경험에는 이런 정보를 부모, 교사, 관리자 같은 어른들과 나누는 게 훨씬 도움이 되었다. 청소년에 대한 더 나은 발달적 이해는 성인이 더 적합한 반응을 만들도록 돕는다(그리고 때로는 말이나 행동에 조용한 미소를 짓게 만들 수도 있다). 당신이 구체적 조작기 단계의 사고자를 다루고 있다면, 그가 지식을 **사용할** 수 있도록 만들어야지 그것을 갈등에서의 무기로 사용하게 해서는 안 된다는 것을 명심하라. "오, 너는 너무 어려서 이게 도덕적 문제인지 이해하지 못해!" 당신이 나누어야 할 메시지는 개인적, 사회 인습적 영역에서 **싸움을 선택할** 필요가 있으며, 해악이나 잠재적 해악이 관련된 **진정한 도덕적 문제에 대해서는** [다음과 같이] **그 선**(line)을 **지켜야** 한다는 것이다. "아니. 나는 네가 형/오빠의 사교 클럽에 있는 남자와 해변에서 일주일을 보내는 걸 허락하지 않을 거야. 나는 네가 착한 아이라는 걸 알고 있고, 네가 계속해서 책임감 있게 행동하려 한다면, 이런 일은 네가 대학에 갔을 때 해야 하는 거야."

성격 이론의 적용으로 넘어가서, 블라지의 도덕적 자아 발달 이론은 부모, 교사, 상담가에게 도덕적 기능, 이해, 성격에 관한 현명하고 복잡한 관점을 제공한다. 블라지(2004)의 중심 생각은 다음과 같다. (a) 도덕적 역량은 전체적인 성격 체계의 맥락에서 이해되어야 한다. (b) 행동이 도덕적이기 위해서는 도덕적 의도에 의해 이루어져야 한다. (c) 도덕성에 의해 구체적으로 동기화되는 성격 유형을 개념화해야 한다. 그러나 그는 도덕적 자아가 성인기에만 완전히 구성되고 통합될 수 있다는 걸 인정했다. 따라서 우리는 영리한 10대가 복잡한 도덕적 추론을 이야기하지만, 그에 상응하는 도덕적 행동을 하지 않는 것을 목격한다 해도 놀라서는 안 된다. 아마도 그들은 아직 성숙한 자아 정체성, 자아의 이질적인 부분을 동일한 전체에 통합시킬 "행위자로서의 나"를 구성하지 못한 것이다.

이와 관련하여, 내담자와 그의 삶의 이야기의 기반에 있는 스키마에 대해 알고자 할 때, 맥아담스의 연구는 깊고 의미 있는 삶의 사건들과 인물의 신화적 요소와 중요한 서사의 줄거리에 다가가는 질문을 위한 풍부한 지침을 제공할 것이다. 맥아담스의 심리학적 패러다임들(예를 들어, 에릭슨, 융, 호나이, 피아제)에 걸친 통찰의 통합은 그의 연구를 계속 진화하는 자아, 개인의 신화에 대한 깊은 발달적 관점과 융합시켰다.

그리고 도덕적 자아가 정말 '이야기하는 자아'라면, 내담자가 자신의 이야기를 다른 사람(특히 숙련 받은 상담가)에게 하는 것은 그의 성장과 치료를 가능하게 한다. 상담에 대해 생각할 수 있는 방식 중 하나는 내담자가 그들의 자아감의 기저에 있고 그들의 행동을 동기화하는 이야기나 스키마를 규정하고 검사할 수 있도록 돕는 대화를 상담가가 촉진하는 것이다. 종종 치료의 돌파구는 내담자가 오래되고 문제 있는 이야기를 건강하게 재구성할 수 있을 때 생긴다. 내담자가 의미와 도덕적인 나침반의 감각을 계발할 수 있도록 돕는 일에 상담가가 특별히 관심이 있다면, 맥아담스(1993)의 패러다임은 풍부한 자원을 제공해 줄 것이다.

> 진화하는 개인의 신화의 맥락에서, 성인은 자아의 유산을 남기기 위해 미래에 하고자 계획하는 것을 구체화하며 생산성(generativity)의 각본을 구성하고 실행하려고 노력할 것이다. 그것은 자신의 개인적 이야기, 자신이 살고 있는 현대사회와 사회적 세계에 자신의 생산적인 노력이 기여하는 방법을 찾으려는 성인의 인식과 관련된 내적 서술이다. (p. 240)

제10장에서 우리는 진화하는/새롭게 나타나는/발달하는 자아에 대한 생각을 더 자세하게 탐색할 것이며, 이론적 통찰이 현실 세계의 적용에 기반을 이루는지 독자가 분명하게 볼 수 있을 것이라고 생각한다. 내담자의 핵심 주제를 평가하는 할스테드(Halstead)의 연구는

특별히 관련된 발달론적 실제의 예시를 제공할 것이다.

토론 문제

1. 맥아담스(1993)와 동료들은 참여자들에게 그들의 삶의 8가지 핵심 사건을 "특정한 해프닝, 치명적인 사고, 과거의 특정한 시간과 공간에 있는 … 몇 가지 이유로 두드러져 보이는 중요한 에피소드" 등의 용어를 이용해서 말해 줄 것을 요청했다(p. 258). 당신은 당신이 되고자 하는 사람에 대한 생각을 형성한 핵심 사건을 기억하는가?
2. 부정행위, 교칙, 예절, 사생활, 존중, 숙제, 통금, 성적 만남/관계, 술과 마약 등의 구체적 개념을 활용해서 당신의 개인적, 사회 인습적, 도덕적 영역에 대한 생각이 시간에 따라 어떻게 변했는지 두 가지 예시를 제시하시오.

추가 자료

• 다시 한 번 말하자면, 공간적 제약으로 인해 이 장에서는 복잡하고 가치 있는 관점을 고려하며 몇 가지 짧은 예시만을 언급했기 때문에, 나는 자신의 삶의 이야기를 탐색하는 데 관심이 있는 독자들이 원본 자료를 찾아 자세한 사항을 따라가기를 바란다. 맥아담스의 「당신의 신화를 찾으시오(Exploring Your Myth)」 장은 삶의 역사 인

터뷰를 수행하면서 사용된 질문들과 과정들을 설명해 준다.

  ◦ McAdams, D. P. (1993). *The stories we live by: Personal myths and the making of the self*. Guilford Press.

- 영역 이론의 관점에서 도덕 발달을 더 공부하고 싶은 교육자는 '도덕 발달 및 교육(Moral Development and Education)' 웹사이트의 Office for Studies 항목, 특히 해당 분야의 최근 서적과 교육 실천 사례가 담긴 아래의 목록에서 관심 있는 자료를 찾을 수 있을 것이다.

  ◦ http://tigger.uic.edu/~lnucci/MoralEd/practices.html

  ◦ http://tigger.uic.edu/~lnucci/MoralEd/books.html[7]

---

7. 지금은 Domain Based Moral Education으로 이름 변경: 옮긴이.

5. 신경 과학 및 진화론적 관점에서 이론의 부상

*

나바에츠와 하이트

패러다임 사이의 시간

나는 이제 이 책을 10년간 써 오고 있고, 기사로 가득 찬 몇 개의 커다란 파일 캐비닛, 벽면을 가득 채운 책들, 그리고 새로운 이론을 다루는 이 장을 쓰기 위한 많은 계획들(나중에 버렸다)을 축적해 왔다. 집필 과정에서 수많은 흥미로운 논쟁을 무시하는 게 그리고 텍스트에 초점을 맞추고 간략하게 하기 위해 중요한 사상가들을 배제하는 게 고통스러웠지만, 첫 4개 장은 비교적 집필하기 쉬운 편이었다. 나는 구글, TED 강연, 그리고 풍부한 온라인 자료의 이 시대에도 내가 이 글에서 소개할 주제에 특별한 관심을 가지고 있는 독자들이 추가적인 자료를 캐내길 바란다.

이 책에서 가장 중요한 목적 중 하나는 이 분야를 안내할 수 있는 가장 **최신의** 이론적 생각들을 제시하는 것인데, 이는 특히 이 일과 직접적 관련이 있는 전문가들을 돕고자 하는 것이다. 인간 발달 자료들은 프로이트, 피아제, 콜버그, 길리건의 이론을 다루는 것을 멈추려는 경향을 보이며, 이는 이 분야 종사자와 미래의 종사자들에게 난점을 남겼다. 당신은 이 분야에서 오랫동안 핵심적으로 다루어 온 개념과 생각들에 대해 배웠다.

내가 보기에, 문제는 우리가 패러다임 사이의 어지러운 시기에 있어서, 이것이 향후 많은 시간 동안 연구와 실천을 안내할 위대한 이론 같은 것을 끌어내기 매우 어렵게 한다는 점이다(예를 들어 Reed, 2008a, 2009 참조). 그러나 나는 새로운 종류의 위대한 이론에 도전하는 도전자들이 서서히 등장하고 있다고 생각하며, 이 장의 마지막에서 왜 그렇게 생각하는지 설명하려고 한다. 그러나 현재로서는 패러다임 사이 시기에 있다는 것이 성교육, 이야기의 도덕적 활용, 소녀 마케팅[1] 등과 같은 광범위한 주제에 걸쳐 생산적인 논의를 해 온 배려 전통으로부터의 연구자(예를 들어 샤론 램, 마크 태펀, 린 미셸 브라운)뿐만 아니라, 콜버그를 넘어 등장했지만 여전히 도덕적 추론 연구에 특별한 관심을 유지하고 있는 몇몇 사상가들(예를 들어 존 깁스, 래리 누치, 엘리엇 튜리엘, 스티브 토마)의 분야를 망라하는 것을 의미한다. 그 밖에, 특히 다르시아 나바에츠, 다니엘 랩슬리, 데니스 크렙스, 그리고 조너선 하이트(와 많은 사람들)가 진화심리학 그리고/또는 신경 과학을 도덕 발달에 연결하려고 시도하고 있다. 나는 후자 그룹이 새로운 패러다임을 서서히 모양 잡고 정의하고 있다고 생각한다.

이 새로운 이론적 도전이 발생하는 방향과 이슈에 대한 감각을 주기 위해, 나는 간략하게 신경 과학과 진화심리학으로부터의 새로운 도구들과 생각들의 중요성에 대해 언급하고, 도덕 기능의 통합적 모

1. marketing of girlhood: 만 17세 이하 '소녀'들이 기업의 마케팅 모델이나 주요 타깃으로 떠오르고 있는 시점에서 소녀들을 마케팅 모델이나 소비자로 끌어들이는 활동: 옮긴이.

델에 대한 밑그림을 시도한 뒤, 통합 이론에 대한 한 예시를 제공하고, "거대 이론"을 지향하는 논란이 많은 새로운 도전자에 대한 개요로 마무리하려 한다.

신경 과학 혹은 진화론적 관점에서 이론의 부상

> 우리는 다윈이 도덕성에 대한 공로를 자연선택, 문화와 학습 사이에서 얼마나 정확하게 나누었는지에 대해 궁금해 할지도 모른다. 그러나 그가 의심했던 것과 같이, 특히 도덕성의 진화라는 후기 단계에서, 문화와 학습, 개인과 사회는 모두 커다란 역할을 한다. … 여전히, 노암 촘스키가 말하듯이, "어린 시절에 얻게 되는 도덕과 윤리 체계는 '타고난 인간 능력'과 '우리 본성에 뿌리를 둔' 것에 빚을 지고 있다고 추측하는 것이 합리적인 것으로 보인다"(Chomsky, 1988, p. 153).
>
> (Katz, 2000, p. 9)

이 새로운 도덕성의 관점을 탐구하는 데 사용되는 몇 가지 기본적인 전제와 연구 방법들에 대해 스케치해 보자. 매우 기본적으로, 진화된 인간 뇌에 대한 주장은 일련의 편견이나 특정 경향을 가지고 있다. 이는 우리의 생존, 짝짓기, 유전자를 다음 세대에 넘기는 것에 기여했기 때문에 시간의 흐름에서 선택되었다는 것이다. 예를 들어, 우리의 물리적 환경에서 위협이나 기회의 신호가 되었던 자극 강도의 변화를 처리하기 위한 단순한 지각적 편견은, 상업 광고가 이전 것들보다 더 크고 밝고 빠를 때 주목하는 경향성에 내재되어 있다. 유사하게,

진화론자들은 우리 조상들이 생존하고 짝을 유혹하는 데 더 성공적일 수 있도록 해 준 특정 **도덕적 편견들**을 발전시켜 왔다고 주장한다. 그러므로 우리가 자유의지로 인해 옳은 행동을 결정한다고 믿어도, 우리는 내재되고, 빠르고, 정서적인 반응의 인도에 따라 도덕 결정을 내리고 이후에 의식적으로 추론할 가능성이 있다.

어떻게 이런 가설을 확인해 볼 것인가? 여기에는 매우 다양한 종류의 연구가 있지만, 기본적인 관찰 전략을 사용한 것으로 시작해 보자. 몇몇 연구자들은 (a) 우리와 가까운 영장류 사촌들뿐 아니라, (b) 수렵 채집 조상들과 유사하게 살아가는 사람들을 통해 도덕성의 진화적 기원에 대한 실마리를 얻으려고 한다. 다른 연구자들은 사람들이 도덕적 문제를 다룰 때 fMRI 검사를 사용하고, 또 다른 연구자들은 사람들이 "죄수의 딜레마"라고 불리는 게임을 할 때를 연구한다. 여기서 협력하고, 이기적으로 행동하고, 또 남을 처벌하는 당신의 행위는 관찰되고 정량화될 수 있다. 이러한 도덕성의 진화적 기원에 대해 시장에서 구매할 수 있는 괜찮고 접근 가능한 책들은 많다(예를 들어 de Waal, 1996; Katz, 2000; Krebs, 2011; Ridley, 1996; Wright, 1994). 그리고 관심 있는 독자들은 이 주제에 대해 더 찾아보기 바란다.

우리의 목적은 단지 진화 이론에 기반을 두고 나타난 연구가 발견한 일련의 예시들을 제공하는 것이다. 내가 항상 특히 감명 받는 것은 유명한 영장류 학자인 프란스 드 발(Frans de Waal)의 연구인데, 그는 수십 년간 침팬지 집단의 행동과 다른 영장류들을 관찰해 왔다. 그는 우리의 도덕성의 기반이 정말로 정서적 반응에 의거하고 있을지도 모르지만, 도덕성 자체는 정서적 반응이 생길 때 상황을 **평가**할 수 있는 우리의 능력에 의해 영향을 받는다고 주장한다(Flack & de Waal, 2000). 이는 정서적 반응에 대한 행위적 응답의 예상 결과(우리들과 타인 포함)를 이해함으로써 조절될 가능성이 있다. 그는 도덕성이 정서적이고 직관적인 반응으로 시작되지만 인지적 가치평가를 통해 유발되는 과정으로 그렸는데, 인간과 동물 사회 모두 집단이나 문화의 "사회 접촉"에 의해 조형된다(p. 21).

요약하자면, 우리의 영장류 기원은 우리에게 특정한 도덕적 경향성과 능력을 남겼는데, 다음 4가지가 가장 중요하다.

1. **공감 관련 경향**, 예를 들어 애착, 원조 그리고 정서 전염, 인지적 공감, 장애인이나 부상을 입은 사람들의 필요를 조정하는 것을 배우는 것.
2. **규범 관련 경향**, 예를 들어 권위적인 사회 규칙, 규칙의 내면화, 예상되는 벌.
3. **상호 호혜성 경향**, 기부, 거래, 상호 호혜성 규범의 위반자에 대한 복수와 공격.
4. **유대 경향**, 좋은 관계를 유지하기, 갈등 피하기, (때때로) 협상하기 (Flack & de Waal, 2000, p. 22를 재구성함)

또 다른 중요한 진화론적 사상가인 데니스 크렙스(Krebs, 2000, 2011)는 콜버그의 인지 발달 전통에서 뻗어 나와 이를 넘어섰다. 그는 진화 이론이 정신 역동, 사회 학습, 인지 발달, 도덕성에 대한 문화적 관점을 아우를 수 있는 넓은 텐트와 같다고 본다. 모든 접근은 어떤 면에서는 어떻게 경험이 인간 뇌 발달과 상호작용하는지를 탐구한다. 진화론은 뇌가 특정한 구조와 경향 또는 편견으로 발달해 왔다고 설명하는데, 왜냐하면 이런 구조와 경향은 이를 가지고 있는 사람들에게 자연선택의 이점을 주기 때문이다. 크렙스의 설명에 의하면,

우리는 도덕성을 발달시켜 왔는데, 그 이유는 우리(와 영장류 사촌들)가 사회적 존재이기 때문이다. 그러므로 크렙스는 "적합한" 발달은 합법적 권위를 존중하고, 타인을 희생해서 이익을 보려는 유혹에 저항하는 것을 배우며, 집단이나 부족을 옹호하고, 공정하게 경기하며, 사회 규칙을 존중한다고 주장한다.

나는 신경 과학 연구자들이 사람들을 fMRI 스캐너에 넣고, 사람들이 "트롤리 딜레마"(당신은 스위치를 잡아당기고 선로를 바꿔서 한 사람을 치고 다섯 사람을 살리겠는가? 對 당신은 "커다란" 한 사람을 다리로 밀어 넣어 다섯 명을 죽일 수 있는 열차를 멈추겠는가?)를 다룰 때 어떤 일이 일어나는지 보는 것은 건너뛰려고 한다. 우리가 두 가지 해결책을 고려할 때 뇌의 서로 다른 부분이 활성화되고, 한 가지 선택이 정서적으로 불쾌하게 여겨지는 것을 언급하는 것으로 충분하다. 왜 그런지 추측해 보자. 우리는 도덕적 의사 결정의 신경학적 근거를 이해하는 매우 흥미롭고 중요한 걸음을 떼기 시작했다고 생각한다. 그러나 현재 우리는 특정 구조를 넘어서 구조(structure)와 체계(system) 사이에서 놀라울 정도로 복잡한 상호작용을 한다는 것을 안다. 학습을 더 진행해 나감에 따라, 우리가 구성하고 사용하는 "무엇을"과 "어떻게"라는 도덕적 스키마에 대한 이해에 보다 더 가까워질 것이다.

2008년 『도덕교육저널(*JME*)』 특별호에 실린 글의 서문에서 튜리엘은 도덕성을 생물학적으로 설명하려는 추의 흔들림은 정확히 콜버그의 이론에서 극복하고자 했던 환원주의적 설명으로의 회귀라고 규정했다. 튜리엘은 신경 과학자들이 — 도덕적 판단이 어떻게 "정서와 유전에 기반하며, 무의식적 작용을 통해 일어나는지" 보여 주기 위해서 — 의식적인 작용과 인식론적인 숙고를 무시하는 경향성이 있다는 것에 대해 주의를 주고 있다(p. 286). 그러나 생물학의 열차는 역을 떠난 지 꽤 오래 되었으며, 내 생각에는 합리주의 전통에 있는 사람들은 여기에 편승하거나, 최소한 그들의 생각을 새로운 생물학 연구와 통합해야 될 것이다.

도덕 기능의 통합적 모델을 향해(그리고 이에 대한 비판들)

2008년, 철학자 돈 리드(Don Reed)는 앞서 언급한, 로렌스 콜버그의 1958년 박사학위논문 50주년을 기념하는 『도덕교육저널』 특별호를 편집했다. 튜리엘은 자신의 서문에서 생물학적 설명으로의 질주에 대한 우려에 덧붙여, 비록 콜버그가 도덕 기능의 어떤 통합적 이론보다 도덕적 추론에 우선성을 둔 것으로 흔히 비판받았지만, 그는 도덕적 사고, 도덕적 실천, 도덕적 정서 사이의 관계를 설명할 종합적인 이론이 필요하다는 것에 대해 이해하고 있었다고 주장했다.

리드(2008b)는 특별호를 과거의 기념보다는 [장래에 대한] 유망한 전망으로 바라보았다. 이 과정에서 그는 다음과 같은 핵심 아이디어가 나타났다고 보았다. "이 분야에서는 도덕 기능에 대한 단일한 포괄적 모델이 부족하다. 그러한 모델은 기관계(organ system), 유기체, 그리고 조직화된 집단 기능에 대한 다양한 수준의 분석을 시도할 수 있는 통합된 설명을 가져야 한다"(p. 418). 그는 이 호를 기획하면서, 최고 수준의 학자들이 신경 과학에서 개인과 문화에 이르는 다층적 분석을 논문에서 다루어 주길 간청했다. 리드는 특집호에서 제공하는 중요한 핵심과 주제를 확인했다.

- 이 분야는 **패러다임 사이의 시기에 있다**. 그렇지만 도덕 기능을 설명하는 데 도덕 추론만을 사용하는 것은 불충분하다는 것에 합의하고 있다.
- 연구자들은 최상의 도덕 발달을 위해서 **초기 경험**과 양육 관행이 **매우 중요하다**는 것을 인식하고 있다.
- 우리는 **암시적인/암묵적인 과정과 명시적인/숙고하는 과정**(때때로 시스템 1 사고와 시스템 2 사고라고 불리는 과정) 모두가 우리의 도덕 결정과 행동에 영향을 준다는 것을 알고 있다.
- 연구자들에 의해 발견된 사실인 **판단과 행동 간의 간극에 대한 관심**, 즉 도덕적 추론의 복잡성과 도덕적 행동 사이에 약한 관련성만이 있다는 사실이 여전히 남아 있다. 프라이머와 워커(Frimer & Walker, 2008)는 사람들이 그들의 **도덕적 자아**에 중점을 두는 것을 더 잘 이해하면, 이 차이에 다리를 놓는 열쇠가 될 것이라고 믿는다.
- 많은 저자들은 **문화와 문화적 담론**이 인지 과정과 도덕 기능을 조정하는 역할을 한다고 발표했다. 심지어 뇌 기능의 역할을 강조하는 사람들도 우리가 문화의 렌즈를 통해 우리 세계를 이해하고 있다고 인정했다.
- 아마도 리드의 요약에서 가장 논쟁적인 부분은, 이 분야가 모더니즘의 "순진한 보편주의"를 넘어서고 있으며 **그렇게 위협적인 악령이 아닌 포스트모더니즘과 도덕 상대주의**를 받아들일 준비를 해야 한다는 그의 주장에서 나오는 것이다. (Reed, pp. 419-425를 재구성함)

요약하자면, 리드와 특별호 저자들은 다음과 같이 말하고 있다. "일은 매우 복잡해지고 있고, 도덕 기능에 대한 포괄적이고 통합적인 모델을 개발할 시기이다." 그렇지만 모두가 문화 다원주의의 중요성과 이 특집호의 저자들이 주장한 생물학에 뿌리를 둔 진보된 설명에 동의하는 것은 아니다. 존 깁스와 동료들(Gibbs, Moshman, Berkowitz, Basinger & Grime, 2009)은 그 특집호가 오랜 시간의 테스트와 연구를 통해 검증되어 온 핵심 인지 발달 개념을 무시했다고 생각한다. 특히, 이 비판가들은 콜버그와 피아제의 "특정 사회화 관행이나 문화적 맥락으로 환원될 수 없는 깊고 적절한 이해의 구조로서 발달 개념"이 여전히 유용하다고 주장한다(p. 271).

도덕성의 이중 처리 이론

이 "패러다임 사이의 시기"에 발견되는 가장 중요한 문제 중 하나는 윌리엄 제임스(William James)가 한 세기 전에 묘사했던 현상 — 사람들은 두 가지 서로 다른 시스템을 사용해 생각과 사건을 처리한다 — 에 대한 이해가 점증하고 있다는 점이다. 구체적인 새로운 사건들을 살펴보기 전에, 당신이 도덕적 결정을 내릴 때(혹은 어떤 문제에 대한 결정을 내릴 때) 작동되는 두 가지 시스템에 대한 짧은 개관을 하려고 한다.

시스템 1 사고(Kahneman, 2003)는 인간 진화의 초기에 발달되었고, 우리의 조상들에게 빠른 결정과 결정적인 행위를 취하기 위한 자동적이고, 빠르며, 무의식적인 사고를 제공하였던 인식의 형태를 묘사한다. 이런 과정은 명백하게 진화적 이점을 가지고 있다. 위험과 포식자로 가득한 냉혹한 세계에서, 머뭇거리는 자는 문자 그대로 사라지는(누군가의 점심식사가 되거나) 그 자신을 발견할 것이다. 카너먼은 시스템 1 사고를 직관적, 정서적, 암시적, 경험적인 것으로 설명한다. 그러나 이 종류의 사고는 편견적 사고로 이끌 수 있는 정신적 지름길이나 **발견적** 교수법(왜 이렇게 빠른지 생각해 보자!)이 되기 쉬운 것으로 비판받는다. 만일 당신이 확고한 공화당원인데, 장거리 비행 여행을 하면서 옆 좌석에 앉은 사람이 읽는 책으로 미루어 보았을 때 당신과 동등한 정도로 확고한 민주당원임이 명백하게 확인된 상황이라고 해 보자. 오늘날의 적대적인 정치 기류에 미루어 보았을 때, 당신은 신속하게 그리고 대체로 무의식적으로 당신의 옆 좌석 사람을 싫어하게 되고, 당신의 귀에 iPod 이어폰을 낄 것이다.

시스템 2 사고(Kahneman, 2003)는 인간 역사에서 후기에 발달되었고, 시스템 1 사고와는 달리, 통제되고, 느리며, 의식적이다. 다른 성격적 특질로 이성적임, 분석적임, 분명함, 규칙 기반을 포함하고 있다. 시스템 2는 우리에게 가능성과 개연성을 고려하게 만든다 — 이것이 시스템 2가 느린 이유 중의 일부이다. 이것은 능력을 검토하고, 때때로 더 빠른 시스템 1로부터의 정서적 결정을 무시한다. 예를 들어, 만일 당신이 타인을 단지 그가 읽고 있는 책 때문에 (무시하고) 딱 닫아버리는 판단을 내렸다는 것을 알아차렸을 때, 당신은 스스로를 알아차리고 이렇게 말한다. "나는 지금 내가 싫어하는 닫힌 마음의 사람들처럼 행동하고 있어." [그런 다음] 당신은 여전히 이어폰을 끼고 있을지라도, 비이성적인 역겨움을 느끼기보다는 이성적으로 관용적인 정신 상태에 있을 것이다.

나바에츠의 삼층 윤리 이론

포괄적이고 통합된 이론이라는 면에서 사람들이 무엇을 이야기하고 있는지 더 잘 이해하기 위해, 나는 다양한 학문으로부터 연구를 통합하는 포괄적 연구를 구축하는 데 가장 사려 깊은 시도를 하는 학자를 짧게 요약하려 한다(예를 들어, Narvaez, 2008a, 2008b, 2009, 2010, 2011; Narvaez & Vaydich, 2008).

> 이성주의자와 직관주의자의 패러다임은 양측 모두 불완전한 관점을 제공한다. 이성주의자들은 도덕성을 인간 행동의 작은 단편들로 좁히면서, 암시적 과정을 간과한다. 직관주의자들은 추론, 직관, 그리고 다른 요소들 사이에 상호작용하는 데 있는 도덕 기능의 복잡성을 무시한다.
>
> (Narváez, 2010, p. 164)

(도덕 심리학, 도덕철학, 교육심리학, 신경 생물학, 인지과학, 성격심리학, 사회심리학을 포함하지만, 여기에 제한되지 않는) 분야에 대해 어지러울 정도로 광대한 자료와 연구를 제시하기 전에, 존경받는 도덕 발달 연구자 다르시아 나바에츠는 도덕 발달 이론에서 도덕성의 신경생물학적 기원을 인정해야만 한다고 믿게 되었다. 그녀는 **삼층 윤리**(Triune Ethics)라는 복잡하고 사려 깊은 이론을 제안했는데, 이어지는 섹션에서 당신에게 개요를 설명하려 한다. 비록 이 이론이 인상적이고 눈을 뗄 수 없는 성취를 보였지만, 과거에 그녀가 연구했던 몇몇 이론적 과제만큼 매력적으로 보이지 않는다(예를 들어, 4구성 요소나 신콜버그학파의 스키마 이론처럼). 삼층 윤리와 하이트의 도덕성 기반

안전 윤리	추체외로(extrapyramidal) 행동신경계(파충류)를 수반한다. 포유류에게는 영역성(territoriality), 속임수, 반복적 일상, 권력투쟁, 관례와 관련이 있다.	사람의 뇌에서 강하게 배선된 초깃값이다. 신체적 생존에 대한 본능과 맥락에서 살아남는 본능에 초점을 맞춘다. 원시 시스템의 장소는 공포, 분노, 성적인 것에 관련되어 있다.
관여 윤리	포유류의 정서 시스템에 뿌리를 두고, 놀이, 공포, 친밀함, 조화, 사교를 촉진시키는 배려와 관련이 있다.	이 시스템은 양육자의 상호작용(애착)과 어린 시절의 경험에 영향을 받는다.
상상 윤리	최근에 진화된 뇌 영역, 특히 전전두엽에 의존한다.	사람들이 오래된 뇌 시스템의 정서적 반응으로부터 물러나는 것을 가능하게 하며, 더 논리적이고, 합리적인 반응을 고려하게 한다.

표 5.1 나바에츠의 삼층 윤리 이론: 윤리, 신경 생물학적 근거, 그리고 특징
출처: 「삼층 윤리: 신경 생물학적 바탕을 둔 우리의 다중 도덕성」, 다르시아 나바에츠, 2008b, *New Ideas in Psychology*, 26, 95-119.

이론(Moral Foundation Theory)을 설명한 후, 나는 틀린 셈 치고 왜 한 모델이 다른 모델보다 더 흥미롭고 수용할 만한지 추정해 보려고 한다.

삼층 윤리는 인간이 세 개의 뚜렷한 (우리의 기본적인 정서 시스템에 뿌리를 둔) 도덕 시스템을 가지고 있다고 상정한다. 이는 개인과 집단 행동에 모두 영향을 준다(Narvaez, 2008b). 이 이론은 초기 경험과 생물학적으로 미리 조율된 뇌 체계 간 상호작용으로 함께 만들어진 도덕적 사고방식의 형성에 진화가 어떤 영향을 주었는지 설명한다(〈표 5.1〉을 보라).

안전 윤리(Narvaez, 2008a, 2008b)는 우리 뇌의 가장 오래된 부분들과 관련되어 있는데, 우리가 스트레스 상황에 놓이고, 겁에 질리고, 또는 화가 났을 때 기본값으로 기능한다. 당신은 아마 이 도덕 사고 체계가 싸움 또는 도망이라는 심리 반응과 유사한 우리의 스트레스 체계를 작동시켜서 인지된 신체적 또는 심리적 위협으로부터 우리를 도와주는 생존 시스템으로 작용한다고 생각할 수 있을 것이다.

예를 들어, 2012년에 샌디 훅 초등학교에서 발생했던 20명의 어린이 총기 살해 사건은 많은 사람들에게 안전 윤리를 활성화시켰다. 그러나 삶의 초기 경험에서 지배를 지향했던 사람들에게 활성화된 사고 체계는 총에 대한 권리를 보호하는 것으로 그들을 이끌었다("총은 사람을 죽이지 않는다. 정신적으로 문제가 있는 사람들이 사람을 죽인다"). 한편, 양육자 및 타인과 다른 종류의 상호작용을 한 아이들은 인지된 위협에 대해 다음과 같이 다른 요청을 했다. "우리는 총기 규제법이나 절차를 강화해야만 사회를 보호할 수 있다."

초기 양육에서 방치나 학대 같은 만성적인 위협적 상황은, 자기 보호 입장을 취하는 이런 사고 체계가 습관적인 인격적 특징이 될 수 있다는 것을 우리가 특히 중요하게 언급해야 할 것이다. 일상적인 말로 하면, 우리가 방어적이거나 위협을 받거나 겁먹고 있을 때, 대부분은 최고 또는 최상의 이성적 상태가 아닐 것이다. 우리는 이 윤리를 카너먼(2003)의 시스템 1 사고와 일치하는 것으로 생각할 수 있다.

우리의 사교성을 이끄는 **관여 윤리**(Narvaez, 2008b)가 뇌 구조에서 공포 시스템(타인과 함께)에 기반을 두고 있다는 것을 배우게 되면 당신은 아마 놀랄 것이다. 그러나 나바에츠는 엄마나 아빠가 방에서 떠났을 때 생후 6개월 된 아기에게 심각한 반응을 불러일으키는 분리 고통 체계는 취약한 포유류 유아가 보이는 필수적인 생존 시스템이라고 주장한다. 포유류 유아는 성인의 보호 없이는 살아남을 수 없으며, 아기들이 양육자와 분리되었을 때 주목하지 않을 수 없도록 고통스럽게 우는 것은 보호와 애착 둘 다를 지지하고 유지하는 기능을 한다.

나바에츠는 다른 포유류와 마찬가지로 사람은 고립될 때 불안이 시작되거나 고통스럽게 우는 것 같은 명확하고 분명한 신호를 보인다고 말한다. 그녀는 우리가 권위에 순응하고 복종하는 경향을 보이는 것은 실제로 고립되는 것에 대한 두려움에 뿌리를 두고 있다고 추측한다. 안전 윤리에서처럼, 이 도덕 사고 체계는 뇌 구조에서 이미 조정된 것과 인간 아동들의 확장된 아동기 동안 양육자와 타인에 의한 경험과의 상호작용을 통해 발달한다(Narvaez, 2008). 긍정적인 측면은, 반응적이고 적절한 양육을 통해 안전한 애착을 형성한 아동들은 문자 그대로 친사회적이고 평화적인 상호작용을 향해 뇌가 조정된다는 것이다. 나바에츠(2011)는 영유아기 경험의 중요성에 대해 광범위하게 저술하고 있는데, 예를 들어 모유 제때 주기, 함께 자기, 포옹하기, 밖에서 활동하기 같은 것이 신경 생물학에 기반을 둔 도덕적 기능의 건강한 발달에 중요하다. "어린 시절의 양육은 인생에 걸쳐 지속될 수 있는 뇌 구조에 깊은 영향을 준다. 초기 양육의 질은 신경물질부터 면역력, 스트레스 반응, 도덕적 상상까지 다층적 시스템의 기능을 형성한다"(p. 31).

마침내, **상상 윤리**는 뇌에서 비교적 최근에 발달한 부분에 주로 기반을 두고 있고, 특히 전전두엽에서 이루어진다. 이 윤리는 사람이 뇌의 오래된 부분과 관련된 직관적이고 정서적인 반응을 넘거나 무시하여 더 타당하고 합리적인 반응을 하도록 돕는다. 당신은 아마 상상 윤리가 카너먼(2003)의 시스템 2 사고와 유사하게 보인다는 것을 알아차렸을 것이고, 나도 동의한다. 나바에츠(2011)는 상상 윤리를 관점 채택과 이성적인 주장 같은 것으로 기술한다. 그녀의 표현은 피아제와 콜버그에 의한 합리성 연구와 유사하게 들리는데, 사실이 그렇기 때문이다. 더 나아가, 나바에츠는 "현재 순간을 넘어서 미래의 가능성에 대해 생각할 수 있는 능력"은 전전두엽의 발달에 뿌리를 두고 있는데, 영유아기의 배려와 경험에 의해 깊이 영향을 받는다고 주장한다. 그녀는 부족하거나 과도한 초기 경험은 친사회적 정서의 결여와 같은 장기간에 걸친 연속적인 결과를 가져오는데, 이는 성인으로서의 자아를 원시적인 안전 윤리에 의해 지배되는 위험 속에 남겨두게 된다고 걱정한다.

반대로, 건강한 환경에서 반응적인 양육자와 함께 한 아이들은 적극적으로 사회적 상호작용을 하면서 도덕적 이해를 발달시켜 갔다. 인생의 초기 단계에서, 도덕에 대해 배우는 것은 개인의 요구가 충족되는 것에 의지한다. 이후 '주고받기'라는 기회는 어떤 책이나 강의에서도 가능하지 않은 방식으로 상호 호혜성과 공정함에 대해 가르친다. 나바에츠(2011)는 아이들의 도덕적 정체성은 실제 세계에서 그들의 양육자 및 타인들과 다층적인 상호작용을 가지면서 천천히 상호 구축된다고 제안한다. 그러나 나바에츠는 현대사회가 인간의 번영에 가장 적절하게 발달한 아동 양육 관행들을 버렸기 때문에, 매우 적은 수의 아이들만이 최적의 성장에 필요한 초기 경험을 하고 있음을 걱정한다. 그녀는 현대의 아동 양육 방식들이 아동 발달보다는 바쁜 부모들의 삶을 편하게 만들기 위해 디자인되었다고 우려한다.

우리는 우리의 이론적 탐구를 프로이트의 정신분석 이론으로 시작했고, 거기서 영유아기 경험의 중요성을 강조하는 것을 보았다. 그리고 1세기 뒤인 지금, 최고의 연구자가 내린 "어린 시절의 양육은 인생에 걸쳐 지속될 수 있는 뇌 구조에 깊은 영향을 준다”(Narvaez, 2011, p. 31)는 결론을 듣고 있다. 이런 말들은 정신을 번쩍 들게 만들지만 잠재적으로 낙관적인 결론이다.

오늘날의 딜레마

다음 세션에 들어가기 전에, 사람들이 도덕적 결정을 내릴 때 직관이 이성보다 더 큰 역할을 한다는 가설을 검증하기 위해 조너선 하이트(Jonathan Haidt)가 연구에 사용했던 일련의 시나리오들에 대해 몇 분간 생각한 뒤 답변해 보자. 다음 연습 문제들은 하이트(2012)에 의해 개발된 구체적인 질문뿐 아니라 **영역 이론**(4장)의 탐구에 사용하기 위해 개발된 방법이다. 나의 도덕 발달 수업은 대개 “오늘날의 딜레마 — 헤드라인에서 발췌한”에 대해 토의하는 것으로 시작한다. 우리는 하이트의 작업을 탐구하고, 이것이 생생한 토의를 이끌어 내는 것을 발견하기 위해 이 연습 문제들을 사용한다. (당신의 교수님은 아마도 이를 짝/공유 수업 연습 문제로 사용하길 바랄 수도 있다.)

오늘날의 딜레마 — 영역 및 도덕적 말 막힘 연구로부터

질문: 각각의 시나리오 후에 다음과 같이 질문한다: “그래서 당신은 이에 대해 어떻게 생각하는가?”

1. 닭과 성관계를 가지는 것은/가족이 키우던 개를 먹는 것은/남매가

성관계를 가지는 것은/국기를 걸레로 쓰는 것은 … 잘못된 일이 될 수 있나?

2. 왜 그런가?
3. 다른 국가에서도… 잘못된 일이 될 수 있나?
4. 만일 여기에 대한 규칙이 없다 하더라도… 잘못된 일이 될 수 있나?

1. 어떤 남자가 주중에 슈퍼마켓에 가서 닭 한 마리를 사 왔다. 그러나 닭을 요리하기 전에, 그는 이것과 성적 관계를 가졌다. 그런 다음 닭을 요리해서 먹었다.

2. 어떤 가족이 기르던 개가 그들의 집 앞에서 차에 치여 죽었다. 그들은 개고기가 맛있다는 것을 듣고, 개의 몸을 잘라서 요리한 뒤에 저녁으로 먹었다. 아무도 이를 보지 못했다.

3. 줄리와 마크 남매는 대학 여름 방학 동안에 프랑스로 여행을 함께 갔다. 어느 날 밤, 그들은 바닷가의 오두막집에서 성관계를 가지면 재미있겠다는 생각을 했다(적어도 둘에게는 새로운 경험이 될 것이었다). 줄리는 피임약을 먹고 있었지만, 마크는 안전을 위해 콘돔을 사용했다. 그들은 이를 재미있다고 생각했지만, 다시는 하지 않겠다고 결정했다. 그들은 둘 사이의 특별한 비밀로 생각하고, 이로 인해 가까워졌다고 생각했다.

4. 어떤 여성이 낡은 미국 국기를 옷장에서 발견한 뒤 찢어서 청소용 걸레로 사용했다. (Haidt, 2012)

하이트의 도덕성 기반 이론

자유주의자들은 결혼할 권리를 부정당한 게이 커플들의 고통에 대해 보수주의자들이 왜 그리도 냉정한지 이해하지 못한다. 보수주의자들은, 모두가 건강보험에 가입해야 한다는 새로운 미국 의료 법안의 요구 같은, 개인의 자유를 명백히 침해하는 행위에 대해 자유주의자들의 마음이 확고한 것을 이해하지 못한다. 이란의 전통주의자들은 서구 여성들의 비도덕적인 복장에 역겨움을 느끼고, 서구인들은 이란의 억압적인 복식 제한에 역겨움을 느낀다. 문화에 따라 그렇게 폭넓게 다를 수도 있지만 모순적이게도 반복적인 패턴과 유사성을 보여 주기도 하는 도덕성은 실제로 얼마나 다양할 수 있을까? 조너선 하이트는 이런 역설에 대한 답변을 발견했다고 주장하는 사회 · 문화 심리학자 집단의 목소리를 대변해 왔다.

> 간략하게 말하면, 그 이론[도덕성 기반]은 여섯 개(또는 그 이상)의 내재적이고 보편적으로 이용 가능한 심리학 체계가 "직관적 윤리학"의 토대라고 제안한다. 각각의 문화는 이러한 기반들 위에 미덕, 이야기, 직관을 구성한다. 그렇게 해서 세계의 독특한 도덕성을 만들어 내고, 또한 나라마다 모순되는 것을 만들어 낸다.
>
> (http://faculty.virginia.edu/haidtlab/mft/index.php)

널리 검토되고 토론된 그의 책 『바른 마음: 왜 좋은 사람들이 정치와 종교에 의해 나누어지는가』에서 하이트(2012)는 도덕성에 대한 일련의 대담한 주장을 한다.

- 우리의 도덕적 판단은 이성이 아닌 직관으로부터 나온다.
- 도덕은 우리를 결속시키기도 하고 눈 멀게도 한다.
- 진화는 우리의 뇌에 일련의 심리적 기반으로 아로새겨졌다. 이는 세계의 문화에서 보이는 미덕들에 내재해 있다.
- 비록 모든 사람들은 똑같은 여섯 개의 기반이 미리 깔려 있지만, 문화는 어떤 것을 우선시하고 소중하게 여길지 가르친다.
- 서구 자유주의자들은 배려/피해와 공정성/부정에만 강한 반응을 보인다. 그렇지만 이들의 WEIRD 관점(Western, Educated, Industrial, Rich, Democratic: 서구의, 교육 수준이 높은, 산업화된, 부유한, 민주적인)은 단지 보수주의자뿐 아니라 나머지 세계의 대다수와 갈등을 빚고 있다.
- 보수주의자와 좀 더 전통적인 사회에서 사는 사람들은 교육과 문화에 의해 최종적으로 형성되는 특정한 힘과 함께, 여섯 개의 기반에 모두 이끌린다. (Haidt, 2012; Jacobs, 2012; Moralfoundations. org; Parry, 2012)

하이트는 인간의 도덕성이 발달해 왔다고 믿는데, 왜냐하면 이것이 적응적 과제를 해결하는 데 도움을 주기 때문이다. 집단에서 함께 일하는 것은 집단의 생존을 도왔고, 신성한 대상을 에워싸고 자기 초월적인 감각을 얻는 것은 시간과 문화를 통해 오래도록 지속해 왔다. 우리의 도덕감은 내집단을 향해 우리를 결속시키나, 다른 사람들의 필요에는 눈 멀게 만들 수도 있다.

그는 또한 자신의 연구(예를 들어 Haidt, 2001, 2012)를 통해 우리의 "정서적 개"가 "이성의 꼬리"를 흔든다고 설득력 있게 입증하는데, 다른 방식으로는 그렇지 않다고 믿는다. 그의 최신 연구는 (정서라는 개념 대신 그가 이제 사용하기를 바라는) **직관**에 대한 은유로 코끼리를 사용하고, 이성을 기수로 사용한다. 기수는 자신이 책임자라고 생각하지만, 실제로 **대부분**의 결정을 내리는 것은 크고 힘센 코끼리다. 앞서 제시했던 도덕 시나리오에 사람들이 어떻게 반응하는지에 대한 연구물을 지적하며 이러한 믿음을 지지한다. 비록 여기에는 동물이나 사람에게 실제적 해를 입히는 것이 없었지만(기억하라, 닭과 개는 이미 죽은 상태였고, 남매는 콘돔을 사용했다), 그는 많은 사람들이 **도덕적으로 말문이 막히고** 이것이 잘못되었다고 느끼면서도 그 이유는 설명하지 못한다는 것을 알아냈다. 그는 답변자들이 종종 직관적으로 "웩" 하는 반응을 보이면서 합리화를 시도하려는 것을 발견했다. 비록 하이트가 설득력 있는 주장을 제시하지만, 여러 사상가들이 믿듯이 그의 직관주의는 일상에서 이성이 하는 중요한 역할을 간과했다는 것에 주목해야 한다(예를 들어, Jacobs, 2012, Narvaez, 2010).

비록 나는 하이트가 직관의 우선성을 위해 그의 사례를 과장했다고 비판하는 사람들의 편에 서 있지만, 그의 논의에서 미리 배선된 도덕성 기반과 그것의 진화적 관점이 강력하게 뿌리내리고 있다는 것을 찾아냈다. 간략히 말하면, 하이트는 초기 인류가 마주했던 몇몇 중요한 적응적 도전 과제들을 검토하고, 해결 방안들이 어떻게 발전하여 궁극적으로 우리의 뇌 체계 — 하이트가 도덕성 기반이라고 부른 핵심 적응 과제에 직관적으로 반응하기 위한 — 에 미리 배선이 되었는지 찾고자 시도한다. 이를 그는 **도덕성 기반**이라고 부른다(〈표 5.2〉를 보라).

인간의 도덕성 기반에 대한 하이트의 가장 최근 설명을 자세히 보도록 하자. 하지만 지금은 그의 주장에 대한 깊이 있는 비판은 미루도록 하자(Haidt, 2012; Jacobs, 2012; Moralfoundations.org; Parry, 2012). 진화의 주요 목적은 개체(그리고 종)가 살아남고, 짝을 만나고,

도덕성 기반	진화에서 적응적 도전	현대적 발현
배려/피해	어떻게 취약한 아동을 보호할 것인가?	친절, 온후함, 애정 어린 돌봄의 미덕에 내재한다.
공정성/부정	어떻게 하면 부당하게 이용당하지 않으면서 협력에서 보상을 얻어낼 것인가?	정의, 옳음, 자율성의 미덕에 내재한다.
자유/압제	어떻게 하면 남을 괴롭히는 사람과 압제자의 지배로부터 벗어날 것인가?	좌파의 평등주의와 우파의 "내 권리를 침해하지 마라"에 내재한다.
충성심/배신	어떻게 연합체를 형성하고 유지할 것인가?	애국심과 집단을 위한 자기희생의 미덕에 내재한다.
권위/전복	어떻게 하면 사회적 위계질서 속에서 유리한 관계를 형성할 것인가?	리더십, 충성심, 전통에 대한 존중의 미덕에 내재한다.
고귀함/추함	기생충과 병원균으로 가득한 세계에서 어떻게 살아남을 것인가?	육욕 억제의 추종, 더 고결하고자 함, 신체를 성전으로 보는 것에 내재한다.

표 5.2 하이트의 도덕성 기반 이론: 진화적 도전과 현대적 발현

출처: 『바른 마음: 왜 좋은 사람들이 정치와 종교에 의해 나누어지는가』, 하이트(2012), 뉴욕, NY: Pantheon books와 http://faculty.virginia.edu/haidtlab/mft/index.php 내용을 재구성함.

그들의 유전자를 다음 세대로 넘기는 것임을 상기하자. 많은 사람들은 진화를 우리가 몇몇 목표나 더 나은 모델을 향해 발달해 가는 것으로 가정한다. 이는 그렇지 않다. 오히려 진화 이론은 특정한 환경에서 유기체에 적응의 이점을 제공하는 돌연변이가 발생하면 이것이 선

택되고 전해 내려간다는 생각을 가지고 있다.

도덕성의 여섯 가지 기반

배려/피해: 초기 인류의 적응을 위한 주된 도전은 취약한 유아와 어린이들에 대한 배려의 필요와 관련됐다. 하이트(2012)는 우리의 포유류적 애착 시스템이 원래 자신의 아이들의 고통이나 필요에 의해 유발된다고 보았는데, 현재는 고통 받는 어떤 사람이나 동물에게도 반응한다고 보았다(심지어 만화 캐릭터에게까지도). 우리는 타인에게 연민을 느끼는 것뿐만 아니라 타인의 고통을 느끼고 이를 마음 아파하는 능력을 계발해 왔다. 왜냐하면 이러한 감정들이 개체와 집단의 생존에 공헌했기 때문이다. 우리의 오래된 시스템으로부터 나온 현대의 덕목들은 공감, 배려 그리고 친절을 포함한다.

공정성/부정: 이 기반은 쌍방향 협력 관계의 이익을 얻기 위한 필요로부터 만들어졌다. 초기 인류뿐 아니라 영장류 조상들도 직면했던 이 적응적 도전은 상호적 이타주의 경향을 선택하는 것으로 이끌었다. 인간은 특별히 속임수, 협력, 기만에 민감한데, 이렇게 하는 것이 적응을 도왔기 때문이다. 공정성을 알아차리고 진가를 인정하는 경향과 속임수에 분노하는 경향은 우리의 "정의, 옳음, 자율성"뿐 아니라 신뢰성에 대한 우리의 현대적 사고의 기반에 있다(Haidt, 2012, p. 125).

자유/압제: 하이트와 그의 동료들은 마침내 공정성/부정이 협력에 대한 필요뿐만 아니라 아래 내용에 의해서도 발생한다는 것을 수용하기 위해 원래의 공정성 기반을 두 부분으로 나누었다.

> 사람들은 그들을 지배하려고 하는 대상이나 그들의 자유를 제한하려고 하는 대상에게 저항이나 분노의 감정을 느낀다. … 약자를 괴롭히는 사람들과 지배자들을 증오하는 감정은 사람들이 연대하여 함께 압제자에 대해 반대하거나 [그들을] 쓰러뜨리게 하는 동기를 만든다.
>
> (Moralfoundation.org)

충성심/배신: 사람들은 그들의 진화적 역사의 대부분을 화합하면서도 유연한 연합체를 형성할 필요가 있는 부족에서 보내 왔다. 초기 환경에서 자원은 생존하기에 부족했고, 보호와 생산을 위해 "우리 부족"을 믿는 것은 중요했다. 하이트(2012)는 종교적 의식, 스포츠 행사, 그리고 전쟁은 모두 집단의 개인이 자기 초월적인 감정을 만들어 내는 것을 돕는데, 이것이 집단에게 커다란 진화적 이익이 된다고 주장한다. 우리는 내 집단이 잘하면 자랑스러움을 느끼고 배반자에 대해 배울 때는 분노를 느낀다. 하이트(2012, Moralfoundations.org)는 이 기반이 애국심과 집단을 위한 희생 같은 덕목에 내재해 있다고 본다. 나는 여기에 때때로 연합체를 옮기는 것의 필요성이 정치적 타협(그리고 중상모략하기)에서 또한 불가피하다는 걸 덧붙이고 싶다.

권위/전복: 만약 당신이 침팬지에 대한 자연 특집 방송을 본 적이 있다면, 당신은 영장류 집단에서 위계질서의 중요성에 대해 목격했을 것이다. 하이트(2012, Moralfoundations.org)에 따르면, 이 긴 역사의 위계적인 사회적 상호작용(예를 들어, 우세한 알파 남성과 굴복의 몸짓)은 복종, 리더십, 충성의 도덕적 덕목에 내재해 있다. 그는 또한 이것이 사람들이 합법적 권위에 존중을 표시하고 전통을 존중하는 데 공헌했다고 본다.

고귀함/추함: 자유주의자에게 있어 가장 문제가 많은 기반은 원래 우리를 아프게 하거나, 죽이거나, 오염시킬 수 있는 것으로부터 선천적인 역겨움을 느끼는 고도의 적응으로부터 빚어졌다(예를 들어 사체, 발진성 궤양, 썩은 음식). 하이트(2012)는 우리의 물질계에서 병원체에 대한 이런 직관적 반응은 이제 (세속적인 인본주의뿐 아니라) 숭고하고, 육욕을 줄이는 방식의 종교적 삶의 이상에 내재해 있다고 주장한다. 예를 들어, 그리스도교, 무슬림, 힌두교는 모두 육체가 신전이란 생각을 갖고 있는데, 그 신전은 비도덕적으로 행동하면 질이 저하되거나 훼손될 수 있다. 문화는 어떤 행동이 고귀하고(도덕적이고) 어떤 것이 추한지 규칙과 규범을 정했다. 전통 사회에서, 이 규칙들은 종종 일상의 넓은 면 — 성적 행위뿐 아니라 음식, 의상, 법적 의례까지 — 을 아우른다. 만일 당신이 동시대의 실제 삶에서 문화가 대상의 추함을 어떻게 다루는지 알고 싶다면, 미국의 유명한 TV 시리즈인 〈매드멘〉의 [배경인] 1960년대에 흡연이 얼마나 멋있고 세련되게 표현되었는지와 요즘 많은 사람들이 이를 얼마나 더럽고 [환경을] 오염시키는 것으로 생각하는지를 비교해 보라. 지난 10년 동안, 미국인들은 게이 결혼에 대해 상전벽해와 같은 태도 변화를 보여 왔는데, 한때 고귀함/추함 기반을 유발했던 동일한 행동(동성애)이 이제는, 특히 젊은이들에게 공정성을 유발하는 전형적인 예로 보일 것이다.

요약해 보면, 하이트(2012)는 도덕 심리학의 첫 번째 원칙은 "직관이 먼저이고, 전략적 추론은 두 번째이다"라고 읽어야 한다고 주장한다(p. 315). 두 번째 원칙은 "피해와 공정성 이상의 도덕성이 있다"가 되어야 할 것이다(p. 316). 그의 세 번째 주요 원칙은 도덕성은 우리를 결속시키기도 하고 눈멀게도 하는데, 왜냐하면 사람은 개별적인 선택을 통한 이기적인 침팬지(90%)와 집단 선택을 통한 집단적인 "벌떼"(10%)[의 특성]를 동시에 발달시켰기 때문이다. 비록 나는 그의 구체적 비율(이를 지지하는 근거는 무엇인가?)에 대해 사소한 불만을 가지고 있지만, 사람들이 종종 이기적인 침팬지처럼 굴더라도, 우리는 공동의 목표를 위해 함께 일하는 것을 가능하게 만드는, 이기심을 초월하고 전체의 일부가 될 수 있는 능력을 가지고 있다는 그의 제안에 동의한다.

하이트(2012)에 따르면, 우리는 정치와 종교에 의해 분열된다.

> 왜냐하면 우리의 마음은 집단적 옳음으로 디자인되어 있기 때문이다. 우리는 우리의 직감이 전략적 추론을 이끌어 내는 대단히 직관적인 생물체이다. 이는 사용 가능한 도덕성 기반이 서로 다르게 배열된 틀 속에서 살고 있는 사람들과 연결되는 것을 — 불가능하지는 않지만 — 매우 어렵게 만든다. (p. 318)

최근 하이트의 강연을 직접 듣고 나서, "서로 다른 틀에서 살고 있는 사람들"을 이해하기 위해 사람들이 자신의 책을 더 자주 펼쳐 보길 바라는 그의 바람의 진정성을 의심할 수 없었다. 이는, 광범위하게 낙관적으로 보면, 감탄할 만한 목표이다.

새로운 패러다임이 도래한 것인가?

나는 도덕철학자인 돈 리드(1994)의 강연에 한 번 참석한 적이 있는데, 내가 기억하는 그의 핵심 포인트는 진행 중에 나온 "만일 모두가 옳다면 어떨까?"이다. 그리고 신경 과학 및 진화론적 관점에 대한 새로운 연구의 중요한 공헌도 똑같은 제목을 달 것이라고 생각한다. 그렇지 않은가. 많은 도덕적 결정들과 행동들은 우리의 생물학적 경향으로부터 나온 것으로 보인다. 이것은 놀라운 것이 아니다 — 우리는 생물학적 존재이다.

이러한 생물학적 도덕 경향성들이 세계와의 상호작용을 통해 펼쳐지고 형성되는 것은 놀라운 일이 아니다. 그래서 각각의 아이들은 공통된 인간성과 그들의 독특함이 환상적으로 섞인 것이며, 특정한 가족, 특정한 이웃, 특정 문화, 특정 시기 안에서 자라고 발달해 간다. 초기 애착 관계에서의 보편적인 경험들은 감정이입, 공감, 사랑의 능력에 대한 뿌리를 제공한다. 우리의 영장류 조상들과 마찬가지로, 우리는 다른 사람들과 상호작용을 하면서 공정성과 규칙에 대한 개념들을 배운다.

당신은 아마도 이번 장에 예시된 최근 이론들을 통해 이런 보편적인 관찰을 알아차렸을 것이다. 어떤 합의점이 나타나고 있는가? 만일 그렇다면, 우리는 패러다임 사이의 시간에서 나와서 새로운 것을 기꺼이 받아들일 것인가? 다소 무모하게 말하면, 나는 하이트의 도덕성 기반 이론이 다가올 수십 년의 지배적인 이론 중의 하나가 될 것이라고 본다.

과학철학자들은 몇몇 이론들을 비판적으로 평가하는데, 예를 들어 포괄성, 간결함(단순성), 검증 가능성, (새로운 연구를 발생시키는) 발견적 가치이다. 도덕성 기반 이론은 틀림없이 많은 것, 특히 왜 사람은 종교와 정치에 의해 깊이 나누어지는지에 대한 중요한 질문에 대해서 설명할 수 있다고 주장한다. 그리고 이는 단순하고 이해하기 쉽다 — 여섯 개의 기반들은 일반적인 언어로 정의된다. 하이트는 이론을 뒷받침하기 위해 상당한 양의 연구를 생산해 냈고, 그가 무엇을 하고 있고 왜 했는지 펼쳐 냈다. 이는 정말 흥미의 폭발과 발견적 가치 기준에 부합하는 후속 연구를 이끌어 냈다.

그에 반해서, 비록 나바에츠의 이론이 특히 포괄적이고 이론과 연구 모두에 제대로 기반을 두고 있다는 점에서 나에게 항상 깊은 인상을 주지만, 아마도 그것은 매우 복잡하고 종합적이어서 그에 대한 비판을 불러일으키고 있는 듯하다. 비록 나바에츠는 많은 학문 요소들을 강렬하게 끌어당기지만, 그녀의 이론은 그녀가 아이디어를 끌어온 학문 내부의 강한 배경 없이는 이해하기 어렵다. 그녀의 이론은 (적어도 이 지점에서) 특별히 검증할 수 있는 이론도 아니고, 이것의 발견적인(heuristic) 가치를 제한할 수 있는 것도 아니다.

이는 하이트의 이론이(또는 진화 이론 일반이) 심각하고 실질적인 비판에 직면하지 않을 거라고 말하는 게 아니다. 나는 이 논의를 제7장에서 하려고 한다. 그는 강력한 이론을 제안하였고, 이는 흥분과 저항을 둘 다 발생시켰다.

최근의 이론이 조력 전문가에게 주는 함의

생물학과 진화론적 관점으로부터 나온 새로운 연구와 이론은, 전문가들이 학생들과 내담자들의 도덕적 신념과 행동을 이해하길 바랄 때 더 이상 단순히 도덕적 추론의 단계 모델에 의지하지 않아도 된다는 것을 제시한다. 우리는 도덕성의 생물학적 근거를 대는 몇몇 흥미로운 새로운 아이디어들을 검토했다. 그렇지만 이 모든 것은 실제 삶의 적용에 있어 정확히 무엇을 의미하는가?

한 가지는, 사람들이 얼마나 자주 추론보다는 직관으로써 상황에 반응하는지 이 새로운 이론들이 알게 해 준다는 것이다. 그러나 나는 (다른 많은 비판과 마찬가지로) 하이트가 (인간 본성의 90%는 침팬지, 나머지 10%는 벌떼와 같다는 식으로) 연구 데이터를 남용했고, 직관과 추론 모두 성숙한 도덕 기능을 알리는 방식이 된다는 많은 연구 결과들을 간과했다(Narvaez, 2010)고 믿고 있다. 사실상 아동들을 가르치거나 치료를 위해 내담자와 일하는 것의 핵심 목표는 그들이 이성의 빛으로 대항할 수 없는 정서적이고 직관적인 반응이나 생각들을 찾도록 돕는 것이다. 우리는 도덕적 반성의 습관을 심어 주려고 시도했다 — 예를 들어, 다르거나 낯설다는 이유로 역겨움을 느끼는 행동을 보이는 것을 잡아내는 것이다.

이 장을 읽는 전문가나 미래의 전문가들은 하이트가 제안한 문화적 기반의 무수히 많은 패턴들을 위해 일종의 관용을 어느 정도 받아들일지에 대한 윤리적 질문을 잡아낼 필요가 있을 것이다. 비록 우리가 진화적 역사에 숨겨진 고귀함/추함 기반의 혐오 충동이 병원균을 피하는 점에서 이치에 맞다고 동의한다 해도, 이것이 불법체류자와 오염을 동일시하는 의식적이거나 무의식적인 경향성처럼 깊이 우려할 만한 유해한 신념이 되어서는 안 된다(Jacobs, 2012, p. 70). 제이콥스는 궁극적으로 설득력이 없는 모든 면을 공평하게 대하려는 하이트의 시도에서 "수사적인 공중제비"[2]를 발견했다 — 특히 고귀함/추함에서 그랬다. 그가 지적하듯이, 신성화하려는 몇몇 충동은 환경을 보존하려는 시도를 이끌어 내는데, 다른 것들은 수세기의 전쟁과 폭력을 불러일으켰다. 궁극적으로, 만일 우리가 학생이나 내담자들에게 진심으로 도움이 되길 바란다면, 그들이 정말 옳고 다른 사람들은 심

2. rhetorical somersaults: 주목받기 위해 그럴듯한 얘기를 하는 것: 옮긴이.

하게 틀렸다고 느끼는 이유가 그들의 성공과 번영뿐 아니라 공동체와 지구를 위한 더 큰 공동선 때문이라는 것을 이해하도록 도와야 할 윤리적 의무가 우리에게 있을지도 모른다.

토론 문제

1. 하이트의 도덕성 기반 이론을 다시 살펴보고, 스스로에게 1-5점의 점수를 부여하라. 1점은 "전혀 중요하지 않음"이고, 5점은 "매우 중요함"이다. 이제 당신이 가장 싫어하는 정치적 인물을 고려해 보자. 동성 결혼 또는 이주자 또는 총기 규제처럼, 논쟁적인 주제에 대한 그 또는 그녀의 입장을 생각해 보자. 당신이 이 인물과 유사한 도덕성 기반 등급을 구성할 수 있는지 확인해 보자. 당신의 관점에서 차이를 이해하는 데 하이트의 주장은 얼마나 유용했나?
2. 나바에츠가 주장한 대로, 단지 학대적인 양육뿐 아니라 부적절한 양육도 장기간의 신경학적 손상을 불러일으킨다는 것이 맞다면, 부모의 방침에 어떤 함의를 줄 수 있나?

추가 자료

- 여러분 중 상당수는 이미 온라인 TED(기술, 엔터테인먼트와 디자인) 강연을 통해 풍부한 양의 고무적인 생각을 발견했을지도 모른다.

여기 이번 단원과 관련된 두 개의 특별한 강연이 있다. 첫 번째 링크는 영장류 동물학자 프란스 드 발(2001)에 대한 약간의 배경 설명을 제공하고, 오른쪽 상단 코너에 "동물들의 도덕적 행동"이라는 그의 비디오 강연 링크가 있다. 이 짧은 비디오는(TED 강연은 일반적으로 17분 미만임) 영장류의 도덕성에 대해 훌륭하게 소개하고 있다. 영리한 침팬지들이 서로를 속이는 장면이나, 보노보(bonobos)가 특별한 방식으로 이어지는 장면에 왜 끌리지 않겠는가? (만일 당신이 내가 무엇을 이야기하고 있는지 모르겠다면, '보노보 — 갈등을 다소 독특한 방법으로 해결하는 영장류'를 구글링해 보라.) www.ted.com/speakers/frans_de_waal.html

- 두 번째 링크(www.ted.com/talks/jonathan_haidt_on_the_moral_mind.html)는 조너선 하이트가 왜 도덕 발달 이론의 록스타가 되었는지에 대해서 뿐 아니라 그의 아이디어에 대한 더 자세한 설명을 제공한다. 하이트(2008)는 자유주의와 보수주의의 도덕적 뿌리에 대해 이야기해 최근의 미국 선거에서 많은 주목을 받았다. 그는 설득력 있는 사례를 만들어 낸다. 그렇지 않은가?

6. 글로벌 관점

*

슈웨더와 튜리엘의 관점, 그리고 중국, 이슬람, 라틴아메리카, 아프리카의 도덕교육

지금은 비록 젠더 및 민족성과 관련된 이슈들이 여러 전문 영역을 가로질러 미국의 교재와 교육에 통합되고 있는 추세이지만, 오늘날의 교육 전문가들은 앞으로 글로벌 문화를 둘러싼 이슈들의 이해가 새롭게 요구되는 환경에서 역할을 수행하게 될 것이다. 예를 들어, 코네티컷 주에 있는 나의 고향 웨스트 하트포드 소재 공립학교 학생들은 65개 언어권 출신들이다. 어떤 전문가도 수십 개의 다양한 문화에 대한 깊은 이해에 도달하기는 어렵지만, 이 장에서는 핵심 도덕 가치의 매우 중요한 틀 속에서 도덕 발달 연구와 문제들에 대한 특정 예시들을 다룸으로써 교육 실천가들이 실제 현장에서 직면하는 아주 많은 문화적 다양성에 대한 이해를 돕는다. 우리가 도덕 발달 수업에서 자주 논하는 도덕적 딜레마를 통해 글로벌 관점에 대한 탐색을 시작해 보도록 하자.

오늘날의 딜레마

2004년, 무슬림 청년들과 증가하는 유럽의 이슬람 공포증에 의해 발생한 폭동을 계기로, 프랑스는 공립학교나 대학에서 눈에 띄는 종교적 의복 착용을 금지하는 법을 통과시켰다. 이 법은 대형 십자가나 유대인이 쓰는 키파 등도 포함하고 있음에도 불구하고, 그것의 진정한 목적은 무슬림의 머리 스카프와 옷 등을 금지하는 것이 분명했다. 프랑스는 오랫동안 공적 영역에서 종교를 지우는 세속주의를 실천해 왔다. 종교적 자유를 지지하면서도, 프랑스는 또한 이민자들이 자유, 평등, 박애(fraternity)와 같은 공적 가치들을 수용할 것을 기대했다.

> 많은 무슬림들은 반대했다. 그들은 국가가 젊은 여성들에게 옷을 어떻게 입어야 하느냐에 대해 말할 수 없다고 주장했다. 그사이 소녀들은 전통을 중시하는 부모들에 의해 스카프 착용을 강요당한다. 입법자들은, 이러한 스카프에 관한 논의들을 무리하게 끄집어 낼 때, 무슬림들이 종교적 표현의 자유를 요구할 뿐만 아니라 시민권에 대한 신랄한 물음 또한 제기하는 것임을 알아냈다. 소녀들의 교육에 대한 권리는 그녀들의 부모에게 속한 것인가? 혹은 미래의 성인으로서, 그녀 자신의 인생을 선택할 수 있는 능력을 길러 주는 교육을 받는 시민으로서 그녀 자신에게 있는 것인가?
>
> (Cohen, 2007)

당신의 생각은 어떠한가? 국가의 권리는 프랑스 정부가 주장한 정당화 논리(Boustead, 2007)나 공립학교 학생들이 종교적 의복을 착용할 수 있는 권리보다 더 중요한 국가의 핵심 가치들을 증진하고, 공공질서의 유지와 다른 사람들의 권리를 지키는 것이 되어야 하지 않는가?

공공장소에서 얼굴을 가리는 것(예를 들어, 얼굴을 모두 가리는 베일이나 니쿠아niqua, 부르카, 또는 스키 마스크 등)을 금지한 2011년 프랑스 법은 어떠한가? 다시, 프랑스 정부는 대중을 보호할 필요가 있음을 이유로 댔다. 범죄와 잠재적 테러 활동을 주시하기 위한 감시 카메라가 점점 더 많이 쓰이는 오늘날 이러한 법들이 과연 안전을 위해 필요한 것일까? 당신은 만약 사람들이 검은 스키 마스크를 쓰고 캠퍼스를 걸어 다니면 안전하지 않다고 느낄 것 같은가? (미네소타 사람들은 이러한 질문에 답하는 것을 면제 받는다. 미네소타에서 겨울을 지내 보면, 온도가 급격히 떨어질 때 극단적인 조치를 취할 필요가 있음을 증명할 수 있다.)

만약 당신이 제5장의 조너선 하이트(2012)의 도덕성 기반 이론을 떠올린다면, 프랑스 법이 어떻게 배려/피해, 자유/압제, 공정성/부정 기반의 자유민주주의적이고 세속적인 의지를 나타내는지 알 수 있으며, 좀 더 전통적이고 종교적인 사람들 또한 충성심/배신, 권위/전복, 고귀함/추함에 관심을 갖는다는 것을 알 수 있을 것이다. 하이트(2012)는 도덕성이 우리를 뭉치게도 하고 눈멀게도 한다고 주장했는데, 이 경우 양 진영이 어떻게 다른 쪽에 대한 시각을 눈멀게 했는지 우리는 분명히 알 수 있다. 아마 코헨(Cohen, 2007)은 세속주의자들이 다음과 같이 물을 것을 상상하고 우리에게 중도를 제안한 것 같다.

> 많은 무슬림들은 새로운 글로벌 세계에 맞는 자기주장을 하는 것이 더욱 이롭지 않겠는가. 이것은 다면적이면서도 다소 위험한 극단주의를 포함하기도 한다. 그것을 '이슬람교' 또는 어떤 것으로 부르든지, 우리는 무슬림이 아닌 사람들과 합의점(공통되는 기반)을 추구하는 다수의 무슬림으로부터 극단주의자들을 구분할 필요가 있다. 한 모로코계 프

랑스인 페미니스트는 나에게 "머리 스카프와 그 법에 반대한다"고 말하기도 했다. (para 7)

프랑스 정부와 로렌스 콜버그가 주장한 것처럼 공통의 보편적 가치가 존재하는 것일까, 혹은 영향력 있는 문화심리학자 리처드 슈웨더(Shweder, 1991)와 조너선 하이트(2012)의 주장처럼 도덕성과 심지어 의식과 같은 인간의 과정은 전 세계적으로 다른 것일까? 여기에서 우리는 도덕성의 핵심 질문을 맞닥뜨린다 — 발달의 보편적인 진리나 과정이 있는가, 혹은 문화와 학습이 도덕의 내용과 발달 모두를 결정하는가? 이 문제에 있어 당신의 입장을 결정하는 데 도움을 주기 위해, 슈웨더(1991)와 엘리엇 튜리엘(2002)의 아이디어를 간단하게 소개하고, 헨리히, 하이네, 노렌자얀(Henrich, Heine, and Norenzayan, 2010)의 흥미롭고 새로운 주장 또한 소개한다. 그 후에 다양한 문화권(중국, 아프리카, 라틴아메리카, 이슬람)에서 실시된 도덕성에 대한 연구로 넘어갈 것이다. 보편성에 대한 물음을 다시 논의하면서 이 장을 마치고자 한다.

리처드 슈웨더의 "문화심리학에 대한 탐색"

문화인류학에서 믿음이 깊은 것이 있다면, 놀라움(astonishment)이 보편적 정서로서 가치가 있다고 확신하는 점이다. 놀라움과 이것이 유발하는 다양한 감정들, 즉 깜짝 놀람, 호기심, 흥분, 열정, 공감 등의 감정들은 "타자들"의 다름과 이상함에 대한 인류학적 반응에서 아마도 가장 특징적인 정서일 것이다.

(Shweder, 1991, p. 1)

내가 박사과정에 있을 때 캐나다 토론토에서 도덕교육학회(AME)가 있었는데, 학회로 가는 기내에서 내 옆자리에 기품 있고 친절한 신사가 앉았다. 나중에 알았지만, 그 역시 학회에 가는 길이었다. 우리는 정의와 배려가 보편적 도덕 가치를 대표한다는 나의 믿음과, 문화적으로 상대적인 도덕성을 지지하는 인류학적 증거에 대한 그의 신념에 대해 활발한 대화를 했다. 내가 학회의 기조 강연자이자 아마 오늘날 학계 최고의 문화심리학자인 리처드 슈웨더에게 이렇게 말했음을 뒤늦게 알았을 때, 내가 느낀 깊은 유감을 상상할 수 있을 것이다. 그 후 나는 그의 글을 훨씬 깊이 있게 읽었으며, 오늘날 문화와 도덕성 사이에 존재하는 복잡한 상호작용의 미묘한 관점들을 취할 수 있게 되었다.

비교적 최근의 **문화심리학** 영역에서 나온 슈웨더(1991)의 개념 중, 문화적 전통과 사회적 관행들은 사람들을 규제할 뿐만 아니라 사람들의 정신 또한 바꾼다는 것이다. 그는 문화적 관행은 실제로 "인류를 위한 정신적 결속보다는 정신, 자아, 그리고 정서에서 민족적 다양성의 차이를 낳는다"고 강하게 주장했다(p. 73). 다시 말해, 다른 문화에서 사는 것은, 우리가 같은 자극을 받더라도 매우 다르게 인식하고 느끼는 것과 같은 방식으로, 말 그대로 우리의 정신을 재배선(rewire)시킨다.

슈웨더의 연구는 매우 넓고 복잡해서(e.g., Shweder, 1991; Shweder, Minow, & Marcus, 2002; Stigler, Shweder, & Herdt, 1990) 짧게 개략적으로 설명하는 것이 적절치 않지만, 그의 글에서 발췌한 몇몇 중요한

통찰과 매력적인 예시들을 간단히 소개하고자 한다. 예를 들어, 힌두교의 브라만 아이들과 미국 아이들의 도덕적 위반의 심각성에 대한 비율을 비교한 그의 글(Shweder, Mahapatra, & Miller, 1987)은 미국과 대조되는 인도의 가장 중요하고 기초적인 주제(예를 들어, 인도의 경우에는 신성/오염, 순결, 존경, 미국의 경우에는 개인의 자유, 사생활, 평등)에 대해 우리의 이해를 깊이 있게 해 준다. 이는 분명히 하이트의 **도덕성 기반 이론**의 기초를 놓았다.

슈웨더 등(Shweder et al., 1987)의 연구에 나오는 아이들의 일부는 문화적으로 특수한 사례 혹은 시나리오(예를 들어, 남편의 손위 형제와 함께 식사하는 등)이고, 선행 연구에서 제안한 개념들을 보여 주는 다른 아이들은 도덕적 보편성의 예시가 될 수 있다.

- 정의
- 위해
- 호혜
- 취약함에 대한 보호
- 이타심
- 정직
- 충실함
- 약속 지키기
- 절도, 배은망덕, 독단, 폭행 등의 금지 등

연구자들은 모든 아이들이 약속을 지키지 않거나 근친상간, 약자에 대한 차별 등은 부당하다는 시나리오에 동의할지라도, 그들은 더욱 많은 것들에 대해 동의하지 않는 경향이 있음을 발견했다. 예를 들어, 미국의 아이들과 반대로, 브라만 아이들은 복종하지 않는 아내를 때리거나 아이들의 성별에 따라 재산 상속에 차이를 두는 것에 대해 부정적인 반응을 보이지 않았다. 인도 아이들과 대조적으로 미국의 아이들은 소고기를 먹거나, 남편이 요리를 하거나, 자신의 아버지가 돌아가신 후 머리카락을 자르는 것들에 대해 문제가 없다고 생각하는 모습을 보였다.

이러한 문화적 차이를 어떻게 이해할 것인가? 우리는 인도에서 남편을 잃은 과부들이 죽은 남편의 장례식에서 함께 불태워지는 사티[1]와 같은 관행들에 대해 놀라움과 호기심으로 반응할 수 있는가/반응해야만 하는가? 슈웨더는 우리가 어디까지 우리의 "다양성을 축복"하는 스티커를 붙여야 하는 것인지 종종 물음을 제기했다. 자유민주주의 사회에서 다양한 문화적 관행들에 대한 관용의 범위는 어디까지이며, 어디까지여야 하는가(Shweder et al., 2002)?

사티의 사례로 돌아가 보자. 슈웨더(1991)는 룹 칸와르(Roop Kanwar) 사례에 대한 매력적인 분석을 제안했다. 룹 칸와르는 교육받은 18살 과부로, 1987년 사티에 찬성하는 많은 군중들 앞에서 죽은 남편과 함께 불태워졌다. 인도인들은 양쪽으로 나뉘었는데, 한쪽은 그녀의 헌신에 감탄을 보냈고, 다른 한쪽은 그녀가 미쳤거나 히스테리 상태, 혹은 약에 취해서였을 것이라며 혐오감을 보였다. 슈웨더는 그녀의 그러한 자발적인 행동은 완전히 문화적인 맥락 속에서만 이해될 수 있다고 말한다. 힌두교의 도덕적 교리에서는, 세계에는 신성이 스며들어 있으므로 인간의 모습을 한 현실 세계에서뿐만 아니라 신들의 세계에서도 배우자를 만든다고 그는 설명한다. 이러한 도덕적 세계에서, 남편의 죽음은 물질 영역에서 형이상학 영역으로 넘어서는

1. *殉死*: 인도에서 아내가 남편의 시체와 함께 산 채로 화장되던 풍습: 옮긴이.

것이다. 카르마의 교리를 따르는 세계에서, 과부가 된 것은 과거의 죄에 대한 벌로 인식된다. 따라서 그녀의 남편과 함께 화장 의식을 나누기 위해 과부인 그녀 스스로를 불태움으로써, 룹 칸와르는 자신의 죄에서 벗어나고 "미래에 부활의 순환을 통해 신과 여신처럼 서로에게 연결된 부부지간의 영원한 결합을 약속받은 것이다"(p. 16). 이러한 문화적 관점에서, 최종 목적에 대한 전망은 고통스러운 수단을 이해하게 만든다. 슈웨더는 다음의 가능성에 대해 기꺼이 상상했다.

> 룹 칸와르는 그녀의 화장 행위를, 배우자와 영원한 결합을 추구하는 여신의 희생 행위를 통해, 과부가 된 그녀의 불경한 몸과 감각이 완전히 성스러워지는 놀라운 순간으로 이해하고 경험했다. 그렇기 때문에 그녀는 화장에 따른 고통에도 끄떡없었던 것이다. (p. 17)

내가 본 슈웨더(예를 들어, 1991)의 논쟁은 그 어떤 보편적 권위로부터 우리가 무엇을 생각하고 느껴야 하는지, 어떻게 살아야 하는지에 대한 결론을 이끌어 낼 수 없도록 주장하는 상대주의적 교리에 찬성하고 있다는 것이다. 우리는 또한 "보편적으로 존중받을 만한 자격이 없는 지역적 권위(진리, 아름다움, 선에 대해 공동체적으로 합의한 이론과 전제를 갖는 것으로서 경전)"에 호소해야만 한다(p. 33). 우리는 보편적으로 가능한 경험과 발달적 · 문화적 차이 사이에 교차 지점이 있기 때문에 생각과 감정, 행동에 있어 아름답고 놀라운 다양성을 지니고 있는 것이다. 슈웨더(1991)에게 인간과 그들의 사회문화적 환경은 상호 의존적이다. 우리는 각각을 다른 것으로부터 분리해서 정의하거나 분석할 수 없다. 따라서 문화심리학의 중심 주제는 "당신은 어떤 사건이나 물건을 당신의 정신으로부터 떼어 놓을 수 없고, 그로부터 당신의 정신을 떼어 놓는 것 또한 불가능하다"는 것을 분명히 보여준다(p. 97).

엘리엇 튜리엘의 도덕성의 문화

튜리엘(Turiel, 2002)은 모든 인간은 자신의 경험을 개인적, 인습적, 도덕적 영역으로 구분한다는 그의 신념에서 기인하는 문화적 관행에 대한 매우 다양한 관점을 제공했다. 이런 이유로 그는 맥락적이고 문화적인 투입 및 변화에 매우 큰 비중을 두었지만, 도덕성의 핵심적인 보편적 개념에 대해서도 관심을 놓지 않았다. 제4장의 **영역 이론**에 대한 논의에서 알 수 있듯이, 튜리엘과 같은 이론가들은 아동을 포함해 모든 사람들은 위해와 공정성의 문제를 도덕의 영역으로 분류한다고 믿는다. 하이트(2012)에 따르면, 튜리엘의 연구는 사회 인습의 영역에 충성심이나 독실함, 전통과 같은 문제들이 속한다고 말한다.

튜리엘(2002)은 미국 전 대통령 빌 클린턴과 모니카 르윈스키의 스캔들, 그리고 그 이후 빌 클린턴의 거짓말에 대한 사람들의 반응을 다룬 바 있다. 튜리엘은 이렇게 말한다. 대부분의 미국인들은, 사건과 거짓말로 문제를 겪는 동안, "또한 개인적이고 사적인 문제라고 여기는 것들에 대한 조사[탄핵 청문회]에 시달린다"(p. 14). 튜리엘은 이러한 반응이 연구의 실질적인 부분과 긴밀히 연관된다고 본다.

> 다른 사람들과 마찬가지로, 미국인들은 사회적 판단에 있어 독특하게 다른 유형을 지니고 있다. 판단력의 다양한 유형들은 개인적 소관, 사회

> 인습적 문제, 복지, 정의, 권리와 같은 도덕성의 영역에서 만들어진다. 전통적 가치와 결합되어 고정된 형태의 도덕성의 관점과는 대조적으로, 이 연구는 개인들이 종종 사람들이 취하는 행동의 맥락을 고려하여 복잡한 도덕적, 사회적, 개인적 판단을 내린다는 것을 보여 준다. (pp. 14-15)

이와 같이, 튜리엘은 문화적 인습의 다양성을 증명할 때, 그의 이론이 용인할 수 있는 합리적인 한계치를 설정함으로써 판단을 내리는 방법을 제공한다고 생각한다. 예를 들어, 대부분의 서구 문화권에서는 법이나 규범들이 여성의 평등을 보장한다(또한 동성애자들에게도 점점 더). 우리는 일부다처제나 아내에 대한 폭력, 여성 할례를 허용하지 않는다. 그러나 다른 문화들은 이러한 관행들을 허용하기도 한다. 슈웨더(1991)가 주장했듯이, 우리가 일단 전통이나 계급, 충성심이 실제로는 신성한 역할을 지닌다는 세계관을 깊고 충분히 이해한다면, 우리는 다양한 관행들에 대해 관용적인 태도를 가질 수 있고 또 가져야만 한다. 하이트(2012)는 계급이 갖는 도덕성 기반에 대해 더 나은 이해를 가져온 개인적인 일화에서도 이러한 입장을 반복했다. 그 일화는 학식 있고 유쾌한 인도인 동료들을 만난 경험인데, 그들은 자기 부인을 동등한 지위로 인정하지 않았다. 튜리엘은 사람들이 그들의 인종, 계급, 성의 토대에 반하여 제한되거나 차별받는 "복지, 정의, 권리에 대한 문제"(p. 14)가, 권력자들이 그 관행을 지지하기 때문에, 단순히 수용되거나 관용되어서는 안 된다고 주장한다.

튜리엘(2002)은 "특정 문화적 관행이 사회에서 특정 집단의 통제나 지배에 의해 규제된 것인지" 고려해야만 한다고 주장한다(p. 184). 만약 그렇다면, 우리는 종속적 위치에 있는 사람들의 목소리에 적절히 대응할 필요가 있다. 우리는 여아들의 교육을 금지하거나 여성들의 의복을 엄격히 제한하는 등의 것들이 진정 보편적으로 받아들여질 수 있는 문화적 관행인지 탐구하는 것뿐만 아니라, 억압하는 사람과 억압당하는 사람들 사이에 불일치나 갈등은 없는지 또한 살펴야 한다.

튜리엘(2002)은 중매결혼이나 성별에 따른 재산 상속권과 같은 문화적 관행이 단순히 몇몇 문화에서만 수용되고 다른 문화에서는 그렇지 않은 규범들의 표현일 뿐이라는 슈웨더의 전제(Shweder, 1991; Shweder et al., 2002)에 대해 반대한다. 대신 튜리엘은 많은 관행들이 "애매성과 불일치를 포함하는 복잡한 사회적 합의와 상호작용을 수반한 문제"로 드러남을 지적한다. 이러한 애매성과 불일치는 매우 부정적인 정서, 때로는 고통에까지 이르거나, 사회적 갈등과 논쟁의 근원이 될 수 있다(p. 225). 요컨대 만약 사람들이 문화적 관행을 해를 유발하는 것으로 인식한다면, 그것은 도덕적 영역의 문제가 된다. 만약 관행이 집권층에게 이익이 되어 왔다면, 그들이 관행을 해로운 것으로 인식하지 않은 것은 이해가 된다.

이렇게 우리는 도덕적 가치와 관행의 문화적 다양성을 이해하는 데 근본적으로 다른 렌즈를 제공하는 두 심리학자를 살펴보았다. 다양한 문화의 도덕 원리와 발달, 교육에 대한 연구로 넘어가기 전에, 여기에 한 가지 더 고려할 만한 관점을 더해 보고자 한다.

WEIRD(Western 서구의, Educated 교육 수준이 높은, Industrial 산업화된, Rich 부유한, Democratic 민주적인) 도덕성

문화심리학의 새로운 세대인 조셉 헨리히(Joseph Henrich), 스티븐 하이네(Steven Heine), 아라 노렌자얀(Ara Norenzayan)은 2010년에 발표한 「세계의 가장 이상한 사람들?」이라는 글로 큰 영향을 미쳤다(예컨대 Haidt, 2012; Watters, 2013). 대부분의 심리학자들은 우리들의 출판된 연구가 대학 캠퍼스에서 손쉽게 이용할 수 있는 주제들에 심하게 의존하고 있다는 것을 너무나도 잘 알고 있다. 그러나 저널리스트인 워터스(Watters, 2013)의 글을 보면 이러한 점들이 여전히 매력적으로 작용하고 있음을 알 수 있다. 워터스는 2008년 상위 6개의 심리학 저널에서 실시한 조사를 통해 "2003년에서 2007년까지 심리학 연구에서 다뤄진 주제의 96%가 서구인에 대한 것이었으며, 거의 70% 가까이는 미국에서만 나온 것이었다"는 냉혹한 사실을 보고하였다(p. 49). 우리가 인간의 기능에 대해 전 세계 인구를 대표할 수 없는 12% 사람들을 기초로 하여 결론 내려 왔음을 고려하면, 헨리히 등(Henrich et al., 2010)의 혁신적인 작업은 그 중요성이 더욱 부각되고 있다.

그래서 연구자들은 무엇을 발견했는가? 나의 학문적 삶의 대부분을 봤을 때, 개인차가 있음에도 불구하고 인간의 뇌는 일반적으로 같은 청사진을 사용하도록 만들어졌다. 우리는 인지, 지각, 학습과 같은 보편적인 기능을 위한 기본적인 배선(hardwiring)을 지니고 있다. 예를 들어, 보통의 평범한 아동들은 그들 주변에 노출되는 말들로부터 언어를 습득해 내는 대단한 수용력을 갖고 있다. 우리는 색맹과 같이 몇몇 특별한 상태가 아닌 한, 색깔을 지각할 수 있다. 그러나 지각의 보편성에 대한 도전들은 우리가 살고 있는 세계와 다르게 조형된 세계(좀 더 둥근 모양의 환경과 구조)에 사는 사람들이 고전적인 뮐러-라이어 착시[2]를 서구 문화권의 사람들과 다른 방식으로 자각한다는 것을 발견할 때 나타난다. 또한 헨리히 등(Henrich et al., 2010)의 연구는 상대적으로 고립된 문화에 사는 사람들에게 최후통첩 게임을 실시했는데, 그들의 발견은 심리적 보편성의 원칙에 주요한 도전을 제기했다.

간단히 말해, 최후통첩 게임은 서로 모르는 두 명의 참가자가 참여한다. 한 명은 $50를 받고 나서 다른 한 사람과 그들이 원하는 어떤 방식으로든 돈을 나눠야 한다. 그러나 중요한 것은, 만약 두 번째 참가자가 나눈 돈을 거절할 경우, 두 사람 모두 아무것도 얻지 못한다는 점이다. 과거에 이 방식을 사용한 대부분의 연구자들은 북미 참가자들을 활용했으며, 일반적으로 참가자 1은 돈을 50/50으로 나눌 것을 제안했다. 만약 참가자 1이 덜 관대한 경우에는 참가자 2가 자신의 차례에서 보복하는 경향을 보였다. 페루의 마치구엔가(Machiquenga) 부족에 대한 헨리히의 독창적인 연구(Watters, 2013)에서, 그의 참가자들은 그들의 파트너에게 훨씬 적은 양을 제안하는 경향이 있으며, 파트너는 양이 얼마나 적은지와 상관없이 매우 쉽게 제안을 받아들인다는 것을 발견했다. 사실, 그들은 이것이 말이 안 되는 게임이라고 생각했다. 누가 얼마든 주는 돈을 거부하겠는가?

헨리히 등(Henrich et al., 2010)은 이전 연구들을 검토하고 그들만의 새 연구를 시작했는데, 그들의 연구는 공간 추론, 범주화, 그리고 우

2. 동일한 길이를 가진 두 수직선이 화살표의 방향에 따라 원래 길이보다 더 짧거나 길어 보이는 현상: 옮긴이.

리 논의의 가장 큰 관심인 도덕적 추론을 포함하여 이전에는 보편적으로 이해된 현상의 모든 방식을 가로질러 중요한 문화적 다양성이 있음을 발견했다(Watters, 2013). 요컨대, 인간의 정신은 하나의 보편적인 청사진을 반영한다기보다는 경험과 문화에 의해 심오한 방식으로 조형된다는 것이다. 헨리히의 연구에서 가장 흥미로운 발견은 특정한 집단의 지각과 동기, 행동은 특히 더 특이하다는 것이다(이전의 대부분의 심리학 연구들이 대상으로 했던 서구인들을 떠올릴 수 있다). 연구자들은 이러한 집단의 머리글자를 따서 "WEIRD"라고 이름 붙였는데, 그들의 반응이 대부분의 타자들과 구별될 뿐 아니라, 그들이 서구의, 교육 수준이 높은, 산업화된, (비교적) 부유한, 민주적인 사람들을 대표한다는 사실을 반영한 것이기도 하다. 그리고 흥미롭게도, 가장 이상한 것은 그들이 모두 미국인이라는 점이다.

나는 특히 이와 관련한 하이트(2012)의 요약을 좋아한다. "당신이 더 이상할(weird)수록, 당신은 연결된 관계들보다는 분리된 대상들로 가득 찬 세계를 더 많이 볼 것이다"(p. 96). 간단히 말해, 보편적 도덕 인식의 가능성에 대한 질문에 답할 때, 우리가 고려해야 할 발견들은 다음과 같다.

> 비교문화 연구들은 "이상한(weird)" 서구적 사고가 지구에서 가장 자기 과시적이고 자기중심적이라고 말한다. 우리는 우리 스스로를 집단보다는 개인으로서 고취시킬 가능성이 더 많다. WEIRD 사고는 좀 더 분석적이며, 관심 대상을 맥락 속에서 이해하기보다는 대상만을 확대해서 보는 경향이 있다.
>
> (Watters, 2013, p. 51)

요약하면, 우리는 우리가 가진 무수히 많은 문화적 다양성이 우리의 공정성에 대한 개념뿐만 아니라 우리 스스로를 형성하는 방식에 대해서도 진지하게 고려하게 될 것이다.

『도덕교육저널』 특집호

지난 10년 동안, 도덕 발달 분야의 대표 저널인 『도덕교육저널(*the Journal of Moral Education*)』은 전형적인 "이상한(weird)" 사람들에 대한 것을 넘어 대부분의 심리적 · 교육적 특징에 대한 연구를 강조하기 시작했다. 오랫동안 편집자였던 모니카 테일러(Monica Taylor)의 비전과 열정, 에너지는 중국과 이슬람계, 라틴아메리카, 아프리카에서 특별한 문제들에 대한 도덕 연구 시리즈로 이어졌다. 그녀와 객원 편집인들은 이러한 작업과 인상적인 결과들에 내재하는 서로 다른 학문적 방식과 기준들의 언어적, 문화적 차이의 장벽을 극복하고 매우 어려운 작업을 해냈다. 여기에서는 중요한 관점들과 연구에 대한 짧은 예시만 다루지만, 만약 이러한 국가들에 특별한 관심이 있다면 온라인 데이터베이스를 활용해 각자 좀 더 탐색해 보길 바란다.

중국(Maosen, Taylor, & Shaogang, 2004): 중국의 언어와 문화에 대한 도전은 5천 년 문명의 윤리적 사고와 관습을 탐구하고자 하는 서구 연구자들에게 오랫동안 장벽이 되어 왔다. 우리 대부분은 중국 사람들의 도덕적 관점에 대해 오직 피상적인 이해만을 가지고 있다. 이러한 관점들에 대해 간단히 살펴보도록 하자. 고대의 것이지만 현재까지도 영향을 미치는 유교적 사고의 전통과 레닌-마오쩌둥 사상의 영향을 받은 규범과 가치들, 결과적으로, 중국의 도덕성은 비교적 최근의 자본주의적 글로벌 경제체제를 통해 좀 더 개방적으로 나타난다.

유교적 사고는 "공자(551-479 BD)로부터 만들어진 고대 중국의 전통을 바탕으로 하는 도덕적, 사회적, 정치적 가르침에 대한 복합적인 생각들"을 의미한다(Fengyan, 2004, p. 429). 유교적 도덕교육은 인간은 선하게 태어나며, 인간의 본성은 선하고 착하다는 전제를 교육의 출발점으로 삼는다(Fengyan, 2004). 우리는 모두 인의예지(仁義禮智)의 잠재적인 덕을 가지고 태어난다. 따라서 아이들은 "개인의 감정은 외적인 의례와 결합된 내적 마음으로부터 나온다는 생각에 근거한" 윤리적 규범의 체계를 배운다(p. 429).

유교의 또 다른 중요한 가르침은, 인간이 선하게 태어났음에도 불구하고, 우리는 습관을 통해 우리의 본성을 발달시킬 필요가 있다는 점이다. 따라서 도덕적 행동은 일상생활에서의 연습과 실천으로부터 나온다. 공자는 또한 중심 덕으로서 부모에 대한 사랑(효)은 인, 의, 지와 함께 길러져야 한다고 말했다. 도덕교육의 궁극적인 목적은 "마음, 인격, 이상, 그리고 도덕의 탁월성을 특징으로 하는 고결한 사람"으로 성장시키는 것이다(Fengyan, 2004, p. 432). 유교는 1949년 공산주의 국가 수립 이전부터 수 세기 동안 중국 사회의 가장 중요한 특징이었다.

중국 공산당의 통치하에서, 오랜 기간 동안 교육은 순종적인 시민을 만들고 정치적 방침들을 촉진한다는 궁극적 목적을 지닌 도덕성 교육과 같은 의미를 지녔다(Maosen et al., 2004). 그러나 도덕교육은 주요한 과도기들을 거쳤는데, 60년대 문화혁명의 격변과 수난, 세계

무대에서 중국의 부상에 대한 대응에서 나타난 것이었다. 이슈가 된 편집자의 글은 1978년에 중국 공산당 중앙위원회에서 야기된 오랜 논의로서, 중요한 이념적 변화와 "사람들의 관점과 믿음의 해방"을 이끌었던 것에 대한 것이다(p. 414).

> 덩샤오핑이 당시에 말한 "쥐를 잡을 수 있다면 흰 고양이든 검은 고양이든 상관없이 좋은 고양이다"라는 말은 개인이 무엇을 했든 국가의 경제 발전을 촉진했다면 옳은 것이라는 의미로, 목적을 위해 방법에 개의치 않는다는 것이다. 이러한 생각은 후에 경제 발전을 위한 진리와 진정으로 동기 부여된 인간상의 기준으로 여겨지게 된다.
>
> (Maosen et al., 2004, p. 414)

이 시리즈의 편집자는 현대 중국의 도덕교육은 이렇게 새로 발견된 이념적 개방의 영향과 함께, 수천 년 역사의 매우 깊은 문화적 전통의 심오한 토양을 토대로 하고 있음을 말한다. 이러한 전통은 유교뿐만 아니라 도교(도가)와 불교적 사유를 또한 포함한다(Maosen et al., 2004, p. 417). 그 결과로, 덕의 실천과 같은 원리들의 중요성은 중국인들의 삶에 계속해서 영향을 미치며 "현대사회에서 직면하는 여러 도전들에 있어 사람들에게 특별한 결속력과 근면성을 부여한다"(p. 417). 그러나 편집자들은 중국의 도덕교육 체계 — 그것의 이념적, 정치적, 법적, 도덕교육적 결합과 관련하여 — 에 대해 정부의 정치적 목적에 도움이 된 반면, 창의적인 사고의 발달을 육성하는 것에는 그리 성공적이지 못했다는 것에 대해 주의를 요한다. 연구는 오늘날 중국 도덕교육의 주요한 도전들과 함께 몇몇 장점에 주목하며 서론을 마무리하고 있다.

> 중국 본토의 도덕교육은 진정한 애국심을 발달시키는 데에는 성공적인 것으로 보인다. 중국 문화는 염치(shame)를 바탕으로 하는 문화이며 덕의 실천을 강조한다. 도덕교육은 종종 교사 중심, 교과서 중심, 학급 중심으로 이루어져 왔다. 긍정 교육[3]은 학생의 태도와 행동에 대한 비판과 함께 구호나 선악의 분명한 역할 모델 제시를 기반으로 했다. … 그러나 이는 비판적 사고나 도덕 판단과 관련되는 추론 기술, 또는 개인의 필요를 충족시키는 어떠한 특별한 강조로도 발현되지 않았다.
>
> (Maosen et al., 2004, p. 423)

서구 대학에 다니는 중국 학생이 증가함에 따라, 그들은 비판적 사고를 매우 강조하는 체제에 노출될 것이다. 그들의 이전 교육과 기대수준을 형성하는 데 영향을 미쳐 온 세계관, 교육적 전제 및 실제를 이해하는 것은 서구인들에게 매우 중요한 과제가 될 것이다.

이슬람(Halstead, 2007a): 나는 종종 이슬람교의 가치들에 대한 마크 할스테드(2007b)의 신문 논설을 도덕 발달 수업의 신념 발달 부분에서 보조 자료로 활용한다. 교회와 국가의 분리에 대한 주장과 국가는 기독교적 가치를 반영해야 한다는 몇몇 유권자들의 확고한 믿음 사이의 긴장으로 미국은 갈등을 겪곤 한다. 대조적으로 "이슬람교의 신념과 도덕적 행동은 같은 동전의 양면과도 같다"(Halstead, 2007a, p. 283). 당신은 교리를 따르지 않는 한 도덕적으로 행동할 수 없고, 당신의 신념은 도덕적 행동을 낳을 때에만 참된 것이다.

---

3. positive education: 개인의 행복과 공동체의 번영을 위해 자신의 강점 계발과 활용을 강조하는 교육적 접근: 옮긴이.

많은(물론 모두가 아닌) 서구인들은 종교적 의무와 도덕적 의무가 분리된 것에 더 편안함을 느끼는 반면, 무슬림들은 그러한 구분을 짓지 않는다. 무엇을 해야 할지 혹은 어떻게 행동해야 할지 고려할 때, 도덕적 해답은 종교적 언어로 표현되는 경향이 있다. 양쪽 다 "신의 전령을 통해 드러난 영원한 진리"의 일부이기 때문이다(Halstead, 2007b, p. 284).

> 무슬림들은 무엇이 허용되고(*halal*) 금지되었는지(*haram*) 신께서 밝혔으며, 궁극적으로 신의 분명한 인도를 따를 것인지 아니면 스스로를 타락하게 할 것인지의 선택은 자기 자신에게 달려 있다고 믿는다. '옳은 길'(Qur'an, Sura 1, v.6)에 고착된 이들은 그들이 말하는 도덕적 삶에 그 자체로 헌신한다.
>
> (Halstead, 2007b, p. 284)

이러한 관점은 세속적인 서구 합리주의 전통과 대조를 이룬다. 서구의 합리주의 전통은 우리가 앞서 살펴본 콜버그와 레스트 이론의 기저를 이룬다. 할스테드(2007b)는 "윤리의 종교적 기반에 대해 철저히 조사를 하는 전통은 없으며, 이슬람의 도덕교육 또한 개인적, 도덕적 자율성의 신장을 목적으로 삼지 않는다"(p. 285). 영어의 *morality*와 거의 동등한 의미의 아랍어 단어들은 사람들의 타고난 기질 혹은 특성에 집중된 의미를 포함하거나, 우리가 도덕성 혹은 가치라고 정의하는 개념들뿐만 아니라 좋은 양육, 예절, 교양에 주목한 의미들을 내포한다. 나는 추상적인 개념이 "서로 다른 문화에서 동등한 의미를 갖기는 드물다"는 할스테드의 주장에 깊이 감명 받았다(p. 287). 단어들이 뜻하는 바는 넓은 의미에서는 겹쳐질 수 있겠지만 구체적으로는 다를 것이다. 나는 앞서 문화적으로 민감하고 상대적으로 유능한 것은, 점점 더 서로 연결되는 지구촌 시대에, 필수적이 될 것이라 강조한 바 있다. 그러나 나는 당신이 이미 자율성을 가장 높은 도덕성의 특징으로 보는 사람들과, 완전한 복종을 도덕성으로 보는 사람들이 서로 상호작용할 때 발생할 수 있는 오해의 전형을 보았다고 확신한다. 슈웨더는 우리가 "타자의" 방식에 놀라움으로 반응할 것을 권장하지만, 우리는 흔히 양쪽 모두에 대해 냉혹한 판단, 좌절, 분노로 반응하고 있다.

할스테드(2007b)는 이슬람교의 도덕성은 샤리아, 또는 이슬람 법률에 의거한 "도덕적, 법적 의무와 책임"을 이행하는 데 초점이 맞춰져 있으며, 개인과 도덕적 자율성을 중시하는 서구적 가치를 무의미한 것으로 만든다고 말한다. 이러한 서구적 관점은 "선악에 대한 심판자로서의 신의 고유한 지위를 찬탈"하는 것을 포함할 뿐만 아니라(p. 289), "신념의 공동체로부터 개인들을 떼어내는" 것 또한 포함한다(p. 289).

도덕성에 대한 이슬람교의 분명하고 규범적인 세계관은 도덕교육에 있어 시대와 공간을 초월하여 강한 일관성을 낳는다. 아이들은 의무적인 행동, 허용된 행동, 그리고 금지된 행동 사이의 차이를 알게 된다. 허용된 행동은 후에 강하게 권유되거나, 중립적이거나, 단순히 용인되는 행동으로 구분된다(Halstead, 2007b). 이슬람 법률과 일치되는 행위나 좋은 의도에서 행해진 행동은 사후세계에서 보상받을 것이며, 나쁜 행동은 처벌받는다. 이러한 종교적 정의의 개념은 기독교의 천국과 지옥, 인도의 카르마(업)와 같이 반복되어 나타나지만, 진화론자들은 아마 영장류의 상호 호혜성과 같은 진화론적인 뿌리에서 위의 세 가지 관점 모두를 이해할 것이다.

라틴아메리카(Frisancho, Moreno-Gutièrres, & Taylor, 2009): 다른 문제들에서처럼, 편집자들은 다양한 기고자들이 발표한 중심 주제들에 대해 훌륭한 개관을 제공한다. 모레노와 프리산초(Moreno-Gutièrrez & Frisancho, 2009)는 우선 라틴아메리카가 문화와 지리적으로 모두 세계에서 가장 다양한 지역 중 하나임을 강조한다. 예를 들어, 사용되는 언어의 수가 7개인 칠레부터 190개인 브라질까지 그 범위가 매우 넓고 다양하다. 이러한 언어적, 문화적 다양성은 도덕 교사들에게 어려운 도전이 된다. 그러나 한 가지 공통점은 개인과 시민의 도덕성 모두 20세기 초반의 독립 투쟁에 의해 형성되었다는 점이다.

필자들은 라틴아메리카의 거대한 다양성을 보았지만, 라틴아메리카는 다양성뿐만 아니라 "사람들 사이의 격심한 불평등"으로도 어려움을 겪고 있다(Moreno-Gutièrrez & Frisancho, 2009, p. 392).

> 라틴아메리카는 사회적 혼란과 갈등, 무력 독재, 군사 쿠데타, 민주주의 결핍의 긴 역사를 갖고 있다. … 라틴아메리카는 수많은 도전을 마주하고 있으며, 그중 다수는 빈곤과 의료 부족, 실업이나 불완전 고용과 같은 현실적인 도덕적 문제들이다. (p. 392)

최근에 라틴아메리카 국가들의 구체적인 정치적 역사는, 인권 교육, 시민교육, 갈등 해결, 평화교육과 같은 프로그램들을 실시하는 등, 이전과 구별되는 노력들로 이어지고 있다(Moreno-Gutièrrez & Frisancho, 2009). 미국이나 유럽에서 선호되는 도덕교육에 대한 인지적 접근과는 달리, 라틴아메리카의 많은 국가들에서 도덕교육은 보다 구체적으로 발달했으며 인권 교육 프로그램으로 자리 잡았다. 사실상 편집자들은 도덕성과 윤리에 대한 정의로 확대되는 다양한 관점의 주제들을 발견했다. 예를 들어, 몇몇 기고자들은 **도덕성**을 사회적 관습과 전통으로, 그리고 **윤리**를 보다 원리적이고 보편적인 관점에 근거하여 이루어지는 관습 및 전통에 대한 성찰로 개념화하였다. 콜버그를 떠올려 보면, 그는 도덕성 개념을 단순히 발달의 한 단계로 기술했다. 튜리엘과 누치의 경우에는, 관습과 전통이 도덕성으로 설명되는 것이 아니라 사회 인습적 영역에 해당한다고 보았다.

라틴아메리카의 도덕 발달과 도덕교육의 풍조에 대한 마지막 발견은 사하라 사막 이남의 도덕적 관점에 대한 탐색으로 넘어가기 전에 살펴볼 만하다. 이 글의 많은 독자들은 다양성은 용인될 뿐만 아니라 축하해야 하는 것이라고 당연하게 생각할 것이다. 그러나 모레노와 프리산초(2009)는 라틴아메리카의 많은 나라들이 그들의 문화적 다양성을 "위험하고 불필요한"(p. 397) 것으로 보고, 균질화와 토착문화의 비구별성(invisibility)을 촉구하는 정책을 도입했음을 강조한다. 20세기 초반, 많은 국가들이 토착어를 없앨 목적으로 히스패닉화(hispanicization) 캠페인을 실시했다.

이 문제와 관련하여 여러 중요한 연구들을 구체적으로 다루고 싶지만 지면상의 제약으로 다룰 수 없어 안타깝다. 도덕교육 및 시민교육을 촉진시킴에 있어 가톨릭교회의 역할, 페루의 진실 및 화해 계획과 같은 관련 주제들에 대한 매력적인 연구는 이 책의 전면을 할애할 만큼의 가치가 있다. 우리는 다음 주제로 넘어가야 하지만, 아프리카 문화에서 나타나는 도덕성에 대한 독특한 관점을 통해 다시 한 번 도덕성에 영향을 미치는 문화의 힘을 확인할 수 있을 것이다.

아프리카(Swartz, 2010a): 추상적인 용어는 다른 문화들을 가로질러 동등한 의미를 갖기 어렵다는 할스테드(2007b)의 경고를 기억할 것이다. 이는 특히 도덕성을 가리키는 단어에 있어서 정말 그러하다.

> '도덕'이라는 단어는 사하라 사막 이남의 아프리카에서 파란만장한 역사를 지니고 있는데, 주로 아프리카의 식민주의의 유산과 남아프리카의 인종차별 정책이었던 아파르트헤이트의 역사에서 기인한다. 게다가 '식민지화,' '문명화,' '기독교화,' '도덕화'는 불가분의 관계로 연결되어 있다.
>
> (Swartz, 2010b, p. 267)

슈와츠(2010b)는 아프리카의 식민지화를 정당화하는 이유가 종종 아프리카 대륙의 "문명화"의 목표에 기초하고 있다고 설명한다. 요컨대, 추정하자면 좀 더 원시적인 지역에 서구의 가치를 가져다주는 것이다. 오늘날 우리는 이러한 온정주의적인 합리화가 식민지 개척자의 경제적 이익을 위한 역겹고 속이 빤히 보이는 논리임을 알지만, 이는 아프리카 사람들의 도덕적 용어에 대한 생각을 이해하는 데 도움을 준다. 식민지 통치 하의 도덕교육은 "문화적 제국주의, 국가주의자들의 선전, 사회적(그리고 성적) 통제 수단"으로 이용되었다(pp. 267-278).

(아프리카에서뿐만 아니라!) 많은 경우, 국가는 **금권정치**로 운영된다. 슈와츠(2010a)는 **우분투/보토**[4]의 아프리카 철학은 금권정치의 해결책과 "도덕성에 대한 서구적 접근의 타당한 대안" 모두를 제안하고 있다고 말한다(p. 208). **우분투/보토**의 관점에서, "다른 사람과 조화

4. Ubuntu/Botho: 내 삶은 너를 통해서만 가치 있다고 보며 공생을 강조한 아프리카식 사고방식. 줄루족의 반투어로는 우분투이고, 소토족 언어로는 보토라고 함. 합쳐서 우분투/보토 정신으로 통함: 옮긴이.

롭게 사는 삶 또는 공동체적 관계를 존중하는 문제에 한해서 한 행동은 옳다"(Metz & Gaie, 2010, p. 273).

우분투/보토. 메츠와 가이(2010)는 사하라 사막 이남의 아프리카 사람들의 아프로-공동체주의(Afro-communitarianism)가 서구의 정의 개념과 도덕 추론 및 행동의 배려 모델에 대한 타당한 대안을 제시한다고 말한다. 라틴아메리카에서는 지나치게 광범위한 다양성으로 인해 도덕성에 대한 보편적인 설명을 하기 어렵다. 아프리카는 50개 이상의 국가와 수백 개의 민족과 언어의 고향이다. 그러나 메츠와 가이는 국제사회가 도덕성과 관련하여 잘 드러나지 않은 아프리카 토착민들의 생각으로부터 많은 것을 배울 수 있다고 믿는다.

아프리카 사하라 이남의 많은 국가들은 다음 구절의 여러 변형을 갖고 있다: "개인은 다른 사람을 통해 사람이라고 할 수 있으며," "나는 우리이기 때문에 존재한다"(Metz & Gaie, 2010, p. 274). 아프리카 사람들에게, 이 구절들은 단순한 서술이 아니라 규범이다. 서구적 접근과 대조적으로, 아프리카 사람들의 도덕성은 **근본적으로** 관계적이다. 인간의 궁극적인 목적은 충분하고 참된 인간이 되는 것이지만, 이러한 목적은 다른 사람들 없이는 이루어질 수 없다. 한 사람의 인간성은 다른 사람들과 긍정적인 방법으로 관계 맺음을 통해서만 가능하다.

그러나 긍정적인 방식으로 관계를 맺는다는 것은 서구적인 함의처럼 다른 사람의 개인적인 권리를 존중하는 것을 의미하지 않는다. 오히려 긍정적인 관계는 공동체적 용어 속에서 개념화된다. 즉, 다른 사람들과 관계 맺는 적절한 방식은 "공동체를 찾아내거나 그들과 조화롭게 사는 것이다"(Metz & Gaie, 2010, p. 275). 아프리카 사람들에게 공동체와의 조화를 발달시키고 존중하는 것은 "다수가 원하는 것 또는 지배적인 규범"에 대한 지침으로서 섬겨야만 하는 것이다(p. 276). 전형적인 아프리카인들의 공동체에 대한 논의의 핵심 주제는 다음과 같다.

- 사람들은 정서(동정심)와 행위(도움 제공) 모두와 관련하여 다른 사람들의 안녕을 고려할 도덕적 의무를 지닌다.
- 사람들은 또한 그들 스스로를 다른 사람들과 연결되어 있는 존재로 고려하고, 그들 스스로를 공동 집단의 구성원으로 정의하며, 공동체에 참여할 도덕적 의무를 지닌다. (Metz & Gaie, 2010)

이와 같이, **우분투/보토**의 철학이 작용하는 문화는 특정한 행동과 정책을 도덕적으로 옳은 것으로 규정한다. 예를 들어, 재산은 공동체적 관계를 존중하는 방식으로 분할되어야 하며, 미국과 같은 개인주의적 서구 문화의 전형인 경제적 불평등을 용인하는 형태는 될 수 없다. 또 다른 예에서, 우리 문화는 응보와 범죄 억제의 근거를 통해 성인 범죄자를 처벌한다. **우분투/보토**는 그 대신 화해 또는 깨진 관계에 대한 배상을 처방한다. 심지어 의료 혜택 역시 이 철학 하에서는 다르게 개념화될 수 있다. 서구의 우리들은 건강관리 시스템에서 비밀보장을 바란다. 반대로, 아프리카의 공동체주의 윤리에서 개인의 건강은 공동체의 다른 구성원들과의 관계에 영향을 미친다. 따라서 가족 또는 공동체 구성원들은 개인의 건강 상태에 대해 공유하기를 기대할 뿐만 아니라, 개인이 어떤 처치를 받아야 할지에 대한 결정 또한 함께 하기를 바란다. 마지막으로, 도덕교육과 관련하여, 서구의 교육학은 학생이 최종적으로 선택하는 가치에 제한을 두지 않고 학생의 비판적인 사고를 돕는 활동을 중요하게 생각한다. 학생의 자율성을 존중하는 기준이 있는 것이다. 비록 최근의 아프리카의 도덕교육은 주입을 통해 사회적 기준을 심어 주는 데 집중하고 있지만, 메츠와 가이(2010)는 인격을 발달시키고 공동체를 소중하게 여기는 학생의 역량을 촉진시키려는 우분투/보토의 더 가치 있는 목표를 위해 문화적 사회화를 교환할 것을 제안한다.

우리는 핵심 도덕 가치에 대한 합의에 이를 수 있을까?

1994년, 나의 수업을 듣던 학생들은 보편주의 대(對) 문화상대주의의 문제들에 특히 더 매료되었다. 여행을 다니다 불교의 수도원에서 지낸 적 있는 (현재는 교수인) 맥널티(Bob McNulty)는 현재의 나의 관점을 형성시켜 준 통찰을 얻어서 돌아왔다. 그가 얻은 통찰의 요지는 다음과 같다. "모든 문화는 정의와 배려의 보편적 가치를 지니고 있다. 그러나 그것은 누가 공정한 대우와 배려를 받을 만한지 그리고 어떤 상황에 있느냐에 따라 의미를 달리한다."

나는 핵심적인 보편적 도덕 가치를 규정하는 것의 가능성 쪽으로 기울어져 있는데, 이는 문화적 관행의 기저를 이루는 다양한 사람들의 생각과 정서, 행동이 이미 개인 안에 배선되어 있다고 받아들이는 것에 어떠한 모순도 느끼지 못했기 때문이다. 슈웨더(1991)는 보통 중앙처리장치에 비유되는 뇌에 대한 일반적인 심리학의 탐구를 비판했다. 내가 본 방식에 의하면, 우리의 뇌와 관련 신경계, 호르몬계는 아마 기본적인 중앙처리장치를 의미하는데, 이것들은 인간 특유의 것으로서 세계의 의미를 구성하도록 설계되었다. 우리의 정신은 우리를 둘러싼 세계를 변화시키고, 우리를 둘러싼 세계는 우리를 변화시킨다. 끊임없이 계속되는 순환 속에서 우리는 학습과 문화를 통해 이를 다음 세대에게 물려준다. 오늘날 우리가 가진 정신은 물질세계에서 우리의 생존을 위해서 뿐만 아니라 인간 사회의 사회문화적 세계에 적응하기 위해서 또한 발달했다. 정의와 배려/사랑과 같은 보편적인 도덕 가치들은 생물학적, 인지적 적응에서 시간과 공간을 넘어 인간 생존의 핵심으로 진화했다.

토론 문제

1. 이 장 초반에 다루었던 "오늘날의 딜레마"에 대해 다시 한 번 생각해 보자. 그 후 무슬림의 신념에 대한 추가 자료로 언급된 TED 영상(p. 182 참조)을 보자. 만약 서구의 민주주의가 "WEIRD"함을 인정한다면, 그것은 종교적, 문화적 소수자들이 갖고 있는 보다 전통적인 관점을 이해하고 적응하는 데 법이 더 적극적인 역할을 해야 한다는 것인가(슈웨더의 주장처럼), 혹은 콜버그가 주장한 것처럼, 어떤 도덕적 관점들이 더 진보된 것이고 적절한 것인가?
2. 당신의 고향이나 사는 곳을 생각해 볼 때, 만약 정부가 지금의 정치적 시스템이 아닌 우분투/보토 철학을 활용해 어떤 결정이나 정책을 만든다면 어떤 변화가 일어날까? 당신을 포함한 시민들은 어떻게 반응할 것이라고 생각하는가?

추가 자료

- 여기(www.ted.com/talks/mustafa_akyol_faith_versus_tradition_in_islam.html)에 이슬람교도와 비이슬람 서구인 모두를 위한 메시지를 담고 있는 무슬림 신념에 대한 관점이 있다. 아키올(Akyol)은 이슬람 법률로부터 구체적인 문화적 관행을 구분 짓는 탁월한 분석을 제공한다.
- 문화적 다원주의에 대한 슈웨더의 저작은 서구적인 합리적 전통의 "이상함(weirdness)"에 우리를 주목시키는 데 특별히 영향력이 있어 왔다. 여기(www.youtube.com/watch?v=JhIxGuCreTE)에 그가 퍼듀에서 행한 "문화가 충돌할 때: 문화적 이주에서 도덕적 도전"에 대한 강연이 있다.

7. 결론

*

서로 다른 마음으로

우리가 앞서 살펴본 이론들과 연구들에서 얻은 정보들이 실제로 의미하는 바는 무엇인가? 이렇게 복잡하고 때로는 모순되기도 하는 생각들을 우리는 어떻게 이해할 수 있는가? 제4장에서, 필자는 비판적인 사고자들은 항상 "누가 청자인가?" "무엇을 말하는가?" "무엇이 생략(무시)되었는가?" "누가 말하고 있는가?" 등의 질문들을 해야 한다고 강조하였다. 도덕 이론에 대해 내가 현재 가지고 있는 관점을 나누기 전에 위 질문들에 대해 짚고 넘어가야 할 것 같다.

누가 청자인가? 이 책의 전반적인 구성 방식으로부터 여러분은 이 책의 주된 청자가 모두 발달에 관한 이론이나 실천 강좌를 수강하고 있는 대학원생 및 학부생임을 알 수 있을 것이다. 물론 운이 좋다면 독자적으로 개설된 도덕 발달 과목을 수강하는 학생일 수도 있다. 나는 또한 교육, 상담, 심리학, 보건, 사회복지 분야의 실천가들을 위한 책을 집필했다. 그러나 여러분이 그 분야의 초심자이든 베테랑이든 상관없이, 도덕성에 대한 다양한 관점들에 노출되는 이러한 경험은 텍스트가 제공하는 근거나 생각에 비추어 자신의 입장을 생각해 보게 한다. 여러분은 인간의 도덕적 추론이나 정서, 행동을 어떻게 이해하는가? 여러분은 사람들이 무엇이 옳고 그른지, 무엇이 선하고 악한 것인지 어떻게 이해하게 된다고 생각하는가? (참고: 이 짧은 장에는 단 하나의 토론 문제가 있으며, 방금 당신은 그것을 읽었다.)

무엇을 말하고 있고, 무엇이 생략되었는가? 나는 이 책의 앞부분에서, 이 책은 매우 광범위하고 복잡한 분야를 대상으로 하지만 그 주제 선정에 있어서는 매우 개인적인 선택으로 구성되었다는 사실에 솔직하려 했다. 감당할 수 있는 정보의 범위를 구분 짓기 위해 각 장에 대한 최선의 선택을 하면서, 나는 특히 잘된 연구들에 대한 접근과 실제 적용으로 이어질 수 있는 연결들에 초점을 맞추고자 했다. 또한 간단하면서도 나와 나의 학생들에게 흥미 있고, 놀랍고, 도전의식을 북돋는 아이디어와 예시들을 넣고자 했다. 나는 내가 좋아하는 문학과 역사, 정치학, 심리학에 걸쳐 다양한 영역의 학문들을 읽었다. 나는 이렇게 다방면에 걸친 나의 미각이 고전에 대한 깊은 존중뿐만 아니라 새로운 생각들에 대한 개방성을 나의 세계관에 선사했길 바란다.

누가 말하고 있는가? 여러분은 60년대 후반 내가 성년기 때 겪은 일화가 도덕성에 대한 나의 관점을 형성하는 데 큰 역할을 했음을 알아챘을 것이다. 우리는 결함이 있는 세계를 보았고, 실제로 사람들이 세계를 구성하고 바꾸기 위해 노력하는 것을 본 세대이다. 나의 동료들 또한 나의 생각에 큰 영향을 미쳤는데, 나는 그들이 수년에 걸쳐 산출한 연구를 보고 그에 대해 함께 이야기하면서 많은 영향을 받았다. 도덕 발달 분야의 사람들과 이론들, 연구들에 대한 직접적인 몰입은 나에게 이 분야를 살아 있는 것으로 만들어 주었다. 나는 생각들이 진화하는 것을 보면서 즐거움을 느꼈다(물론 이전 시대의 위대한 발달단계의 단순함에 대한 향수를 인정하지만). 이제 도덕 발달 이론과 개념에 있어 나를 "지금의 이 자리"로 이끈 길을 추적해 보자.

도덕성의 고전 이론들

내가 도덕 발달 영역에 어떻게 빠졌는지 돌이켜봤을 때, 그 시작은 아마 생태 심리학과 복잡성 이론, 과학철학, 발달심리학의 융합이 일어나고 있던 와중에 코네티컷 대학에서 인식론 수업을 들을 때였다. 벅찬 읽기 자료 목록 덕분에 강의 첫 주에 강의의 3분의 2를 빠졌음에도 불구하고, 인지, 사고, 행동 간의 복잡한 연결에 대한 학문 간 관점에 도전하여 얻은 것이 분명 있었다. 나는 조직화(organization)를 향해서 진보하는 체계들(systems)에 대한 생각에 빠져들었고, 우주론과 발달심리학 사이의 근본적인 연구로 나아갔다. 나 또한 처음에는 피아제의 주요 연구(Inhelder & Piaget, 1964)를 보며, 인지적 단계를 통한 발달적 진보에 대한 그의 생각에 점차 매료되었다.

그러나 위노나 주립 대학의 팀 해트필드(Tim Hatfield) 밑에서 석사 과정을 시작하고 나서야 비로소 애정이 꽃필 수 있었다. 팀과 함께한 도덕 발달 수업에서, 나는 인지 발달 관점에서 쓰인 첫 교재(Lickona, 1976)를 통해 콜버그의 단계 이론을 접했는데, 그에 완전히 사로잡혔다. 나는 당시 가장 따끈따끈한 신간인 캐럴 길리건의 『다른 목소리로』(1982)를 읽었고, 나의 석사 논문(제목: 아이들에게 전쟁과 평화에 대해 이야기하기: 발달적 관점을 중심으로)에서 정의와 배려라는 두 가지 이론적 입장을 통합시켰다. 다른 상담가들처럼, 이론에서 나의 주요 관심사는 그것이 실제 세계에 어떻게 적용될 수 있을 것인가에 대한 것이었다.

몇 년 후, 뉴욕의 작은 상점에서 『프로이트, 여성, 그리고 도덕성』(Sagan, 1988)이라는 제목의 책이 나의 눈길을 끌었다. 나는 프로이트의 전기를 몇 번이나 읽었고, 그에게서 매우 흥미로운 성격 연구를 발견했지만, 그의 이론에는 그리 많은 존경심이 들지 않았다. 프로이트의 핵심 아이디어에 대한 세이건의 페미니스트적 전환은 나에게 최초의 신프로이트적 관점이었고, 다양한 관점으로부터 얻을 수 있는 값진 통찰력의 씨앗을 심어 주었다.

단계에서 스키마로: 콜버그와 레스트

포드햄 대학에서의 박사과정 때를 생각하면, 나는 앤 히긴스(현재는 히긴스-디알레산드로)를 멘토로 만나는 큰 행운을 얻어 로렌스 콜버그의 이론과 삶, 연구를 보다 깊이 이해할 수 있었다. 앤은 콜버그가 그의 이론을 정리하고 학교 현장에 적용할 때 그와 가깝게 일한 적이 있었다. 그녀는 콜버그가 설립한 정의 공동체 학교 중 한 곳에서 내가 박사과정 인턴 근무를 마칠 수 있도록 주선해 주었다(제8장에서 이 경험에 대해 더 다룰 것이다). 또한 그녀는 나를 제임스 레스트에게 소개시켜 주었는데, 그는 내가 DIT 측정을 연마할 수 있도록 도와주었다. DIT 측정은 앤과 내가 수행한 대학 교수들의 도덕 추론에 대한 연구(인종차별 철폐 조처에 내재하는 실생활 딜레마에 대한 대학 교수들의 도덕 추론 연구)에서 사용한 것이었다. 앤의 지도하에 나는 도덕 발달 이론과 연구를 넓고 깊게 읽고, 자신의 증거를 넘어선 길리건의 연구와 함께 콜버그 이론의 논리적 확장인 레스트의 연구를 평가할 수 있었다. 여성과 남성의 도덕 추론에 실질적인 차이를 나타내지 않았던 메타 분석 결과는 정의-배려 논쟁에서 콜버그를 지지하는 쪽에 상당히 결정적인 것 같았고, 레스트의 도덕성의 4구성 요소는 판단과 행동 사이의 간극과 같이 사람들이 왜 그러한 변칙들을 보이는지에 대해서 설명해 주는 것 같았다. 콜버그의 도덕 단계 이론은 필연적으로 그른 것이 아니라 단지 불완전한 것이었다. 그는 도덕 추론에 중점을 두었지만, 도덕 추론은 도덕 행동에 영향을 미치는 그저 하나의 구성 요소였다.

이론적인 도전들과 보졸라의 라밤바 직관

나는 새롭게 박사학위를 시도하며 이 분야의 큰 질문들에 대한 답을 이해하고, 대학에서 가르칠 준비를 하고 있었다. 또한 콜버그 학파의 정식 회원임을 확인 받고, 그의 이론을 널리 퍼뜨릴 임무를 지니고 있었다. 그 즈음 나는 뉴욕의 서부고속도로를 달리면서 라디오에서 나오는 리치 밸런스의 〈라밤바〉[1]를 듣고 있었는데, 그때 "다마스커스로 가는 길에 사울이 얻은 깨달음(직관, 통찰, 계시)"과 같은 통찰을 얻었다. 길리건과 콜버그 이론 사이의 "위대한 정의/배려 논쟁"은 1994년 여름 내가 가르쳤던 사범대학의 도덕 발달 수업에서 가장 중요한 토론 주제였고, 나는 토론의 마지막 날을 위해 몇 개의 통

1. 라밤바는 본래 베라크루즈 지역에서 유래한 멕시코의 인기 결혼식 노래를 뜻하나, 여기에서는 17세에 요절한 미국의 로큰롤 가수 리치 밸런스의 곡을 말함: 옮긴이.

합적 관점의 논평들과 질문들을 준비해 갔다. 그 전날, 나는 이중 처리 시스템의 개념을 소개한 엡스타인(Epstein, 1994)의 『미국심리학회지(*American Psychologist*)』 논문을 보며 잠시 쉬고 있었다. 그때 여름밤 드라이브와 클래식 록, 강의 노트, 엡스타인의 통찰이라는 자극적인 조합이 합쳐지면서 깊은 만족감을 주는 깨달음의 순간("Aha!" moments)을 느꼈다. 아하! 콜버그와 길리건은 사실 두 개의 언어로 말하는 두 개의 **다른 정신**(또는 뇌의 부분들) — 엡스타인(1994)이 그의 이론에서 **경험적 체계**의 일부로 본 빠르고 감정적인 배려의 목소리와, **합리적 체계**로 정의한 더 느리고 숙고하는 정의의 목소리 — 에 대해 말하고 있었다. 우리는 말 그대로 "서로 다른 목소리"(Gilligan, 1982)로서의 두 체계의 처리 과정을 듣고 있었던 것이다.

엡스타인의 인지-경험적 자아 이론(CEST). 엡스타인의 인지-경험적 자아 이론(1990, 1994, 2003)에 대해 간단히 살펴보면, 합리성에 주목하는 것의 불충분함에 대한 근거가 다양한 관점들로부터 어떻게 수렴하는지 이해하게 될 것이다. CEST는 도덕성보다는 **성격**에 대한 통합적인 이론을 제공하지만, 여러분이라면 그것이 어떻게 도덕 영역에 적용될 수 있었는지에 대해 내가 어떻게 통찰하게 되었는지 쉽게 이해할 수 있을 것이라 생각한다. 이론은 세 가지 핵심 가정을 중심으로 한다.

1. 인간은 상호적이지만 독립적인 두 개의 개념적 체계를 통해 물리적, 사회적 세계에 대한 정보를 처리한다. 첫 번째는 전의식적인 **경험적 체계**이고, 두 번째는 의식적인 **합리적 체계**이다.
2. 경험적 체계는 정서에 의해 추동된다.
3. 성격 이론(예를 들어, 정신분석적, 인본주의적)의 대부분은 인간의 근

본적인 욕구의 종류를 제시한다. CEST는 동등한 중요성을 지니고 우리의 행동에 영향을 미치는 **4가지 기본적 욕구**를 가정한다. 엡스타인은 이를 다음과 같이 정의한다.

a. **쾌락을 최대화하고 고통을 최소화하려는 욕구**. 이 욕구는 정신분석과 행동 강화 이론 모두에서 중심이 되는 욕구이다.
b. **관계 욕구**. 두 번째 욕구는 애착 이론에서 중심이 되는 욕구이다. 우리가 앞서 살펴본 많은 이론가들이 인간의 애착 시스템을 이후의 관계들을 설명하는 데 핵심으로 보았음을 상기할 수 있다.
c. **개인의 개념 체계에서 안정성과 일관성을 유지하려는 욕구**. 엡스타인(2003)에 따르면, 현상학자와 인본주의자들은 일관성에 대한 욕구를 그들의 성격 이론에서 근본적인 욕구로 정의했다. 우리는 이를 제4장의 도덕적 자아에 관한 논의와 연결시킬 수 있다.
d. **자아 존중감을 높이려는 욕구**. 몇몇 특질 이론(trait theories)은 자아 존중감을 근본적인 욕구로 보았다. 우리는 이 욕구에 대해 그리 깊게 살펴보지는 않았지만, 이 또한 도덕적 자아의 발달과 관련이 있다. (Epstein, 2003)

1994년, 나는 엡스타인의 이론에서 주장한 정의와 배려 진영 연구자들의 의견에 대한 생리학적 설명에 사로잡혔다. 오늘날, 나는 두 체계의 특징과 그 기저에 있는 신경학적 구조를 이해하고 있다. 두 체계는 우리가 제5장에서 살펴본 이중 처리 모델에 대한 근거를 제공할 뿐만 아니라 프로이트의 고전 이론과도 연결된다. CEST와 이러한 이론들 사이의 유사점들을 살펴보자.

(참고: 나는 두 가지 중요한 이론과 영역을 건너뛰고 있는데, 이에 대해서는 제2부에서 보다 자세히 다룰 것이다.)

신경 과학 및 진화론적 관점에서 이론의 부상

간단히 말해, 엡스타인은 대상과 현상의 다양한 측면을 탐색하기 위해 느리고 신중하게 움직이는 분석적인 **인지적 체계**의 존재를 지지하는 중요한 근거를 믿었다. 심도 있고 어려운 텍스트의 연구나 매우 추상적이고 복잡한 수학 문제를 이해하기 위해 고심할 때의 느낌을 떠올려 보자. 논리나 이성의 과정, 상징이나 단어와 같은 도구를 쓰기 위해서는 노력과 집중이 필요하다. 인지적 체계는 주로 뇌의 전두엽 피질의 통제 하에서 나타난다(Epstein, 2003).

반대로, **경험적 체계**는 전체론적이고 더 빠르다. 현재의 행동에 초점을 맞추기 때문에 미래의 가능성에 대해서는 관심이 적다. 여러분이 갑자기 나타난 차를 피하기 위해 방향을 바꾸거나 멈췄던 상황을 떠올려 보라. 여러분의 정서적 체계는 신속하게 반응할 수 있는 자동적이고 조작하기 쉬운 고속 기어가 되었고, 논리적 대안들에 대해 주의 깊은 분석을 거치지 않았을 것이다 — 여러분은 그저 브레이크를 밟았다! 그렇게 하기 위한 여러분의 "결정"은 이전 경험의 연상으로부터 파생된 직관에 의해 이끌린 것이다. 대뇌변연계에 기초한 정서적 체계는 위험한 환경 속에서 인간의 생존에 중요한 역할을 하며, 우리의 직관적인 빠른 반응을 이끌어 왔다. 그러나 복잡한 현대 세계에 적응하는 데 있어 반드시 좋은 것만은 아니다.

엡스타인(1994)의 중요한 통찰 중 하나는 주로 무의식적인 경험적 체계가 이성적 체계(우리가 도덕적 추론 및 행동과 같은 행위의 통제 하에 있다고 인식하는)에 얼마나 자주 영향을 미치는지 짚어 낸 점이다. 요컨대, 그는 우리의 무의식적인 사고 체계를 적응적인 것으로 보는 것이 훨씬 과학적으로 변호 가능하며 더 나은 진화적인 감각으로 만든다고 믿었다. 엡스타인(1994, 2003)이 말한 우리의 사고에 영향을 미치는 강력한 정서적인 경험 체계 개념은 프로이트의 **합리화**, 하이트의 강력한 **직관**의 코끼리와 **이성**의 기수, 카너먼의 **시스템** 1(빠른) **사고**와 **시스템** 2(느린) **사고** 사이의 상호작용으로 정의되어 왔다. 최근의 심리학적 연구들을 어떻게 일관된 이론으로 통합할 것인가 하는 엡스타인의 좀 더 임상적인 관점은 제5장에서 보았던 몇몇 이론들, 특히 하이트의 도덕성 기반 이론과 나바에츠의 삼층 윤리 이론과 유사하다.

도덕성에 대한 글로벌 관점

작년에 나는 2012년 AME의 기조 연설자였던 조너선 하이트의 연구와 생각들에 빠져 시간을 보냈다. 그의 생각들에 대한 토론자들의 도전적인 생각들을 들을 때뿐만 아니라 개인적으로 이야기하는 그의 모습을 본 것은 내가 수업이나 세미나에서 그의 책(Haidt, 2012)을 사용할 때 더욱 풍성한 배경을 제공해 주었다. 그의 연구는 내가 몇 년 전에 읽었던 문화심리학 문헌을 상기시키는 발판이 되어 주었다. 제6장에서처럼 글로벌 관점의 다양한 책이나 글들을 읽으면서, 나는 특히 우리의 서구적 관점이 어떻게 "이상한(WEIRD)" 것인지에 대한 중요한(그리고 겸손한) 개념에 감명 받았다. 내가 궁극적으로 하이트에 대해 우리의 직관적인 측면을 우선시하고 모니터링 하는 습관을 발달시키는 데 있어 그가 자신의 근거들을 지나치게 신뢰하고 우리의 합리적 체계에 기초한 중요한 연구들을 무시한다고 보는 동안, 하이트의 이론은 보편적 도덕성 기반에 대한 생각들과 문화심리학의 도전들을 통합할 수 있는 방법을 찾도록 나를 자극했다. 분명히, 문화는 우리의 행동에 영향을 끼칠 뿐만 아니라, 말 그대로 우리 뇌를 재배선하기 때문에, 나의 관점에서 이에 대해 설명할 필요가 있다.

다양한 관점들을 한데 모으기

이 책의 제1부에서 살펴본 도덕 추론과 정서, 행위의 서로 다른 이론들에 대해 우리는 어떻게 일관성 있게 이해할 수 있을까? 나는 도덕 이론에 있어 나의 입장에 대해 말하기 전에 "누가 말하고 있는가?"와 관련한 부분을 추가할 수밖에 없었다. 나는 상대론자가 아니다. 나의 많은 동료들과 달리, 나는 인간의 도덕성에는 진정으로 보편적인 뿌리가 있으며, 이성에 대한 계몽적 선호가 인간성에 있어 주도권을 쥐어 왔다고 믿는다. 나는 또한 우리의 생물학적 기본 구조에도 불구하고 인간의 자유의지를 믿는 사람으로서, 해리포터의 덤블도어 교장의 말을 인용하고자 한다. "해리, 우리가 진정 누구인지 보여 주는 것은 우리의 능력이기보다는 우리의 선택이란다"(Rowling, 1998, p. 333). 제1부에서 다룬 이론들에 대한 나의 입장이 특정한 삶과 교육적 배경에서 특정 시대의 특정 심리학자에 대한 이해를 반영할지라도, 나는 그것 또한 도덕 이론과 연구에 대한 타당하고 사려 깊은 평가를 나타낸 것이라 생각한다. 이 분야에 수년 동안 몰입한 결과, 나는 다음의 핵심 생각들은, 최소한 지금은, 시간과 연구를 통해 검증

되었다고 생각한다.

- 정상적인 발달 동안, 아이들의 경험적, 관계적 세계가 확대되는 것과 같이 그들의 사고 또한 좀 더 복잡해지고 좀 더 탈중심화 되는 경향이 있다.
- 도덕적 성장은 "단계적" 성장보다는 좀 더 적절하고 복잡한 스키마의 발달로 이해하는 것이 바람직하다.
- 복잡성 단계의 특정 스키마는 종종 상황적 단서에 매우 의존적인 현상을 처리하는 것으로 접근된다. 요컨대, 우리는 계단보다는 여러 층의 케이크에 더 가깝다.
- 젠더보다는 교육이 도덕의 복합적 추론 능력을 기르는 데 더 중요한 역할을 한다.
- 실제의 '친사회적 행위'에 관해 이글리(Eagly, 2009)는 "여성이 보이는 감정적으로 지지적이고 섬세한 행동(특히 가까운 관계에서의)과 남성의 행동이 보이는 지속적인 패턴은 종종 낯선 사람들과 사회공동체의 지지와 관련이 있다"(p. 653).
- 우리는 도덕교육 경험의 광범위한 영향에 대해 설명할 필요가 있다. 공식적 · 비공식적으로(예를 들어, 가족, 친구, 학교, 독서, 미디어 등) 긍정적인 도덕 가치 또는 반사회적인 가치를 길러 줄 수 있다.
- 우리는 점점 더 우리의 생각, 정서, 행동이 양육이나 교육에 의해서뿐만 아니라 진화적인 사전 배선(prewiring), 신경 · 호르몬 체계를 포함한 무수히 많은 체계의 생물학적 다양성에 의해 형성된 생물학적 존재라는 사실을 안다. 미생물의 중요성에 대한 최근의 근거는 우리 내장 속의 박테리아가 마치 신경전달물질처럼 우리의 정서를 조절하는 중요한 역할을 한다는 것을 보여 준다(Pollan, 2013).

- 도덕성과 특별한 관련이 있는 인간의 사전 배선은 기질(행동과 기분의 패턴에 내재된 다양성)이다. "모든 아이들이 불확실함, 불안감, 두려움, 수치심, 공감, 죄의식의 정서를 느낄 수 있을지라도, 그들은 이러한 정서의 빈도와 강도에 있어서 매우 다양한 양상을 보인다. 이러한 다양성의 일부는 개인이 가진 기질의 결과이다"(Kagan, 1998, p. 309).
- 카너먼(Kahneman, 2003)의 "빠르게 · 천천히 생각하기" 개념의 변형들은 많은 현대 이론들의 토대를 이루었다. 엡스타인(1994)이 20년 전에 주장했듯이, 정신분석학에 의해 이드, 자아, 초자아로 명명된 개념들의 생물학적 기반 또는 발달심리학의 배려와 정의의 목소리에 대한 이해는 아마도 우리가 어떤 현상을 처리함에 있어 뇌의 오래되고 좀 더 감정적이고 빠른 본능적인 부분(예를 들어, 대뇌변연계)에 의한 것인지, 아니면 좀 더 새롭고 느리며 숙고하는 신피질에 의한 것인지를 반영할 것이다.
- 마지막으로, 만약 하이트(2012)가 옳다면, 우리는 특정 문화에 의해 설정된 도덕성 기반의 조합을 사용할 수 있도록 생물학적으로 사전 배선되어 있다. 그렇기 때문에 미시적 차원에서는 도덕교육의 핵심인 존중하는 대화와 이해가, 보다 거시적인 차원에서는 국제적 협력을 촉진하기 위한 지원과 도전이 모두 존재한다. 간단히 말해, 이해는 가능하지만 어려운 것이며, 특히 구체적으로 생각하는 사람들이 복잡한 생각을 하는 사람들을 만났을 때 더욱 어렵다. 그들의 "바른 마음"은 처음에는 타자의 사고에 의해 배척될지 모르지만, 아마 직관적인 시스템 1을 통해 연결될 방법이 있을 것이다.

심리학에서 중심이 되는 질문 중 하나는 인간의 사고, 정서, 행위가 기질적 또는 상황적 요인으로부터 어느 정도까지 기인하는가에 대한 것이다. 초기 단계 이론가들은 기질적 설명을, 행동 및 문화 이론가들은 상황적 설명을 선호하는 경향을 보였다. 그리고 최근의 이론들은 우리의 생물학적인 사전 배선이 특정 상황이나 환경과 상호작용하는 방법에 대해 좀 더 복잡하고 통합적인 그림을 그리기 위한 시도를 하고 있다. 나는 뇌의 구조나 호르몬, 박테리아가 도덕적 판단, 정서, 행동으로 묘사되는 현상들에 어떤 영향을 미치고, 그 사이에서 발생하는 상호작용들을 이해하려는 시도가 도덕성 연구에서도 이루어질 것이라 기대한다. 우리는 개인의 뇌가 말 그대로 유아기 때의 경험과 학습, 그리고 문화에 의해 어떻게 형성되는지 또한 알 수 있을 것이다. 우리는 우리 뇌와 관련하여 상당히 공통적이고 보편적인 청사진을 가지고 있다. 그러나 우리는 우리의 빠른/경험적 체계가 지배적인지 또는 느린/이성적 체계가 지배적인지에 따라 "서로 다른 생각에서" 반응할 뿐만 아니라, 독특한 학습과 문화적 경험을 통해 우리 뇌의 공통적인 사전 배선을 바꾸는 것으로 나타났다.

토론 문제

1. 여러분은 인간의 도덕적 추론, 정서, 행동을 어떻게 이해하는가? 사람들이 무엇이 옳고 그른지 혹은 무엇이 선하고 악한지에 대해 어떻게 이해하게 된다고 생각하는가?

추가 자료

- 몇 해 전에 옥스퍼드 대학 출판부는 주석이 달린 선별된 문헌 정보 목록이 담긴 온라인 자료를 개발하려는 원대한 프로젝트를 시작했다. 그 당시 도덕교육학회(AME) 회장인 샤론 램(Sharon Lamb)과 나는 도덕 발달 분야에서 핵심 저서, 논문, 저널, 웹사이트를 선택하고 제시하기 위해 함께 일했다. 우리의 목표는 새롭게 입문하는 사람들을 도덕 발달, 도덕철학, 도덕교육, 시민교육, 배려 윤리, 측정 평가 이슈에 대한 일반적 개관과 같이 전문가들이 체계화한 핵심 자료로 안내하는 것이었다. '옥스퍼드 문헌 온라인'은 대학 도서관 데이터베이스를 통해 일반적으로 이용할 수 있다.
  - Vozzola, E., & Lamb, S. (2011, December). Moral development. *Oxford Bibliographies Online* 참고. www.oxfordbibliographies.com/

제2부

이론의 실천적 적용

8. 도덕교육의 성과와 새로운 방향

*

가치 명료화, 인지 발달 접근, 인격교육, 영역 접근, 통합적 윤리 교육 모형

1. "안 돼"는 매우 사소한 말일지라도, 이 단어를 말하는 것이 항상 쉬운 것은 아니다. 그리고 그렇게 행하지 않는 것은 종종 골칫거리를 야기한다.
2. 우리가 학교에 결석하도록 요구받고, 공부하는 데 사용해야 할 시간을 헛되이 혹은 장난으로 소비한다면, 우리는 "안 돼"라고 말해야 한다.
3. 우리가 등굣길에 어정거리도록, 그래서 지각하고 우리의 선생님과 학교를 방해하도록 설득당할 때, 우리는 "안 돼"라고 말해야 한다.
4. 우리가 분노의 말 혹은 사악한 말을 하고 싶을 때, 하느님이 항상 우리를 지켜보고 계시다는 것을 기억하고, 여러분은 "안 돼"라고 말해야 한다. (1897 『맥거피 독본』, Gorn, 1988, p. 65에서 재인용)

미국에서 19세기 대부분 동안 학교가 "복음주의 신앙과 중산층 도덕"을 강화하려 한다는 사실에 아무도 이의를 제기하지 않았다(Gorn, 1998, p. 9). 오늘날 도덕교육에 관심이 있는 모든 교사와 행정관은 갈피를 못 잡게 만드는 프로그램 배열과 갈수록 다원적인 사회에서 무엇을, 어떻게 가르쳐야 할지에 대해 상당한 질문에 직면한다. 미국의 전문가는 혼자가 아니다. 전 세계 도덕 연구자들 및 교육자들과의 대담(Association of Moral Education Roundtable, 폴란드, 크라쿠프, 개인 교신, 2004년 7월)은 맥거피 독본에서 너무나 분별없이 보편적이라고 가정된 서양의 가치에 불편해하거나, 때로는 이에 대해 적대적인 문화 출신의 아이들과 더불어 어떻게 도덕교육을 시행할지 해결하려고 노력한다.

제6장에서 우리는 다문화 연구에 대한 표본을 검토하였고, 보편적인 도덕 발달 개념과 문화 특수적인 도덕 발달 개념 사이에서 계속 진행 중인 긴장을 강조했다. 비록 전 지구적인 도덕교육에 대한 광범위하고 생기 넘치는 문헌들이 있다 할지라도(관심 있는 독자들은 *Journal of Moral Education*을 살펴볼 것), 이 장의 목적을 위해 필자는 가장 잘 알려진 패러다임들을 검토할 것인데, 이 패러다임들이 전문직의 삶에서 마주치게 될 개연성이 가장 높은 접근들이기 때문이다. 다음으로 우리는 이 접근들이 발달 전체에 걸쳐서 기여하는 방식을 검토할 것이다. 끝으로, 우리는 발달 연구가 도덕교육 영역에서 대중매체의 활용에 영향을 미칠 수 있는 방식뿐만 아니라 대중매체의 도덕적 메시지에 대한 젊은이들의 인식에 대한 현재의 연구 몇 가지를 고려할 것이다.

현대 도덕교육 패러다임

도덕교육은 도덕 발달 이론, 연구, 그리고 실천의 중심 초점으로 부상했다. 그러나 저명한 연구자인 마빈 버코위츠(Berkowitz, 2011)는 가치교육 영역에서 일하는 것에 대한 개요에서, 가치/도덕/인격 교육에 대한 연구는 연구자와 실천가를 위해 평가하고 비교할 수 있는 "의미론적 난국(semantic morass)"(p. 153)에 수년간 시달려 왔다. 비록 버코위츠가 **인격교육**(character education)은 인격의 구성 요소뿐만 아니라 폭력 및 마약 방지 프로그램으로부터 배려 공동체(2013년 6월 현재 자금 문제로 중단 상태에 있음)와 같은 보다 종합적인 프로그램에 이르기까지 광범위한 접근을 지향하는 포괄적 용어(umbrella term)로 간주되어야 한다고 설득력 있게 주장한다 할지라도(2013년 6월 10일, 개인 교신), 인격교육은 미국에서 보수적인 함축적 의미를 지니는 경향이 있다(특히 연구자들 사이에서). 그래서 나는 **도덕교육**(moral education)을 포괄적 용어로 사용하고 인격교육을 특수한 접근으로 논의하기를 선호한다.

학교에서 도덕성을 가르치는 것의 핵심은 행하는 것이다(Damon, 1988; Nucci & Narvaez, 2008; Power et al., 1989; Sizer & Sizer, 1999). 가장 중요한 관심사는 교육자들이 그들이 가르치고 학생들이 배우는 도덕적 메시지에 대해 어느 정도는 인식하고 있어야 한다는 점이다. 콜버그는 학교의 잠재적 교육과정(hidden curriculum), 즉 학생들이 무엇이 가치 있고 존중받을 만한 것이며 또 그렇지 않은 것인가에 대해 공식적으로 배운 가르침을 폄하하도록 만드는 환경에 대해 종종 이야기했다. 학교는 한 집단이 지닌 문화의 가치들(예, 정직, 책임감)을 전달할 뿐만 아니라 열심히 노력하기, 정숙하기, 시간 준수하기, 선생님에게 예의 바르게 하기, 단정하기, 속이지 않기와 같은 특정한 가치도 전달한다(Damon, 1988).

거의 모든 문화에서 학교는 중요한 두 가지 목적을 가지고 있다.

하나는 학교가 아동이 영리하게 되도록 돕는 것이고, 다른 하나는 그들이 선하게 되기를 바라는 것이다(Damon, 1988; Davidson, Lickona, & Khmelkov, 2008; Lickona & Davidson, 2005). 예전에는, 학생이 선하게 되도록 가르치는 것이 종종 종교적인 관점에서 기인하는, 유덕한 삶과 습관을 향한 명시적인 권고를 의미했다(Goron, 1988). 보다 최근에는 중요한 4가지 패러다임, 즉 **가치 명료화**, **인지 발달 접근**, **인격교육**, 그리고 **영역 기반 실천**(domain-based practice)이 부상했다. 각 패러다임에 대한 간략한 개관과 이들의 강점과 약점에 대한 평가 이후에, 우리는 패러다임들 전체에 걸쳐 가장 좋은 발상들을 합치는 현재의 풍토를 대변하는 혼합 모델인 **통합적 윤리 교육**(integrative ethical education)을 살펴볼 것이다.

가치 명료화

1960년대와 70년대에 유행한 이 접근(Damon, 1988; Leming, 2008)은 아동이 자신들의 가치를 자유롭게 선택해야 하고, 『맥거피 독본』과 같은 자료에 공통된 교화(indoctrination)는 아동의 지적 건강에 실제로 위험하다고 상정한다. 핵심적 가정 한 가지는, 학교는 특정한 덕들을 가르치는 것을 피해야 하며 대신에 자존감과 자유를 고취시켜야 한다고 주장한다(그때는 1960년대였다). 교육목표는 아동이 가치를 선택하고, 그 선택을 소중히 여기고, 그리고 자신의 일상에서 그 가치를 지속적으로 실천하도록 돕는 것을 포함했다. 교사들은 가치 분류와 가치 논의와 같은 활동들을 이용했지만, 아동의 선택에 대해 어떠한 판단도 하지 않도록 주의 받았다. 대신에, 그들은 간단명료한 대답 — "나는 조니가 재물을 모으는 것이 그의 가장 중요한 가치라고 말하는 것을 듣고 있다." — 으로 반응을 보였다. 이 접근법은 21세기 학교에서 목격하게 될(혹은 목격해야 할) 것이 아니기 때문에, 나는 이 접근에 대한 각론으로 들어가지는 않을 것이다.

강점과 도전(주로 도전들). 비록 누군가는 다원주의적 문화 풍토 속에서 특정 입장을 취하지 않는 것이 논쟁을 피하는 최선의 방법일 수도 있다고 주장할지 모르지만, 유감스럽게도, 이 접근법은 또한 도덕 역할 모델로서 교사의 역할을 약화시키는 것으로 보인다. 평가자들에 따르면, 무엇보다도 실망스러운 것은 이 접근법이 약속했던 자존감과 개인의 적응에 있어서 어떤 향상도 보여 주지 못했다는 점이다. 아동은 가치 논의를 하는 동안은 더 나은 행동을 했지만, 그 선한 행동을 다른 상황에 일반화시키지는 못했다(Damon, 1988; Leming, 2008). 결론적으로, 가치 명료화는 약속을 이행하지 못했다.

인지 발달 접근

같은 기간 동안 콜버그와 그의 동료들(Power et al., 1989; Power & Higgins-D'Alessandro, 2008; Snarey & Samuelson, 2008)은 훨씬 더 직접적인 학교 개입 방식을 개발했다. 콜버그는 일부 도덕적 입장은 다른 입장들보다 실제로 더 낫다고 제안하였고, 이런 입장에 근거하여 학교는 학생들의 발달을 촉진시키도록 설계되어야 했다. 이러한 상위의 도덕적 입장들은 더욱 광범위한 문제들을 해결하고, 자기 지향성을 줄이고, 보편적 가치를 더욱 강하게 반영한다(Damon, 1988). 데이먼은 콜버그의 접근의 목적을 학생들이 더욱 진전된 도덕 판단 형

학문 분야 리더들과의 인터뷰: **히긴스 박사**(Ann Higgins-D'Alessandro)

포드햄 대학, 심리학 교수

히긴스는 펜실베니아 주립 대학교에서 박사학위를 받았으며, 하버드 대학교에서는 로렌스 콜버그의 박사후 선임 연구원이었다. 그녀는 포드햄 대학교 응용발달심리학(Applied Development Psychology)과에서 박사학위 프로그램을 12년 동안 지도했다. 그녀는 정책(policy)을 알리기 위해 연구와 실천을 연결하려고 분투하며, 지난 12년 동안 뉴욕과 뉴저지에서 인격 및 학교 전체적(whole-school) 향상 개입[1]에 대한 평가 연구에 참여해 왔다. 이 작업은 청소년과 성인의 사회도덕 발달 및 정체성 발달; 장기 발달에 대한 단기 기술(skills) 학습의 관계; 학교, 대학, 직장과의 공동 연구를 위한 각 기관의 풍토, 문화, 정체성 측정 도구의 개발을 포함한다. 그녀는 관련 분야에서 광범하게 출판하면서, 정의 공동체 학교, 친사회적 교육, 그리고 평가 연구로 인정받고 있다. 최근의 관련 출판물은 필립 브라운(Philip Brown) 및 마이클 코리건(Michael Corrigan)과 공동 편집한 『친사회적 교육 핸드북(*The Handbook of Pro-social Education*)』(2012)이다. 이 책에서 그녀는 학교를 적극적인 교수와 학습, 그리고 공간 내에 모든 이들에 대해 존중과 존엄을 지닐 수 있고 또 그럴 가치가 있는 생활공간으로 창출하기 위해, 학생뿐만 아니라 교사의 장기적 발달을 촉진시키기 위해, 그리고 학문적 학습을 뒷받침하고 촉진하기 위해 친사회적 교육(학교 전체적 향상 노력에서부터 교실 풍토, 사회 정서 학습(SEL), 인격, 도덕, 그리고 숙고적인 개입과 봉사 활동까지 포함)의 필요성을 주장한다. 미국 교육부, 안전 및 마약 없는 학교국 자문위원(2005-2009)으로서, 그녀는 인격 및 학교 풍토 향상 개입에 대한 교육자와 평가자 사이의 효과적인 협력에 대해 USDOE 출판물인 『증

---

1. 학교 전체적 접근: 학생들의 학습, 행위, 건강과 행복을 향상시키고 이를 지원하는 여건을 조성하기 위해 학교에 의해 취해지는 집단적(collective)이고 협력적인(collaborative) 행위: 옮긴이.

거 기반 인격교육을 위한 협력(*Mobilizing for Evidence-Based Character Education*)』(2007)을 공동 집필했다. 또한 2010년에, 『청소년의 시민적 참여에 대한 연구 핸드북(*Handbook of Research on Civic Engagement in Youth*)』(S. Sherrod, J. Torney-Putra, and C. A. Flanagan, Eds.)에서 시민 참여에 대해 2개의 장을 집필하였다.

나는 콜버그의 도덕교육 이론이 도덕 판단에 대한 그의 이론으로부터 분리되었다는 것을 아는 것이 중요하다고 생각한다. 원칙적으로, 도덕교육은 도덕 판단을 확실히 촉진시켜야 하나, 콜버그는 정말로 중요한 성과란 사회적으로 그리고 정서적으로 발달하면서 주체감(sense of agency)을 개발하는 것, 복잡한 윤리적 쟁점을 이해할 수 있게 하는 것이라고 믿었다. 그가 생각했던 도덕교육 연구는 평가를 통해 차츰 사라질지도 모르지만, 세상이 보다 더 나은 곳이 되었을 때 언젠가는 대접을 받게 될 실험이었다.

도덕교육 개입을 연구 대상으로 하며 그것을 평가하는 작업을 여러 해 동안 수행한 후에 당신이 도덕교육 개입에 대해 깨닫게 된 대단한 것은 무엇인가요? 확실히 내가 깨달은 것은 학교에 나가는 누군가로서 여러분[연구자]은 교직원들로부터 존중을 받아야 하고 그들을 존중해야 한다는 것이다. 여러분의 생각이 무엇이든지 간에 — 여러분은 그들의 조언과 생각을 듣기 위해 열려 있어야 한다. 여러분의 과제는 그들이 활용할 수 있는 방식으로 그들에게 전문성을 제공하는 것이다. 그들은 당신의 생각을 비평할 수 있어야 하고 그들이 필요로 하고/원하는 것을 취할 수 있어야 한다. 여러분은 교육 실천가들로부터 배울 때 더 훌륭한 이론가가 된다. 외부인의 역할은 여러분과 함께 일하는 교사들에 대해 겸손하며 깊이 존중하는 것이다.

(Ann Higgins-D'Alessandro, 개인 교신, 2003년 6월 17일)

식(단계)을 획득하도록 돕는 것으로 간주하지만, 콜버그의 학교 개입의 많은 부분에서 그와 친밀한 공동 연구자인 히긴스는 콜버그의 도덕교육 이론이 그의 도덕 판단 이론과는 분리되었다는 것을 아는 것이 중요하다고 주장한다.

가치 명료화의 비판단적(nonjudgmental)이고 비지시적(nondirective)인 방법과는 현저히 다르게, 인지 발달 접근은 도덕 딜레마에 대한 학급 토론, 성찰 일지, 역할 채택 연습과 같은 직접적인 기법들을 사용한다. 교사는 학생의 발달 수준을 대략 가늠하고, 그 다음 그들의 현재 기능 수준보다 상위 단계의 진술로 그들에게 이의를 제기하는 "**플러스-원-매칭**(plus-one-matching)"에 관여한다. 예를 들어, 자신을 때리는 누군가를 똑같이 때릴 것이라고 주장하는 한 학생에게 교사는 다른 사람의 관점을 숙고하도록 다음과 같이 이의를 제기할지도 모른다. "만약 네가 싸움을 시작한 아이라면, 다른 아이가 이것을 다룰 수 있는 최선의 방법이 뭘까?"

많은 연구들과 메타 분석들은 학생의 도덕 발달을 촉진시키기 위해 **딜레마 토론**을 사용하는 것의 효과를 밝혀 왔다(Snarey & Samuelson, 2008). 아주 간략하게 모든 핵심적 결과들을 요약하면 다음과 같다.

- 딜레마 토론은 다른 개입들보다 더 큰 효과(비록 중간 정도지만)를 보여 주는 경향이 있다.
- 가장 유의미한 효과는 학생들이 가족 혹은 학급과 같은 자연적으로 발생한 집단에서 가상적 딜레마보다 실제적 딜레마를 논의하도록 권한을 부여받았을 때 발생하는 경향이 있다.

"머리기사에서 발췌한" 오늘날의 딜레마: 예수를 위해 마약을 한다

나의 상위반 도덕 발달 수업은 일반적으로 "머리기사에서 발췌한" 혹은 『뉴욕타임스(*New York Times*)』의 윤리학자 칼럼 특집으로 실린 쟁점에 대해 학생들이 입장을 취하도록 요구하는 오늘날의 딜레마 활동으로 시작한다. 이 응용 장들에서, 나는 그러한 활동의 구체적인 사례들을 포함할 것이다. 여기에 인기 있는 그러한 사례들 중 하나가 있다. 바로 "예수를 위해 마약을 한다(Bong Hits 4 Jesus)"[2]이다.

2002년, 18세인 조셉 프레드릭은 다른 학생들과 함께 학교 밖 인도에 서 있을 때 14피트 크기의 "Bong Hits 4 Jesus"라는 플래카드를 펼쳤다. 비록 그날은 학교 수업일이었지만, 학생들은 학교 밖에서 올림픽 성화 봉송 주자가 지나가는 것을 보아도 되었었다. 학교 교장인 데보라 모스(Deborah Morse)는 그 현수막을 압수하고 그를 정학시켰다. 그는 이 사건을 말 그대로 미 대법원에 가져갔다. 여기에 우리가 논의하는 구체적인 딜레마가 있다. 그 교장은 그런 행동을 한 프레드릭을 정학시켜야만 했었나? 찬반 투표 총계를 기록한 후에, 우리는 사람들이 그렇게 투표한 근거를 토의한다.

여러분은 어떻게 생각하는가? 프레드릭은 논증된 그의 입장을 지지하는 변론 취지에서처럼, 그저 언론 자유의 권리를 행사하고 있는 것인가? 어리석고 건방진 생각이었을지도 모르는, 그의 플래카드는 언론 자유로서 보호받아야 하는가? 아니면 그것은 마약 사용을 조장하는 것이며(그 학교는 마약 사용에 반대하는 방침을 가지고 있었다), 만약 교장이 강력한 조치를 취하지 않았다면 그의 입장을 용납한다는 메시지를 보내는 것이라고 결론을 내림으로써, 교장의 행동은 정당화되는가? 일단 학교 안으로 들어가게 되면 학생들은 표현의 자유를 보장한 미국 수정헌법 제1조를 포기해야 하는가?

2. Bong Hits 4 Jesus: 'Bong'은 마리화나 등의 마약 흡입용 파이프를, 'Hit'는 '흡입하다'를, 그리고 '4 Jesus'는 'For Jesus'를 지칭함: 옮긴이.

콜버그와 그의 동료들(Power et al., 1989)에 의해 개발된 가장 영향력 있는 기법은 전체 학교를 **정의 공동체**(just community)로 탈바꿈시키는 데 기여했다.

콜버그는 어떤 조건은 더욱 복잡한 도덕 추론을 촉진시킬 수 있고, 이를 통해 보다 참여적이고 효과적인 민주 시민이 되도록 만들 수 있다는 믿음으로 정의 공동체 모델을 창안했다. 히긴스(1995)에 따르면, 이 조건들은 다음을 포함한다.

- 공정성, 공동체, 그리고 도덕성에 초점을 맞춘 열린 토론
- 다른 관점과 상위 단계의 추론에 의해서 활성화된 인지적 충돌
- 규칙 제정 및 시행, 그리고 권한과 책임의 공적 행사에 참여
- 높은 단계에서 공동체 혹은 집단 연대성의 발달(Kurtines & Gewirtz, 1995, pp. 63-64).

최근의 평가 증거. 비록 인지 발달 개입(cognitive developmental interventions)에 대한 많은 연구들(예, Power et al., 1989)은 작거나 중간 수준(1/4단계) 정도에서 단계 성장을 일관되게 발견했다 할지라도, 학급 교사들은 그 모델의 진정한 혜택에 대한 암묵적 지각과 극히 미미한 수준의 도덕 추론 혜택에 대한 명시적 결과들 간의 간극에 자주 좌절한다. 이론과 연구 영역에서 보다 최근의 향상, 특히 레스트의 4구성 요소 모형(Rest & Narvaez, 1994)과 더불어, 과거의 평가가 가진 문제는 도덕 판단 영역에서의 성장에 편협하게 집중해 왔다는 것이 분명해 보인다. 가장 잘 알려진 정의 공동체 고등학교 중의 하나인 스카즈데일 학교(Scarsdale A-School)에서 나의 박사학위 인턴직을 수행하는 동안, 나는 강한 공동체 의식(파워와 히긴스가 2008년

도덕 풍토 목록Moral Climate Inventory을 이용하면서 밀도 있게 연구했던 목표)을 육성하는 것에 더하여, 그 프로그램이 도덕적 민감성, 동기, 그리고 품성 영역(당시 우리가 유효한 측정값을 가지고 있지 않았던 측면)의 성장으로 청소년들을 조금씩 밀고 가는 것처럼 보인다는 것을 관찰했다. 스카즈데일 학교에는 내가 전통적인 고등학교에서는 전혀 목격한 적이 없는 관용과 민감성에 대한 규범이 있었다.

2008년 여름, 스카즈데일 학교는 40회 동창회를 개최하였다. 비록 나는 참가 자격이 없었지만, 나의 오랜 친구이자 이 학교의 사회과 교사인 주디 로젠(Judy Rosen)이 내가 참석할 수 있도록 초대했다. 이는 나에게 1993년 장기 연구 책임자인 토니 아르넬라의 제안을 상기시켰는데, 그 제안은 내가 이 학교 졸업생들의 경험이 그들에게 미친 장기적인 효과들을 조사하는 종단 연구를 고려해 보는 것이었다. 그 당시 나는 스카즈데일 학교에서 지역사회 봉사활동 인턴직 과제를 마무리하고 그의 이 훌륭한 생각을 수락하여 박사학위논문을 쓰느라 너무나 바쁜 상태였다. 그러나 주디가 나에게 수백 명의 졸업생들에 대한 이메일 목록을 수집했다고 말했을 때, 나는 그들의 삶에 미친 스카즈데일 학교의 영향에 대해 학생들과 교사들의 회상적 기억(retrospective perception)을 수집할 수 있는 천재일우의 기회라는 것을 알아차렸다. 고맙게도 주디는 그 프로젝트에 착수하고 앞장서서 교사 면접을 주도하기로 동의했다. 우리는 콜버그의 초기 연구 그룹의 핵심 구성원인 히긴스와 히긴스의 재능 있는 박사과정 조교인 재클린 호란(Jacqueline Horan)이 기꺼이 이 연구에 착수하여 아주 기뻤다.

우리의 첫 번째 연구 문제는 자신의 삶에서 정의 공동체 경험의 전반적인 영향력에 대한 학생과 교사의 기억이라는 광범위한 문제에 초점을 맞추었다. 두 번째이자 더욱 초점을 맞춘 연구 문제는 도덕적, 학업적, 개인적 발달을 촉진하는 데 있어서 가장 중요한 구체적 구조에 대해 묻는 것이었다. 즉, 그 학교의 젊은 성인과 중년 졸업생들은 규칙과 규범을 만들려고 시도할 때 스카즈데일 학교가 그들의 발달을 촉진시킨 "가치 있는 공동체"(히긴스의 말을 바꾸어 표현하면)였다고 믿었는가? 그들은 성장해서 자기 반성적, 적극적, 참여적 시민이 되었는가?

우리는 개방형 질문에 아주 많이 의존하는 졸업생 대상 설문 조사와 다음과 같은 특정한 질문을 묻는 교사에 대한 관련 면접 질문을 구성했다.

- 정의 공동체 구조와 경험에 대한 즉각적이고 장기적인 효과
- 스카즈데일 학교 안팎에서의 강력한 학습 경험
- 지역사회 봉사와 정치 영역에서 최근의 참여
- 스카즈데일 학교에서의 경험이 자아, 민주적 절차, 그리고 세계에 대한 그들의 생각을 어떻게 변화시켰는지에 대한 지각과, 오늘날 그들이 의사 결정이나 행동을 하는 방식에 미친 학교 풍토의 지속적인 영향

많은 설문 조사 응답자들은 그들의 개인적인 발달에 대한 스카즈데일 학교의 영향에 대해 당당하게 말했다. 우리의 기초 자료 분석에 따르면, 스카즈데일 학교에서 정의 공동체 교육철학의 시행은 학생들의 도덕 발달을 촉진시키고 "학교의 도덕적 분위기를 도덕 공동체"(Power & Higgins-D'Alessandro, 2008, p. 231)로 탈바꿈시키는 핵심 목표를 만족시켰을 뿐만 아니라 그들이 학교생활을 마친 후에

도 오랫동안 졸업생들의 자아, 민주주의, 그리고 세계에 대한 개념에 계속해서 영향을 주었다는 것을 시사한다. 우리는 한 학교에 대한 하나의 심층 연구 결과가 모든 학교에 일반화될 수 있다고 가정하지는 않지만, 우리의 연구 결과는 이론에 뿌리를 두고 있는 학교의 개입이 학생들의 삶에 진정으로 영향을 미치기에 충분히 강하고 장기적일 때 유의미한 도덕적 · 인격적 성장의 가능성을 보여 준다 (Horan, Higgins-D'Alessandro, Vozzola, & Rosen, 2010; Vozzola, Rosen, & Higgins-D'Alessandro, 2009).

강점. 인지 발달 접근의 강점은 학생들을 존중하는 태도와 모든 종류의 인지적 향상이 다양한 환경 전체에 걸쳐서 보다 나은 판단과 같은 아동에 대한 긍정적인 파급효과가 있다는 사실을 포함한다. 파워와 동료들(1989)이 보여 준 민주적인 고등학교들의 도덕 문화와 그들의 비교 학교 간 차이 분석은 오직 정의 공동체 환경에서의 학생들만이 배려, 신뢰, 집단적 보상, 그리고 마약 규칙 위반자를 보고하려는 학생의 책임감을 발달시켰다는 것을 보여 준다. 히긴스(1995)는 설득력 있게 다음과 같이 주장한다.

> 타인에 대한 책임감과 동일 집단 속에 함께 묶여 있다는 일체감 개념은 개인의 도덕 추론 발달뿐만 아니라 강하고 높은 단계의 도덕 문화를 촉진시키는 것처럼 보인다. … 결과는 학생들이 공개적으로 친사회적인 규범을 공유하고 그들이 소중하게 여기는 집단 속에 있을 때 그들 자신과 타인들이 도덕적인 것에 대한 최선의 생각과 일치하는 방식으로 행동하기를 기대한다는 것을 보여 준다. 우리는 도덕 행동을 격려하는 상태를 그리고 학생들이 도덕 용어로 그들 자신의 정체성에 대해 생각하도록 요구받는 맥락의 상태를 긍정적인 도덕 문화로 본다. (p. 76)

학문분야 리더들과의 인터뷰: **마빈 버코위츠 박사**(Marvin W. Berkowitz)

토머스 제퍼슨 교수, 미주리-세인트루이스 대학교, 사범대학

마빈 버코위츠는 미주리 대학교(세인트루이스) 초대 샌포드 맥도넬(Sanford N. McDonnell) 인격교육 석좌교수이자 미주리 대학교 인격 및 시민성 센터의 공동 디렉터이다. 그의 연구는 아동 및 청소년의 도덕 발달과 포괄적인 학교 개혁에 기반을 둔 인격교육에 주력해 왔다.

교사, 학자, 그리고 연구자로서 아주 화려한 경력을 되돌아볼 때, 당신의 작업 중 어떤 측면이 개인적으로 가장 의미 있는 것으로 부각되는가? 두 가지가 나의 경력에서 가장 유의미한 것으로서 두드러지고, 그것들은 받침대 역할을 한다. 경력 초기(1977-1999)에 나는 하버드 교육대학원에서 로렌스 콜버그의 정의 공동체 프로젝트에서 일할 기회가 있었다. 그저 콜버그와 함께 일하고 그에게 배우는 것만으로도 내 경력의 궤도를 변화시키기에 충분했다. 그러나 앤 히긴스와 클라크 파워를 포함한 놀라운 팀의 일원이 된 것은 이 경험에 힘을 더했다. 그리고 나의 나머지 경력 동안 철저한 학교 민주주의의 현장 경험은 나에게 학생과 관계자의 권한 부여(empowerment)에 대한 높은 기준을 세울 수 있도록 했다. 그리고 이것은 또한 교육적 · 심리학적 차원을 넘어서 이 작업이 얼마나 복잡하고, 철학적이며, 그리고 사회학적인지에 대한 틀을 설정했다. 두 번째로 의미있는 부분은 지난 10여 년 동안 아동과 청소년에 대해 내가 아는 모든 것을 활용해 이것을 학습과 도덕(인격) 발달 양자 모두를 최적으로 촉진하기 위해 학교와 교육자들이 행하는 것을 근본적으로 탈바꿈시키도록 도울 수 있는 놀라운 기회를 가졌다는 것이다. 이들 학교 지도자들이 교육학적 통찰을 경험한 다음 그들의 학교를 멋진 성공의 여정으로 이끄는 것을 목격한 것이 나의 경력 중 최고의 성취다.

(M. Berkowitz, 개인 교신, 2013년 3월 29일)

도전. 콜버그와 그의 동료들의 주장과 대조적으로, 데이먼(1988)은 인지 발달론적 개입과 행동 변화 사이의 연결에 대한 충분한 증거가 부족하다는 중대한 약점을 확인한다. 또한 버코위츠, 쉐퍼, 비어(Berkowitz, Schaeffer & Bier, 2001)에 따르면, 인지 발달 접근에 대한 비판은 도덕적 엘리트주의, "성 편향, 문화 편향, 그리고 도덕 심리학에 대한 편협한 시야(정서, 행동, 가치, 성격 등에 대한 주목의 결여)"를 포함한다(p. 52)고 언급한다. 지면상의 제약으로 인해 이들 비판 너머에 있는 생기 넘치는 연구 문헌들에 대한 완전한 분석을 수록할 수는 없지만, 나는 "이러한 비판들 각각은 오직 부분적인 경험적 지지를 갖는다"는 버코위츠 등의 평가와 의견을 같이한다.

인격교육

내가 인격교육에 대해 처음 가르치기 시작했을 때, 미국에서 이것은 보수적인 정치적, 사회적 태도와 관련되고(예, Wine & Ryan, 1993), 견고한 연구 및 평가 토대를 결여한 것으로 여겨졌다. 하지만 1990년대 이후로 상황은 급진적으로 변화되어 왔다. 견고한 인지 발달론적 배경을 지닌, 점점 더 많은 연구자와 전문직 종사자들이 그들의 전문성을 교사 연수와 프로그램 개발 및 평가에 투입했다. 마빈 버코위츠, 윌리엄 데이먼, 래리 누치, 앤 히긴스, 그리고 클라크 파워(Clark Power)는 발달 이론을 인격교육 프로그램에 통합시키도록 학교와 조직을 조력해 온 많은 연구자들에 속한다.

무엇이 다른 접근들로부터 **인격교육**을 구별시키는가? 도덕교육과 마찬가지로, 우리는 많은 철학들과 접근들을 둘러싼 넓은 천막

가치 명료화

- 가정
  - 아동들은 그들의 가치를 선택하는 데 있어 자유로워야 한다.
  - 직접적인 도덕 교수는 옳지 않을 뿐만 아니라 해롭다.
- 이론적 뿌리
  - 명시적인 이론적 뿌리가 없다.
- 목표
  - 아동의 자존감을 길러주기
  - 아동이 그들이 선택한 가치를 소중하게 여기고 확언하도록 격려하기
- 방법
  - 교사들은 아동들의 가치 진술에 비판단적인 명료화 반응을 많이 제공한다.
  - 가치 분류 연습과 가치 토의와 같은 활동들

인지 발달 접근

- 가정
  - 상위 단계의 생각은 더 훌륭한 생각인데, 왜냐하면 이것은 더 넓은 범위의 문제들을 해결하고, 덜 자기 지향적이고, 그리고 공정성과 인간의 권리 같은 더욱 보편적인 가치를 반영하기 때문이다(Damon, 1988).
  - 상위 단계의 생각과 시민 참여는 참여 민주주의와 정의로운 학교 풍토를 조성하는 것을 통해 촉진될 수 있다.
- 이론적 뿌리
  - 피아제의 도덕 발달 국면(phase) 이론
  - 콜버그의 도덕 발달 단계(stage) 이론
  - 존 듀이(1916)의 민주주의 교육 이론
  - 뒤르켐(1961)의 공유된 집단 기대와 공동체와 연대감에서 발생하는 집단 규범 개념
- 목표
  - 학생들이 복잡한 윤리적 쟁점들을 이해할 수 있도록 학생들의 도덕 추론

에 있어서 도덕적 성장을 촉진하는 것
◦학생들이 주체감(sense of agency)을 발달시키도록 돕는 것
◦사회적, 정서적 발달을 촉진하는 것
◦학교의 구조, 풍토, 그리고 규율 실천을 통해서 시민 역량과 참여를 육성하는 것

• 방법
◦교사는 플러스-원-매칭(plus-one-matching) 반응을 사용한다.
◦도덕 딜레마에 대한 또래 교실 토론
◦민주적 참여(예, 공동체 회의)

인격교육

• 가정
◦학교는 도덕적 사고보다는 도덕적 행동에 주력해야 한다(이것은 도덕 추론과 친사회적 행동 양자 모두를 촉진시키기 위해 인지 발달론자들이 인격교육 프로그램과 함께 일하는 것으로 변화하고 있는 중이다).
◦성인은 공정성, 근면, 성실성과 같은 훌륭한 도덕적 인격을 확인할 수 있고 확인해야 하며, 학생들에게 직접적으로 그것들을 가르칠 수 있고 가르쳐야 한다.

• 이론적 뿌리
◦초기 인격교육 개입은 아리스토텔레스의 덕 이론에 아주 많이 의존했다.
◦최근에 인지 발달 연구자들은 (다른 것들 중에서) 레스트의 4구성 요소 모형, 콜버그의 도덕 발달 이론, 그리고 나딩스의 배려 윤리에 이론적 뿌리를 두고 인격교육 개입을 개발해 왔다.

• 목표
◦올바른 행동을 촉진시키기(예, 규칙 따르기, 열심히 노력하기)
◦친사회적 행동을 촉진시키기(예, 돕기, 배려하기)
◦긍정적인 인격적 덕의 발달을 촉진시키기(예, 성실성, 정직)

- 방법
  - 교육과정 도처에 인격 수업을 통합시키기
  - 도덕적 이야기와 학업의 주제와 관련 도덕적 쟁점을 토론하기
  - 스포츠, 지역사회 봉사, 그리고 동아리와 같은 인격 계발의 교과 외 교육과정 활동에 참여를 격려하기
  - 공동체 회의 단합 대회, 벽보, 발표 등에서 학생의 성취와 향상을 공개적으로 인정하기

(혼합) 윤리적 전문성 모델

- 가정
  - 인격 발달은 "일련의 개인 간 그리고 개인 내적인 윤리적 기술들에 있어서 능숙함을 계발하는 일이다"(D. Narvaez, 개인 교신, 2001년 9월 25일)
  - 전문성 계발은 지역 공동체에 의해서 중요한 것으로 확인된 가치들에 주력해야 한다.
- 이론/연구의 뿌리
  - 레스트의 4구성 요소 모형
  - 심리학에서 전문성(expertise) 문헌
- 목표
  - 학생들이 윤리적 민감성, 판단, 동기화, 그리고 행동 부분에서 발달적으로 적절한 초보자에서부터 전문가 수준으로까지 나아가도록 돕는 것
- 방법
  - 교사는 윤리적 기술들을 확인하고 정의하는 일련의 워크북들로부터 활동들을 선택한다.
  - 교사는 초보자에서부터 전문가 수준까지의 범위에 걸친 활동들 주변에 조직화된 워크북의 견본 학습 계획안을 이용한다. 즉, 사례와 기회에 몰입, 절차 연습, 그리고 지식과 절차의 통합(Narvaez, Schiller, Gardner, & Staples, 2001).

표 8.1 도덕교육 모델들

(broad tent)에 대해 이야기하고 있는 중이다. 그 용어의 의미는 시대, 장소, 그리고 이데올로기에 따라 다양하다. 버코위츠(2002)는 우리가 이론의 불일치를 넘어서 우리의 연구를 학생들이 좋은 사람(good people)이 되도록 돕는 데 사용해야 한다고 설득력 있게 주장한다. 그는 인격교육을 도덕 및 인격 발달을 촉진시키는 모든 노력을 지향하는 포괄적 용어(umbrella term)로 사용하고자 한다. 나는 **도덕교육**을 포괄적 용어로 사용하길 선호하지만, 어떠한 이론적 방향이든지 아동 발달 부문에서 지식과 최선의 실천을 공유하는 것을 지향하는 그의 호소에 전적으로 의견을 같이한다. 이 부분에서 나는 버코위츠와 비어(Berkowitz & Bier, 2006)가 인격교육의 실천에 대한 그들의 영향력 있는 평가에서 사용하는 다음과 같은 정의를 사용해 보고자 한다. "**인격교육**은 우리가 인격이라고 부르는 아동 발달의 특정한 부분집합을 겨냥한다. **인격**은 사회적 · 개인적으로 책임감 있고, 윤리적이며, 자기관리를 해 나가려는 아동의 능력과 경향성에 영향을 주는 심리적 특성의 합성물이다"(p. 4). (〈표 8.1〉 참조)

아리스토텔레스의 덕 이론에 뿌리를 두고 있는 전통적인 인격교육은 덕의 함양과 초기 습관 형성에 노력을 집중하는 경향이 있다. 합리론적인 전통을 따르는 교육자들은 개인의 도덕 추론과 정의의 원리에 근거하여 도덕 행동을 정당화하는 데 더욱 역점을 둔다. 세 번째 집근은 도덕직 결정과 행동에 있어서 역할 감정 놀이에 더욱 중점을 둔다(Nucci & Narvaez, 2008). 인격교육을 형성하는 접근들의 광대함을 인정하면서, 우리는 가장 효과적인 실천을 특징짓는 요인들 중 일부를 추출할 수 있다(Berkowitz & Bier, 2006; Berkowitz, Battistich, & Bier, 2008). 당연히 인격교육은 이것이 잘 설계되고 실행될 때 가장 효과가 좋다. 주어진 실천의 광범위함으로 인해, 전 프로그램에 걸쳐서 결과가 다양하다는 것은 그리 놀랄 만한 것이 못된다. 그러나 프로그램 개발을 안내하도록 사용될 수 있는 몇몇 공통의 실천들이 부상한다. 이들은 다음을 포함한다.

- 교직원에게 탁월한(충분히 장기적이고 충분히 튼튼한) 직업적 전문성 계발을 제공하기
- 다중 전략(multistrategy) 접근을 취하기 — 좋은 프로그램은 직접적 교수 그리고 토의와 역할 놀이 같은 또래의 상호작용 양자를 모두 사용한다
- 가족과 지역사회를 포함하기
- 인격 활동을 학교 교육과정에 통합시키기
- 역할 모델과 멘토 제공하기 (Berkowitz et al., 2008)

강점과 도전. 교육을 전공하는 나의 학생들이 가장 가치 있다고 여겨 온 인격교육 자원들 중 많은 것들이 목표, 학습 계획안, 그리고 교실 활동에 대한 구체적인 사례들을 제공한다. 그러한 자료들은 풍부하며 그리고 범위가 교사들 사이에서 인터넷을 통한 자유로운 생각 교환에서부터 인격교육 조직에서 제공하는 온라인 자료, 노련한 전문가들과 연구자들이 개발한 연구에 기반을 둔 프로그램, 영리를 목적으로 하는 회사에서 제공하는 워크북과 자료들에까지 이른다. 요컨대, 인격교육 동향의 한 가지 강점은 학교 시스템과 학생의 인격 발달에 관심 있는 교사들이 이용 가능한 자원들이 풍성하다는 것이다. 그러나 질은 대단히 다양하고 모든 자료나 학습 내용들이 온전한 이론적 연구 기초 혹은 입증된 효과를 지니는 것은 아니다. 관련된 문제는 좋은 시스템이나 학교 교직원에 대한 적절한 직업적 전문성 계

발 없이 인격교육 프로그램을 시행하려고 시도할 때 발생한다. 학생들은 성인들의 말과 행동 사이의 틈을 알아차리며, 만약 실제 학교 정책들과 상호작용에 대한 잠재적 교육과정(hidden curriculum)이 인격교육 프로그램이라는 고상한 단어와 갈등한다면, 그 결과는 인격 발달보다는 냉소주의의 발달을 초래할 개연성이 더 크다.

영역 접근

래리 누치(2001, 2008, 2009)는 여러분이 제4장에서 읽었던 도덕 발달의 사회 인지 영역 이론을 '연구에 기반을 둔 교육적 적용'으로 옮기려는 노력을 주도해 왔다. 사회 영역 이론은, 매우 어린 연령부터 사람들이 도덕성(해악 혹은 불공정한 대우를 포함하는 것)과 사회 인습(사회규범에 기반을 둠)을 구별한다는 것을 사실로 상정한다는 것을 상기해 보자. 연구자들은 사람들이 사생활 혹은 개인적 선택에 대해 세 번째 구별을 사용했다는 것 또한 발견했다. 흥미롭게도, 그들은 해악과 돕기를 포함하는 도덕적 상황에 대한 추론 능력은 선형 패턴보다는 중학교 시기에 발생하는 저점(low point)을 지닌 U자형 패턴을 종종 따른다는 것 또한 발견했다. 분명히 그러한 발견들은 학교 현장에 중요한 함의를 지닌다. 누치(2008)는 영역 이론의 교육적 응용을 발달론 및 구성주의 접근의 전통 내에 위치하고 있는 것으로 간주한다. 하지만 이 접근들에 한두 가지를 추가하게 되는데, 그것은 "도덕 및 사회 발달 촉진을 지향하는 영역에 적합한 교사 전략(domain appropriate teacher strategy)과 더불어 교육적 경험에서 도덕적 · 비도덕적 측면을 확인하는 일련의 분석 도구이다"(p. 298). 교사 자격증을 위해 나아가는 여러분들은 이 장 말미의 추가 자료 부분에 열거된 텍스트에서 누치(2008)에 의해 제시된 구체적인 목적과 절차들을 지닌 많은 학습 계획안 사례들을 살펴보길 원할 것이다. 이 섹션에서는 우리의 목적을 위해 영역 접근을 안내하는 일반적 가정에 집중한다.

첫 번째, 이 접근은 교실, 교사, 행정가의 **행동 관리 정책**(behavior management policy)과 교실의 **사회적 분위기**가 아동과 청소년의 사회적 발달을 위한 핵심적 자원을 제공한다고 가정한다(Nucci, 2008, 2009). 그래서 영역 접근은 배려 학교 교실 환경을 확립함으로써 출발하고자 하는데, 배려 학교 교실 환경 속에서 학생들은 정서적으로 취약해지는 위험을 감수하며 타인을 향한 배려 행동에 관여할 수 있다는 것을 안다.

두 번째, 영역 접근은 **학생의 위반에 대해 영역 적합 반응**(domain-appropriate response)을 보이는 것의 중요성을 강조한다(Nucci, 2008, 2009; Turiel, 1983). 학생들은 나쁜 행실에 대해 영역에 적합한 교사 반응을 대단히 높게 평가한다(Nucci, 2001). 연구자들은 대부분의 학교에서 비행은 도덕성보다는 관습 위반을 통해 일어난다고 말한다. 예를 들어, 우리 모두는 학교에서 무기를 금지하는 것은 도덕적 쟁점(해악 금지하기)이라고 이해한다. 그러나 현재의 많은 무관용 정책[3]은 기관단총을 가져온 학생에게 부과할 엄격한 처벌(퇴학 혹은 정학)을 배낭에 작은 주머니칼을 무심코 남겨 둔 학생에게도 동일하게 부과한다. 그러한 영역 부적합 반응은 규칙들 혹은 그 규칙들을 시행하는 성인들을 학생들이 존중하도록 이끌지 못한다.

세 번째로, 교육자들은 사회 인습에 대한 개념에서 발달적 이동을 이해해야 한다(Nucci, 2008). 학교 규범/인습에 대한 최고의 위반 비율은 대체로 8-10세 그리고 11-13세에 발생한다. 이 시기는 아동과 어린

3. 바람직하지 못한 행위 혹은 규칙 위반 행위에 대해 처벌을 강화하는 정책: 옮긴이.

10대들이 사회적 인습과 그들이 사적이고 개인적이라고 여기는 쟁점 사이에 그들의 경계를 변경하는 연령대다. 아동들이 대상을 보는 방식과 그들 주변의 성인들이 대상을 보는 방식 사이에서 발달적 차이뿐만 아니라 문화적 차이를 협상할 때 사태는 더욱 엉망이 된다.

누치(2008)는 이 장에서 이미 우리가 검토했던 **정의 공동체** 접근에서, 심지어 절도와 같은 도덕적 위반도 학생들을 도덕적 악행의 결과에 대한 진솔한 도덕적 토론에 관여시킴으로써 교육 기회로 사용할 수 있다는 점에 주목한다. 나는 학생들이 수업에 늦었을 때 교사와 급우들에게 주는 피해에 대해 공동체 회의에서 솔직한 토론에 관여하는 것을 보면서, 학생들이 그 이전에는 단순히 인습적인 것으로 간주해 왔던 행동에 대해 도덕적 함의를 숙고하도록 하는 것의 효과를 입증할 수 있다. 전통적인 학교 환경에서 학생들이 지각으로 인해 방과 후에 학교에 남게 되었을 때, 그들은 권위에 의해 그들에게 부과된 하찮은 인습을 흔히 규칙으로 간주한다. 그에 반해서, 어떤 학생이 헌신적인 교사에게 무례를 범한 것으로 인해 또래들에 의해 소환될 때, 어떤 각성(light bulbs)이 때때로 지속된다.

끝으로, 영역 접근은 영역에 적합한 방식으로 교육과정을 이용하는 것의 중요성을 강조한다. 너무나 자주, 성인들은 청소년들이 텍스트와 비디오에서 보내는 의도된 도덕적 메시지를 폄하한다고 가정한다. 실제로 학생들의 이해는 그들의 지적, 도덕적, 사회적 발달 수준을 통해서 여과된다(예, Narvaez, 2001을 볼 것). 하지만 학급의 읽기 자료 및 토론의 초점이 숙고 중인 쟁점의 영역과 짝을 맞출 때, 그 교육과정은 사회적, 정서적 학습에 유의미한 효과를 미칠 수 있다. 영역 접근의 강점 중 하나는 교사가 현실 세계에서 영역들이 자주 겹치는 방식을 학생들이 볼 수 있도록 도울 수 있다는 것이다. 예를 들어,

제6장에서 논의한 머리에 쓰는 스카프에 대해 생각해 보자. 어떤 한 수준에서 학생들은 경쟁적인 두 개의 도덕적 시야 — 경전의 해석에 복종하는 종교적 의무 대(對) 프랑스가 지지하는 평등 가치를 존중할 의무 — 를 검토하고 토론할 수 있을 것이다. 다른 수준에서, 학생들은 만약 머리 스카프를 착용하는 것이 지장을 주는 게 입증된다면, 법률에 의해 변경될 수 있고 변경되어야 하는 사회적 인습인지, 존중받아야 하는 도덕적 의무인지, 혹은 심지어 학생들 스스로가 결정해야 하는 개인적 선택의 문제인지를 숙고할 수 있다.

영역 접근의 관점에서 또 다른 오늘날의 딜레마를 숙고해 보자.

오늘날의 딜레마: **운동선수들, 술, 그리고 큰 경기**

고등학교 스포츠 경기에 참여했던 사람들은 고등학교 운동선수들의 서약과 그들 부모님의 서명에 아마도 익숙할 것이다. 그 서약에서 그들은 스스로 술과 마약을 이용하지 않을 뿐만 아니라, 알코올음료 혹은 불법적인 마약이 있는 곳에 가지 않을 것이라고 동의한다. 몇 해 전에, 종교계통 고등학교 농구팀 주전 선수 5명은 준결승 토너먼트 게임에서 2군팀으로 구성된 선수들이 용맹하게 싸우는 걸 벤치에서 지켜보았는데, 결국 그 중요한 게임은 패배로 끝났다. 그 주전 선수 5명은 그전에 술이 제공되는 주말 파티에 참석했고, 이를 교장이 알게 되었으며, 그는 학교 운동부 규정 위반을 이유로 그 선수들 모두를 정학시켰다. 여기에 딜레마가 있다.

1. 5명의 운동선수, 코치, 부모, 그리고 교장이 (a) 서약에 서명하는 것과 (b) 음주의 영역을 어떻게 개념화했는지 확인하라.
2. 무엇이 이 구체적인 학생 위반에 대한 '영역에 적합한 반응'이 될 것

인가?

3. 짝 토론/모둠 토론, 두 가지 방식 모두 혹은 둘 중 하나의 열린 교실 토론을 이용하기: 여러분의 고등학교에서 운동선수 서약 방침은 얼마나 효과가 있는가? 여러분은 학교 방침이 더 훌륭한 발달 연구 성과를 반영하도록 개정되어야 한다고 생각하는가? 혹은 마약과 술을 이용하는 것에 대해 강한 메시지(영역에 적합하거나 그렇지 않은)를 보내는 것이 중요하다고 생각하는가?

강점과 도전. 나는 영역 접근이 교사와 행정가에게 학생들이 많은 규칙에 저항하는 것에 대한 더 나은 관점을 제공하기 때문에 특별히 가치가 크다고 여긴다. 규칙의 사용에 있어서 세 영역과 발달적 변화를 이해하는 것은 헌신적인 교사의 영혼을 고갈시키는 학생의 지속적인 위반의 연속을 다루는 데 단순히 분개하기보다는 성장을 위해 "학생의 행동을 유도하는 부드러운 개입(nudges)"을 제공할 가능성을 높인다. 내가 볼 때, 주요한 도전은 영역 간의 중복과 영역의 사용에서 문화적, 개인적 변화, 그리고 나이와 관련된 변화를 고려할 때, 영역에 적합한 방식으로 사정하고 반응하는 것은 그렇게 쉬운 것이 아니다. 그러나 나는 이 접근을 자세히 탐색하는 데 기꺼이 시간을 들이는 누구든지 사회적 영역에 대한 지식을 그들의 교수 실천으로 통합하는 데 있어서 진정한 가치를 발견할 것이라고 믿는다.

통합적 윤리 교육

다르시아 나바에츠는 도덕·인격 교육 프로그램의 개발, 실행, 평가에 그녀의 인지 발달 전문성을 도입한 선두적인 연구 실천가(scholar-practitioner)이다. 여러분에게 이론에 기반을 두면서도 연구에 의해 평가되는 제대로 된 도덕교육 모델의 풍미를 제공하기 위해 그녀의 혁신적인 혼합 프로그램을 다소 자세하게 살펴보도록 하자. 몇 년 전에 '공동체 목소리와 인격교육 파트너십 프로젝트(Community Voice and Character Education Partnership Project)'는 중학생들을 위한 인격교육 프로그램을 개발하기 위해 '미네소타 주 정부의 어린이, 가족, 학습부(Minnesota Department of Children, Families and Learning)'와 미네소타 대학의 연구팀이 짝을 이루었다. 나바에츠와 그의 동료들은 일련의 활동 책자 4권 — 관심 있는 교육자들에게 현재 시판중이다 — 을 설계하고 시험해 보기 위해 윤리적 전문성 모델을 사용했다(Narvaez et al., 2009). 그 모델의 가정과 연구 기반에 대해 간략히 개관한 후에, 나는 그 4권의 책자에 대해 기술하고 그들이 제공하는 활동 견본을 제공할 것이다.

통합적 윤리 교육은 전통적 인격교육과 이성적 도덕교육의 통찰을 현재의 연구와 조화시키려고 의도한다(Narvaez, 2006, p. 716). 도덕성에 대한 레스트의 4구성 요소 모형은 그 프로그램에 대한 이론적 토대를 제공했으며, 도덕적 전문성에 대한 기본적 개념은 구체적인 내용의 개발을 이끌었다. **전문성**(expertise)이라는 용어는 "실천과 행동에서 분명히 드러나는 정련되고, 심오한 이해를 지칭한다"(p. 716). 심리학적 연구는 전문가의 경우 어떤 영역에서 더욱 풍부하며 더 잘 조직화된 지식을 지니고 있고, 그 영역에 대해 더욱 많은 구체적 사항들을 알아차리며, 그리고 자동적으로 힘들이지 않고 문제를 해결하는 데 있어서 초보자와는 다르다는 것을 발견했다(Narvaez, 2006). 예를 들어, 어떤 목적지에 도착하기 위해 수많은 운전 조작과 결정을 하면서도 그것에 대해 거의 의식하지 않은 채 그 목적지에 도착하는 현재의 방식과 비교해서, 여러분이 초보 운전자였을 때 시동을 걸고 차를 운전하는 데 얼마나 많은 노력을 기울였는지를 한번 생각해 보라. 일단 연구팀이 인격교육의 목표로서 도덕성의 네 가지 요소에서 도덕적 전문성을 확인하였고, 각 요소에 대한 조작적 정의는 교수·학습 자료의 개발을 이끌었다.

윤리적 민감성. 첫 번째 활동 책자(Endicott, 2001)에서는 윤리적 민감성을 "누가 관련되고, 어떤 행동을 취할 수 있으며, 어떤 가능한 반응과 결과가 뒤따를지 결정하는 데 있어서 상황에 대한 공감적 해석" (p. 5)이라고 정의했다. 그러한 민감성에 기여하는 것으로 확인된 학문적, 사회적 기술에는 정서 읽기와 표현하기, 타인의 관점 채택하기, 타인과 연결함으로써 배려하기, 행동과 선택의 결과 확인하기가 포함되었다. 물론, 비록 그 연구자들은 이 구성 요소에서 발달적으로 적절한 전문성의 수준을 지향하는 현실적인 기대를 지녔다 할지라도, 그들의 생각에 대한 닻으로써 발달의 종점을 사용할 수 있을 것이다. 도덕적 민감성에서 원숙한 전문가들은 신속하고 정확하게 "도덕적 상황을 읽으며" 그리고 "그들이 어떤 역할을 할 수 있을지를" 결정할 수 있다(Narvaez, 2006, p. 716). 그들은 타인의 욕구에 도덕적으로 반응하는 상태가 될 수 있도록 그들 스스로를 타인의 입장에 둘 수 있고, 그들의 개인적 편향을 통제할 수 있다.

여기에 읽고 표현하는 정서적 기술을 촉진시키는 풍토를 조성하도록 돕는 것에 목표를 두는 중학생들을 위한 견본 활동의 사례가 있다. 그 활동은 학생들에게 '토론하는 것을 토론'하도록 요청한다. 그들은 먼저 학급 토론을 하는 동안 그들을 기분 좋게 만드는 또래들의 행동 두 가지와 기분 나쁘게 만드는 두 가지를 각각 기술하도록 요구받는다. 소집단에서 그들의 생각을 공유한 후에 두 개의 '원형 테두리'에 모이는데, 그 원형 테두리 안에서 각각의 학생들은 먼저 긍정적인 토론 행동 한 가지를 말한 후에 2회전에서 부정적인 행동을 말한다. 학생들은 기록을 하고 그들이 개선하기를 바라는 것을 선택함으로써 마무리한다.

윤리적 판단. 시리즈의 두 번째 활동 책자(Bock, 2001)에서는 윤리적 판단을 "상황 속에서 가능한 행동에 대해 추론하고, 어떤 행동이 가장 윤리적인지를 판단하는 것"(p. 5)과 관련된 것으로 정의하면서 시작한다. 그 책자에서 목표로 삼는 기술들은 일반적이고 윤리적인 추론 양자 모두를 발달시키는 것, 판단의 준거를 확인하는 것, 추론의 과정과 결과에 대해 성찰하는 것, 실행을 계획하는 것을 포함한다. 이 구성 요소에서 원숙한 전문가는 심지어 가장 복잡한 도덕 문제도 해결하는 다양한 도구를 지니고 있으며, 의무, 책임감, 윤리 규정과 같은 추상적 개념에 대해 추론할 수 있다(Narvaez, 2006).

윤리적 결정을 실행함에 있어서 학생들이 기술(skill)들을 발달시킬 수 있도록 돕기 위해, 이 책자는 사례에 몰입하는 수준에서부터 지식과 절차를 통합하는 수준에 이르기까지 일련의 활동들을 제공한다. 중간 수준의 활동에서, 학생들은 전형적인 상황에 익숙해지고 지식 기반을 세울 수 있기 위해 사실과 기술에 주목하도록 안내된다. 복(Bock, 2001)은 학생들에게 사회복지와 관련된 장소에서 일하는 성인을 면접하도록 권장할 수도 있을 것이라고 제안하는데, 이런 장소에서 성인들은 윤리적 결정을 내린다. 학생들은 전문가가 내리는 도덕 결정의 유형을 기록하고, 어떤 계획하기가 이뤄지는지, 그리고 어떤 결정들이 가장 어려운지에 대해 기록하며, 그 학급에 다시 보고하도록 요구받을 것이다.

윤리적 동기화. 그 시리즈의 세 번째 권에서, 라이스와 나바에츠(Lies & Narvaez, 2001)는 윤리적 동기화를 "다른 목적과 필요보다 윤리적 행동을 우선시하는 것"(p. 5)으로 정의한다. 이에 따라 이 책자에서 그들은 타인을 존중하고 도우며, 협력하고, 책임감 있게 행동하며, 양심을 계발하는 윤리적 기술을 발전시키는 활동들을 개발했다. 이후에 **윤리적 초점**(ethical focus)으로 명칭이 변경되기도 한 윤리적 동기화에서 전문가는 학생들이 윤리적 목표에 우선성을 부여하는 윤리적 자기 조절 능력을 함양하게 한다.

각 워크북에서 교사들은 이런 요소들이 상호 구축될 수 있어야 한다는 점을 떠올리게 된다. 예를 들어, 타인을 돕기 위해서 학생들은 상대방의 필요를 확인하고 타인의 관점을 취할 뿐만 아니라(윤리적 초점 기술) 타인을 배려하기 위한 기술(윤리적 동기화)을 개발해야 한다. 조력 기술의 개발을 지향하는 고급 활동으로, 라이스와 나바에츠는 한 학급에서 곤경에 처한 다른 나라 아이 한 명을 입양하기로 결정할 것을 제안한다. 학생들은 비용을 계산하고 기꺼이 돈을 벌거나 모금하는 것에 동의해야 할 것이다. 그 결정이 내려짐과 동시에, 그들은 자신들의 아이에게 편지를 쓸 수 있다.

윤리적 행동. 마지막 활동 책자는 대부분의 인격교육 프로그램의 지향점 — 실제의 도덕적 행동 — 인 중추적 구성 요소에 주력한다. 나바에츠와 동료들(2001)은 행동을 실행할 지식을 갖는 것과 "장애물과 곤경에도 불구하고 완수하는 것"(p. 5)으로 윤리적 행동을 정의한다. 이 구성 요소에 필요한 기술들은 인내, 용기, 의사소통, 그리고 근면을 포함한다. 원숙한 전문가의 수준에서, 개인들은 "과제에 머물면서 윤리적 과제가 완수되도록 필요한 조치를 취하는" 방법을 안다(Narvaez, 2006, p. 716).

내 생각에, 이 마지막 구성 요소에서 윤리적 기술을 계발하는 것은 중학생들에게 특히 쉽지 않다. 그들 중 많은 학생들이 청소년기로 이행하는 중이고, 너무 불안정해서 특히 또래 상호작용에서 장애물과 도전들에 직면하기를 요하는 이 같은 도덕적 용기를 단련시키지 못한다. 그러나 청소년기 초기의 불가피한 갈등과 문제를 해결하기 위해 학생들에게 기술의 기초를 가르치는 것은 중요하다. 간단하지만 효과적인 활동(교사들과 학생들 모두에게 똑같이 인기가 많음)에는 학급 토론을 준비하기 위한 영화 보기가 포함된다. 네 번째 활동 책자에서 나바에츠 등(2001)은 개인 간 갈등에 대한 영화 보기, 각 당사자의 관점 논의하기, 그리고 그 결과가 성공적이었는지 평가하기를 추천한다. 그런 다음 학생들은 대안적 결과를 기술하도록 요구받는다.

미디어에서의 도덕성

교사에게 하나의 실천적인 문제는 인격적 강점과 의미심장한 도덕적 딜레마의 측면을 묘사하고 있는 가장 우수한 영화들 중 많은 작품들이 아마도 미성년자 관람 불가 등급일 것이고, 그래서 학교 방침에 의해 교실용으로 금지되어 있다는 점이다. 운 좋게도, 기술적으로 요령 있는 교사들은 부모 지도하 관람가 부분을 발췌하기 위해 유튜브나 다른 사이트를 종종 사용할 수 있다. 예를 들어, 내가 토의용으로 좋은 영화에 대해 생각 중이었을 때, 나는 〈나의 보디가드(*My Bodyguard*)〉(Simon & Bill, 1980)가 생각났고, 쉽게 "약자 괴롭히기"의 상징이 되는 장면을 찾았는데, 그 장면에서 뼈만 앙상한 주인공과 그의 보디가드가 그들을 계속 괴롭혀 왔던 녀석을 꺾어 버린다. 이것을 보는 것은 나에게 어떠한 아동이 어떠한 상황에 있는가에 대해 아는 것의 중요성을 상기시켰다. 그 장면은 약자를 괴롭히는 것과 복수에 대해 성숙한 학생들 사이에서 토의를 생성하는 멋진 가능성을 지녔지만, 나는 이것이 많은 중학교 학생들에게 "눈에는 눈"이라는 2단계 도덕 추론이라는 불에 기름을 끼얹는 것이 될 뿐이라고 의심했다. 토의용으로 많은 가능성을 지닌 영화 두 편은 다음과 같다.

(도덕적 용기와 관련하여): *Hotel Rwanda* (George & George, 2005)

(인내심과 정의와 관련하여): *Searching for Sugarman* (Bendjelloul, Chinn, & Scheldt, 2012)

강점과 도전. 통합적 윤리 교육은 확실하고 잘 지지된 이론과 연구의 토대에 근거하고 있다. 이 프로그램은 실천적 교사들로부터 광범위한 피드백을 받고 설계 및 실행되었으며, 최고의 연구진에 의해 신중하게 평가받은 것이다. 교사들이 윤리적 기술 요소들을 학교 교육과정 내에 통합시킴에 따라, 이들은 선택 가능한 다수의 활동들을 활용할 수 있다. 이 혼합 모델은 도덕적 덕과 도덕적 추론 양자 모두를 가르치는 것을 지지하며, 그리고 이러한 방향은 분명히 오늘날 실제로 부상하고 있는 공통된 합의점이다. 효과적인 인격교육은 인격의 특성 혹은 도덕적 추론 사이의 강제된 선택이어서는 안 된다. "지적으로 뛰어나고 인격적으로 훌륭한" 학생들을 육성하고자 하는 학교들(Berkowitz & Bier, 2006; Lickona & Davidson, 2005)은 광범위한 목표를 달성하기 위해 복합적인 방법을 사용한다. 통합적 윤리 교육은 중학교(10-13세) 수준을 위한 효과적인 방법과 분명한 목표를 지닌 구체적인 사례를 제공한다.

이 모델에 대한 도전은 영리 회사들이 자신들이 개발한 지나치게 단순하고 비이론적인 패키지와 프로그램을 (연구자들이 어떻게 할 수 없는 방식으로) 교사들과 학교 시스템에 침투시킬 수 있는 능력을 가지고 있다는 것이다. 교장과 교사들은 통합적 윤리 교육 모형에 대해 듣는 것보다 상업적 프로그램을 판매하는 화려한 안내 책자를 얻을 개연성이 높다. 여기에 인격교육 파트너십(Character Education Partnership)과 CASEL(Collaborative for Academic, Social & Emotional Learning; 추가 자료 섹션에서 소개됨)과 같은 기구들이 긍정적으로 관여하고 있다. 이들 웹사이트와 그들이 주관하는 학회에 참석함으로써 참가자들은 온전한 이론과 연구에 근거하고 있는 최선의 실천에 대해 그들 자신을 교육할 수 있다.

새로운 방향

이론과 연구는 우리에게 실천을 위한 영향력 있는 수단을 제공한다. 그러나 교육 실천 분야는 정치적이고 문화적인 바람이 이동함에 따라, 가끔 "지금 유행하는" 어떤 것으부터 다른 것으로 표류하는 것처럼 보일 수 있다. 미국에서(그리고 많은 서양 국가에서), 1960년대의 사회 변화의 움직임은 더 넓은 문화에서뿐만 아니라 교실에서도 혁신과 자유사상(선과 악 양자 모두를 향해)을 고무시켰다. 그 후 "어른이 가장 잘 아는" 기본으로 돌아가야 한다는 보수적인 1980년대와 1990년대는 규칙과 선한 행위에 초점을 맞춘다. 보다 최근인 세기의 전환기에는 예술, 인문학, 그리고 사회 정서 학습 프로그램을 위한 시간을 종종 밀어냈던 고부담 시험(high-stakes testing) 시대에 얻었던 "가치가 부가된" 결과들에 기업이 주력한다.

이 텍스트를 집필하는 나의 핵심 목적 중에 하나는, 교육대학 학생뿐만 아니라 부모이거나 부모가 될 여러분 모두에게, 선한 아동들을 키우는 것보다 사회를 위해서 더 중요한 것은 드물다는 것을 소개하기 위해서다. 우리는 대중매체에 흠뻑 젖은 문화 속에서 학교와 부모가 학생들이 수용하는 도덕적 메시지의 유일한 원천이 아니라는 것을 안다. 그러나 훌륭한 도덕교육 프로그램은 학생들이 이 다양한 메시지를 평가하고 대중문화를 지배하고 있는 흔히 얕고 물질적인 관점들을 초월하는 데 필요한 비판적 사고와 윤리적 기술들을 계발하도록 도울 수 있다. 여러분은 내가 다른 관점들보다 정의 공동체 학교 부분에 훨씬 더 많은 지면을 할애했다는 것을 알아차렸을지도 모른다. 거기에는 이유가 있다. 도덕 발달 및 도덕교육 분야에 종사하는 우리들 중 많은 사람들이 정의 공동체 모형을 아마도 사회 정서 발달 및 도덕 발달 촉진을 지향하는 최선의 그리고 가장 강력한 개입으로 간주하게 되었다. 이것은 쉬운 모델이 아니다 — 올바르게 이해하기 위해서 막대한 양의 시간, 에너지, 열정, 그리고 헌신을 필요로 한다. 그러나 우리가 이를 정말로 올바르게 이해할 때, 우리는 청소년들의 삶을 탈바꿈시킬 수 있다. 우리는 정의 공동체에 참여한 경험이 스카즈데일 대안학교 졸업생의 삶의 과정에 어떤 영향을 미쳤는가라는 우리의 질문에 대한 응답으로부터 800쪽 이상의 질적 자료(Horan et al., 2010; Vozzola et al., 2009)를 수집했다. 그 자료들을 읽는 것이 나의 직업적 삶에서 가장 가슴 뭉클하고 보람 있는 일 중 하나였다.

스카즈데일 대안학교에 다녔던 학생들 — 그들 중 일부는 40년 전에 다녔다 — 이 반추(reflection)한 것으로부터 내가 깨달았던 것은, 충분히 장기적이고 강력한 도덕교육 모델은 배려하고, 정의로우며, 실질적인 민주적 시민을 형성함에 있어서 영향력 있는 역할을 한다는 것이다. [이는] "우리는 우리가 행하는 것이 된다"는 발달 신조를 진술한다. 그리고 우리의 조사에 응답했던 학생들은 직접민주주의에 참여하는 것을 통해서 더욱 훌륭하고 참여적인 시민이 되었으며, 다양한 관점에 귀를 기울이는 것을 통해서 더욱 훌륭한 청자가 되었고, 봉사에 참여하는 것을 통해서 더욱 훌륭한 시민이 되었으며, 가치 주입식 교육과정에 대한 지속적인 도전을 통해서 더욱 훌륭한 사색가가 되었다고 보고했다. 오늘날 미국은 고부담 시험에 막대한 양의 시간, 돈, 그리고 노력을 쏟고 있다. 만약 우리가 우리의 아동들이 지적으로 뛰어나고 선하도록 진정으로 돕고자 한다면, 주지하는 바와 같이 학문적인 성공과 인생의 성공 양자 모두를 위해 필수적인 인격 특성과 추론 기술을 발달시킬 수 있도록 정의 공동체 접근과 같은 최선의 사회-정서적 도덕교육 프로그램을 활용하는 방향으로 시대가 나아가야 할 것이다.

토론 문제

1. 2012년, 코네티컷 주에 있는 월컷 고등학교에서 동성 결혼 반대를 항변하던 어떤 17세 학생이 그 학교의 침묵의 날(Day of Silence: 남자 동성애자, 여자 동성애자, 그리고 성전환 청소년 학생에 대한 차별, 괴롭힘 등을 비난하며, 성 소수자를 지지하는 날)에 무지개를 관통하는 사선 문양의 티셔츠(전형적인 "No" 아이콘)를 직접 만들어 입고 나타났다. 흥미롭게도, 법원은 그 쟁점에 대해 그가 언론 자유의 권리를 가졌다는 이유에서 그렇게 할 그의 권리를 지지했다. 만약 여

러분이 이 학교의 교장이라면, 이 학생과 그의 친구 중 19명이 "동성 결혼 반대" 셔츠를 입은 채로 참석할 작정이라고 선언한, 다가오는 침묵의 날을 어떻게 계획하고 조직하겠는가?

2. 여러분은 간단한 구글 검색을 통해서 "예수를 위해 마약을 한다(Bong Hits 4 Jesus)" 사례에 대한 대법원의 판결과 그 근거를 쉽게 찾을 수 있다. 정의 공동체 학교에서 교사와 행정가는 이 상황을 어떻게 다루었을 것이라고 생각하는가?

추가 자료

다음은 교육 분야에 진출하는 학생들에게 특히 도움이 된다고 여겨지는 텍스트와 웹사이트 들이며, 도덕교육 영역에서 많은 권위자들이 기여한 뛰어난 안내서이기도 하다.

실천 지향적 자료

- 인격교육 파트너십(Character Education Partnership: CEP). www.character.org/. 파트너십의 사명은 윤리적 시민을 육성하기 위해 비전, 통솔력, 그리고 학교, 가족, 그리고 지역사회를 위한 자료를 제공하는 것이라고 진술한다. 광범위하고 쉽게 찾아볼 수 있는 이 웹사이트들은 교사들과 학교 시스템들이 인격교육 프로그램 시행을 고려할 때 방문해야 할 첫 번째 플랫폼이 되어야 한다.
- CASEL(Collaborative for Academic, Social, & Emotional Learning). www.casel.org. 여러분은 신뢰할 수 있는 이 기관의 사이트에서

정보와 자원의 보고를 찾을 수 있을 것이다. 예를 들어, 그 사이트를 살펴보기 위해 잠깐의 시간을 내게 되면, 여러분을 다음과 같은 곳으로 안내할 것이다.

- 비디오 게임의 도덕적 내용에 대한 언급 없이 비디오 게임이 뇌에 미치는 효과에 대한 17분의 TED 강연. 중학교나 고등학교 학생들과 비판적 사고 토의(무엇이 삽입되었나요? 무엇이 생략되었나요?)를 시작할 멋진 기회다. www.schoolleadership20.com/video/your-brain-on-video-gamess-daphne-bavelier
- 응용 발달론자인 브리티시 컬럼비아 대학의 킴벌리 쇼너트-라이클(Kimberly Schonert-Reichl) 박사가 제작한, 사회 정서 학습에 대한 교사 친화적 도입으로 시작하는 Taxi Dog 동영상(청소년 학생들과 함께) 활용 비디오 세트와 연결. http://taxidogtv.com/educational_value.php

◦ 유아교육 학생들과 실무자들은 다음에서 교실의 생각에 대한 풍부한 자료를 찾을 수 있을 것이다.

- DeVries, R., & Zan, B. (1994). *Moral classrooms, moral children: Creating a constructivist atmosphere in early education*. New York, NY: Teachers College Press.

◦ 초등학교와 고등학교 교실 모두를 위한 모범적인 활동의 구체적인 사례들을 제공하는 또 하나의 탁월한 자료는 다음과 같다.

- Likona, T. (2004). *Character matters: How to help our children develop good judgment, integrity, and other essential virtues.* New York, NY: Touchstone Books.

◦ 만약 여러분이 영역 접근을 이용하면서 도덕 발달을 촉진시키는 방법을 알고자 한다면, 다음을 맘껏 즐길 수 있을 것이다.

- Nucci, L. (2009). *Nice is not enough: Facilitating moral development*. Upper Saddle River, NJ: Pearson.

연구-지향 자료

◦ 인격교육에서 무엇이 효과가 있는가? 인격교육 파트너십(CEP)을 통해 업로드하면 여러분은 인격교육 활동의 효과에 대한 가장 영향력 있고 포괄적인 연구들 중에 하나를 이용할 수 있다. www.character.org/uploads/PDFs/White_Papers/White_Paper_What_Works_Policy.pdf

◦ Nucci, L., & Narvaez, D. (2008). *The handbook of moral and character education*. New York, NY: Routledge. [여기에 실린] 장들의 주제에 대해 더욱 포괄적인 조사를 하고자 하는 독자들은 이 책이 교실 안팎 모두에서 도덕교육에 대한 전통적 접근과 동시대의 접근을 검토하는 매우 유용한 논문 편집본이라는 것을 알게 될 것이다. 그 편집자들은 그들의 특정한 전문 영역에서 연구와 실천에 대한 개관에 기여하기 위해 그 분야의 많은 권위자들을 초대했다. 여러분은 도덕교육 이론, 실천, 그리고 평가에 대한 탁월한 현재의 요약을 찾을 수 있을 뿐만 아니라, 만약 여러분이 논문이나 발표를 위해 특정한 주제를 탐색해야 한다면, 여러분은 또한 각 장의 말미에 있는 참고 문헌을 이용할 수 있을 것이다. 예를 들어, 이 장에서 논의된 도덕교육 주제에 대한 광범위한 적용 범위에 더하여, 이 책은 봉사 학습, 스포츠를 통해 인격 계발하기, 대학생의 도덕성 및 시민성 발달 촉진하기에 대한 장들을 포함하고 있다.

9. 발달적 치료

*

내담자의 핵심 도덕 문제 해결을 위한 지원

> 분명히 인간의 성장과 발달을 증진하는 방법과 같은 복잡한 영역에서는 더 많은 응용 연구 … 그리고 전문적인 조력자를 만들기 위해 설계된 교육 프로그램이 절실히 필요하다. 역할 채택 프로그램은 정신적인 성숙이라는 일반적인 목표를 성취하는 수단으로서 변화와 발전을 하도록 해준다. 학교, 대학, 또는 전문적인 교육 프로그램의 전통적인 교육과정은 인간관계와 도덕적인 판단에 관한 문제를 아주 드물게 다룬다.
>
> (Sprinthall, 1994, p. 97)

학교 시스템 내의 인격교육 프로그램의 부상과 종종 상담으로 이어지는 (비)도덕적인 행동(예를 들어, 약물 남용 또는 과음, 불성실, 분노, 공격적인 행동, 부적절한 행동, 규칙/법률 위반)의 중요성을 고려해 볼 때, 당신은 조력 전문가들이 도덕 발달 이론과 연구에 관한 강도 높은 기초 훈련을 받을 것이라고 생각할지도 모른다. 하지만 유감스럽게도 실상은 그 반대다. 현재의 인증 지침은 대부분의 대학원 상담 교육과정이나 임상심리학 교육과정 중에 인간 발달 수업에서 도덕 발달에 관해 간략한 개요 그 이상의 내용은 거의 다루지 않는다. 하지만 아주 유명한 상담 교육자인 노먼 스프린탈(Norman Sprinthall)이 "테이블에서 치우지 말고 그대로 두어라"고 역설한 바와 같이, 몇몇 교수와 프로그램은 차세대 상담가와 연구원들에게 도덕 발달의 관점을 실천의 문제에 적용하기 위한 연구를 장려함으로써 도덕 발달의 중요성을 주장하고 있다.

이 책의 제한된 지면으로 인해 도덕 발달과 상담에 관한 종합적인 실태 조사를 할 수 없기 때문에, 나는 특히 유용한 몇 개의 적용에 관해서만 초점을 맞추고자 한다. 이번 장에서는 먼저 도덕적인 성장을 증진하는 고전적인 접근법인 스프린탈의 숙고적 심리 교육(Deliberate Psychological Education: DPE) 모델을 확인할 것이다(Sprinthall, DeAngelis Peace & Davis Kennington, 2001). 다음으로, 우리는 다섯 명의 혁신적이고 영향력 있는 발달 관련 상담가의 주요 관점을 살펴볼 것이다. 그리고 마지막으로 도덕 발달이 상담으로 이어지는 핵심적인 문제에 영향을 주는 방법을 한데 모으는 것으로 끝낼 것이다.

발달적 상담

> 인지 발달 구조의 핵심은 … 그것의 의미 구성의 단계나 순서를 기술하는 능력보다는 성격 발달의 근본적인 배경이 되는 보편적인 과정("의미 형성," "적응," "균형," 또는 "진화")을 분명하게 밝히는 능력에 있다.
>
> (Kegan, 1982, p. 264)

키건(Robert Kegan)의 자기 발달에 관한 영향력 있는 개념은 치료 과정 중에 종종 알아보는 인간 발달의 핵심적인 의미 형성 과정에 관한 관점을 접목한다. 아래에 기술한 대부분의 전문가들과 마찬가지로, 그가 목표로 하는 상담의 방향은 두 가지 주요 가정을 기초로 한다. 즉, (1) **구성주의**(인간은 그들의 실재를 구성하고)와 (2) **발달주의**(시간이 경과함에 따라 인간이 진보하거나 성장하는 패턴을 관찰할 수 있다). 상담 행위에 가장 많은 영향을 주는 의미 형성에 집중된 수많은 상담 구조는 새로운 정신분석 학파(예를 들어, 안나 프로이트, 에릭 에릭슨)와 실존적-현상학적 전통(예를 들어, 칼 로저스, 에이브러햄 매슬로)의 성향을 보였다. 키건(1982)은 정신분석 이론이 현재의 교육 기관에는 거의 영향을 주지 못하고 있지만, 많은 병원과 진료소에서는 이것을 통한 행위가 계속되고 있다는 점을 언급하고 있다. 그에 반해서, 대표적인 전통 학문 연구 방식인 인지 발달주의는 상담 분야에서 제한된 영향만을 주었다. 하지만 도덕 발달의 중요성을 주장해 오던 상담가와 상담 교육자 중에는 이러한 연구를 통해 상담 행위를 하기도 한다. 중점을 두는 부분에 차이가 있기는 하지만, 다음에서 논하는 실례가 되는 전문가들은 모두 환자의 발달 정도를 위한 자극과 지원의 최적의 수준을 제공하기 위해 상담 방법과 기술을 조정해야 하는 중요성에 주목하고 있다.

키건(1982)이 단계의 중요성을 경시하고 의미 형성의 발달을 강조하는 반면에, 다른 사람들은 피아제, 에릭슨, 콜버그 그리고 로에빙거(Loevinger)와 같은 사람들의 주요 인지 발달 단계 이론을 분명하게 고려하고 있다. 다음의 몇 가지 구체적 상담 방법과 예방 방법을 꼼꼼히 읽고 피아제 이론의 스키마 또는 일반적인 지식 구조의 개념에 관해 생각하기 시작하면, 몇 가지 다양한 관점에 대한 일치에 도달할

지도 모른다. 인간의 물리적이고 사회적인 세계의 의미 형성이 실제로는 우리 몸에 내장된(hardwired) 것이라면, 스키마와 의미 형성 구조가 발달 중에 부적합해지고, 부적응 상태이며, 손상된 환자를 상담가와 치료 전문가들이 도울 수 있는 최고의 방법은 무엇일까?

노먼 스프린탈(Norman Sprinthall): 스프린탈 등(Sprinthall et al., 2001)은 방대한 양의 연구를 통해 인지 발달 모델이 세 가지 가정에 기초하고 있다고 생각한다.

1. 인간은 구조적인 단계를 통해 발달하는 인지 과정을 사용해 그들의 일상적 경험으로부터 의미를 구성한다.
2. 이러한 인지적인 구조는 단순한 생각에서 복잡한 생각으로의 위계적이고, 불변하며, 계열적인 방식으로 발달한다.
3. 단계적 성장은 사람이 환경과 상호작용하는 일생 동안 발생하고, 따라서 문화와 민족성과 같은 요소에 영향을 받는다(p. 112).

스프린탈과 그의 동료인 모셔(Ralph Mosher) 그리고 콜버그에게 이러한 가정은 인지 발달 성장을 증진하는 근본적인 예방 조치의 발달 가능성을 시사했다. 시작 단계에서부터 많은 실패를 거듭한 끝에, 스프린탈과 모셔는 고등학생들에게 기본적인 상담 기술을 가르치고 중요한 역할 채택 경험의 기회를 제공했으며, 학생들이 그러한 경험을 되돌아보도록 하는, 그 당시에는 혁신적이었던 발전을 보였다. 고등학생, 교육 실습생, 실습 중인 상담가, 그리고 숙련된 조력자를 대상으로 수십 년간 철저하게 평가된 연구를 통해 역할 채택 활동과 전통적인 개인 상담 방법, 그리고 집단 상담 방법의 유효성이 입증되었다.

숙고적 심리 교육(DPE) 모델은 상담가가 다음과 같은 조건들 속에서 역할 채택 활동을 하도록 했을 때 환자의 발전이 최상으로 발생한다고 여기고 있다.

- **의미 있는 역할 채택 경험** — 환자들이나 학생들을 더 종합적인 방법으로 생각하도록 "만드는(nudge)" 복잡한 상황 속에 두어야만 한다. 예를 들면, 고등학생들은 퇴역 군인을 상대로 그들의 경험에 관한 인터뷰를 진행할지도 모르고, 아니면 수습 상담가들에게 그들이 인턴으로 근무하는 학교를 위한 최적의 발달 훈련 프로그램을 만들도록 할지도 모른다. 우울한 상태에 있는 환자를 대상으로 도움이 필요한 다른 사람들을 위한 의미 있는 자원 봉사활동을 하도록 권장할지도 모른다.
- **안내된 성찰** — 일지와 토론을 통해 상담가/감독관은 발달에 관한 적합한 피드백을 제공할 수 있다. 레이만과 티즈-스프린탈(Reiman & Thies-Sprinthall, 1998)이 진행한 대화 중심적이고 발달에 기초를 둔 성찰 유도 연구는 DPE의 이러한 구성 요소를 최적화하는 구체적인 정보를 제공한다. 그들의 연구를 통해, 복잡한 새로운 역할을 채택한 다음 비평형 단계로 언제 들어가게 되는가에 대한 관련 일지를 작성하는 것이 필요하다는 점을 입증했다. 그들은 감독관/상담가와 인턴/환자의 친밀하고 진심 어린 관계의 중요성과 지원(당사자의 현재 발달 단계의 이해)과 자극(더 깊고 복잡한 생각을 증진시키는 반응)의 조화의 필요성을 강조한다.
- **성찰과 경험의 균형** — 경험을 하고 난 후에 성찰하고 자기 분석하는 일련의 정기적인 과정(종종 주 단위로 하는 것이 이상적) 이후에 학생 또는 환자의 새로운 역할에 대한 적응 정도를 계속해서 확

학문 분야 리더들과의 인터뷰: 노먼 스프린탈(Norman Sprinthall)
노스캐롤라이나 주립대학교 상담교육 명예 교수

교수로 재직한 지난 50여 년간의 시간을 돌아보면, 두드러지게 중요하면서도 서로 관련이 있는 세 가지 주제가 있다. 콜버그, 모셔, 그리고 티즈-스프린탈과의 동료 관계가 그것이다. 처음에, 나는 그 당시의 많은 상담 이론에 불만을 갖고 있을 때 케임브리지에 도착한 콜버그를 만났다. 다소 아이러니하게도, 나는 빌 페리(Bill Perry)의 연구에 관한 통계 분석을 하고 있었다. 이것을 통해 나는 제인 로에빙거, 데이비드 헌트, 피아제 그리고 그 이전의 다른 사람들과 같은 내용을 발견했다. 박사후 과정에 대해 얘기해 보면, 나는 이러한 다면적인 이론들이 중복된다는 사실을 깨달았고, 행동주의, 이론적 구조보다 관찰과 자료 수집에 치중하는 경험주의와 심지어 인본주의적인 이론으로부터 응용심리학을 분리시켰다. 나는 그 당시 칼 로저스 이론과 인지 발달에 관심이 있었다. 그리고 나중에 콜버그의 영향을 받아 인지 발달을 연구하게 되었다. 이러한 동료 관계는 오랫동안 계속되었고, 분명히 나의 연구에 도움이 되었다.

또 다른 우연한 관계는 하버드에서의 두 번째 해에 훌륭한 친구인 랠프 모셔(Ralph Mosher)를 만나면서 시작되었다. 나는 랠프를 통해 듀이의 학습 개념의 중요성을 알게 되었을 때 곧 상호 보완의 의미를 깨닫게 되었다. 나는 지금도 나의 머리와 마음속에서 그가 "교육 분야를 무지한 상태로 두어서는 안 돼," 그리고, "우리는 상담소가 아닌 학교와 교실에서 일해야만 해"(예를 들어, Little White Clinic이 아닌 Little Red School에서)라고 말하는 것이 들린다. 그 결과, 우리는 최고의 방법을 위한 기나긴 일련의 실험을 시작했다. 우리는 실습을 통해 교육 이론을 얻고자 시도했다. 우리는 여러 번 실패했고, 랠프는 "또 아깝게 실패했네"라고 말하곤 했다. 그러면서 우리의 역할 채택 프로그램의 성공이 점차 부각되기 시작했는데, 청소년이 심리학자가 되어서 또래를 상담하고, 나이 경계가 없는(cross-age) 수업을 진행하며, 그 외 여러 활동(인간의 성장을 증진하는 다섯 가지 상황)을 했다. 이것은 또한 메타 분석을 통해 결과를 입증하는 긴 일련의 조사 연구를 포함했다. 우리의 연구를 확실히 해 주는 발달의 여러 지표로부터 나온 종속 변수들이 캠벨(Campbell)과 스탠리(Stanley)가 진행한 연구를 증명했다. DPE는 20년간의 연구 실적이 증명하듯이, 계속 잘 유지되었다.

세 번째 중요한 사건은 직업에 종사하는 성인을 대상으로 하는 사회적인 역할 채택의 확대였다. 나의 가장 가까운 직업적인(그리고 사적인) 동료인 티즈-스프린탈은 교사 멘토 프로그램에서 선두에 있는 사람이었다. 교육학은 경험 많은 교사들의 발달 수준의 조화 및 부조화에 대한 행동-숙고와 평행을 이루었다.

물론, 현재 이러한 모든 발달 프로그램은 역할 채택, 딜레마 토론, 또는 광범위한 교육과정의 변화(학교 안의 학교)와 같은 상당한 장벽이 존재한다. SAT에 대한 집착, 상담가의 자리 감축, 연구 개발(R&D) 비용의 삭감, 봉사 학습 서식의 유행(저렴한 가격의 경험 학습), 주간 인격교육의 효과를 보면, 핫숀과 메이(Hartshorne-May) 이전 시대로 돌아간 것 같다. 하지만 나는, 프리다 프롬-라이히만(Freida Fromm-Reichman)에 대한 사과와 함께, 그렇다고 우리가 확실히 안락하게 살았다고는 말할 수 없다. 우리가 살던 시대에는 인종차별과 성차별이 만연했고, 가치 명료화에 관한 상대주의적인 메시지가 도처에 있었다. 전문 기관인 APA와 ACA(옛 명칭은 APGA)는 청소년을 위한 심리 상담에 관한 우리의 관점이 널리 퍼지도록 만들지 못했다. 기관에 종사하는 사람들 또한 그랬는데, 그들은 우리를 그들의 개인영업에 위협이 되는 존재로 여겼다. 하지만 오늘날의 전인교육은 적어도 예전만큼 중요하다. 따라서 해리엇 터브먼(Harriet Tubman)이 다른 더 어려운 맥락에서 말한 것처럼, 포기하지 않는 것이 대단히 중요하다. 그 대신에, 그녀가 말한 것처럼, "계속 나아가야 한다." 나 또한 현재와 미래의 저의 동료들에게 말한다. "계속하십시오. 희망의 빛은 여러분의 손에 달려 있습니다." 저의 마지막 말을 기억하십시오. 예방! 예방! 예방!

(N. Sprinthall, 개인 교신, 2013년 5월 13일)

인한다.

지원 및 도전 — 이러한 발달에 관한 신조는 새로운 역할을 맡은 사람들이 그들의 기량 수준과 대처 능력을 자극할지도 모르는 새로운 요구를 충족하기 위해 노력할 때, 새로운 역할로 인해 비평형 상태가 된다는 사실을 강조한다. 따라서 상담가 또는 감독관은 개인이 도움을 필요로 하는지 판단할 필요가 있고, 적절한 수준의 지원과 도전 모두를 제공한다.

계속성 — 흔히 관리 의료의 통제 속에 있는 치료 환경과 자금 지원 없이 의무에 휘청거리는 학교 시스템 속에서, 상담가들은 종종 간단한 치료만을 실시할 것과 중대한 문제를 다루는 데 있어 천편일률적인 학교 조례만을 준비하도록 강요받고 있다. 그렇기는 하지만, 50년이 넘는 연구를 기초로 한 상식적인 사실에 따르면, 발달은 사건이 아닌 과정이다. 또 시간이 걸리는 일이기도 하다. 스프린탈과 그의 동료들은 인지/도덕의 구조적인 변화는 6~12개월 동안 계속적인 경험(주 단위로 하는 것이 이상적)을 필요로 한다는 사실을 발견했다.

리처드 헤이스(Richard Hayes): 헤이스(1994)는 도덕 발달 촉진에 관한 콜버그의 관점이 상담 치료에 적용될 수 있고 또 적용되어야 한다고 주장한다. 콜버그는 민주주의가 발달을 자극하는 가장 효과적인 배경을 제공했고 따라서 상담가들에게 집단을 대상으로 일할 것을 촉구하는데,

그렇게 함으로써 집단 구성원들에게 주입하고자 하는 믿음과 민주적인 과정에 대한 믿음을 지속적으로 입증할 수 있다고 강하게 믿고 있었다.

> 당신의 권위는 … 객관적인 중재자로서의 능력, 공정성과 책임감에 대한 우리의 강조, 공정성을 위해서는 인기 없는 논점과 개인까지 기꺼이 지지하는 마음, 그리고 각각의 공동체 구성원의 도덕 발달을 위한 적절한 인식에서 비롯된다.
>
> (Kohlberg, Kauffman, Scharf, & Hickey, 1974, p. 111, Hayes 1991에서 재인용)

헤이스(1991)는 콜버그와 동료들이 윤곽을 그린 도덕적인 변화와 발달을 위한 조건들이 상담가를 위한 장래성 있는 지침을 제공할 것으로 생각하고 있다. 도덕 발달을 증진하기 위해 상담가는 다음 조건들에 주의를 기울여야 한다.

- **공정성과 도덕성의 고려** — 구체적으로 말하면, 내담자들은 그들의 논리와 행동 사이의 관계를 확인하고 이전의 도덕적인 결정에 따른 행동의 결과를 되돌아봄으로써, 그들에게 생긴 일에 관한 도덕적 측면을 고려하도록 장려되어야 한다. 예를 들면, 상담가는 다음을 언급할지도 모른다. "지난 2주 동안, 우리는 네가 방과 후에 남아 있는 걸 얼마나 싫어하는지에 대해 이야기했고, 네가 수업을 빼먹거나 종이를 씹어 뭉쳐서 던지는 등의 행동을 할 때 무슨 생각을 하는지에 대해서도 조금 이야기를 했어. 나는 네가 규칙이 존재하는 이유가 무엇이라고 생각하는지 궁금해. 어떻게 생각하니?"
- **인지 갈등으로의 노출** — 인지 발달주의자는 새로운 정보가 더 이상 기존의 사고방식에 들어맞지 않을 때 성장이 이루어진다고 생각한다. 따라서 상담은 환자들에게 미숙하거나 적응성이 없는 사고 패턴을 자극하는 다른 관점에 노출시키는 것을 그 목표로 한다. "네가 말한 대로라면, 너의 새로운 친구인 칼(Carl)은 정말 멋진 친

구구나. 너와 같은 장르의 교육을 좋아하고, 유머 감각도 뛰어나고, 그리고 언제나 친구들이 있는 곳에 기꺼이 함께 하고 말이야. 근데 네 친구는 그런대로 냉철하고 여전히 규칙을 따르는 사람인 것 같아. 한 번도 방과 후에 남거나 정학 처분을 받은 적이 없다고 했잖아? 너는 그 친구가 규칙에 대해 어떻게 생각하는 것 같아? 무엇 때문에 그는 수업을 빼먹지 않는 것 같아?"

- **역할 채택 기회** — "옳거나 공정하거나 좋은 것을 결정하는 데 있어 다른 사람들의 관점을 점진적으로 받아들이게 하는 성숙함 아니면 능력은 무엇입니까?"(Hayes, 1994, p. 264). 헤이스는 콜버그주의자의 관점을 통해 '집단 상담'이 전적으로 사회적인 부분에 있어 문제가 있는 내담자에게 최고의 장소일지도 모른다는 점을 언급하고 있다. 잘 운영되는 집단은 참가자들이 핵심적인 문제를 논하거나 그들 자신과 다른 사람의 행동이 집단 구성원들에게 어떻게 받아들여지는지를 생각해 보는 과정에서 다른 사람들의 입장을 취해 보도록 장려한다.
- **적극적인 의사 결정 참여** — 상담 회기에 참여하는 행동 그 자체로 환자들이 나아가야 할 치료의 방향이 제공된다. 행동주의자(activist)의 전략을 사용하기도 하는 숙련된 상담가들은 항상 환자들이 그들 자신에게 좋은 의사 결정을 하도록 돕는 것을 그 목표로 한다. 대표적인 시작 질문(우리가 마지막으로 이야기를 나눈 이후에 좀 어떻습니까?)을 통해 환자는 그 순간 가장 두드러져 보이는 문제와 사건을 선택하여 말한다.
- **더 높은 사고 수준에의 노출** — 교육적인 개입에서 발달된 "플러스 원(plus one)" 전략을 가지고, 헤이스는 다음과 같이 제안한다. 상담가는 환자들의 주장을 명확하게 할 뿐만 아니라(적극적인 경청),

그들이 약간 더 인지적으로 복잡한 수준의 주장을 할 수 있도록 유발한다. "그래서 학교에서 만약에 누군가 너에게 공격적이거나 시비조로 대하면 너는 그 사람에게 더 공격적이거나 시비조로 대응한다는 말이구나. 근데 나는 네가 더 너그러운 사람이라는 것을 보여주는 다른 전략을 썼다면 어땠을까 하는 생각이 들어. 가령, 놀이터 싸움 같이 애들이나 하는 시시한 것에 허비할 시간이 없다고 생각하는 사람처럼 말이야."

- **지적 자극** — 인지 발달과 역할 채택 능력이 도덕 발달에 있어 필요한 만큼 충분하지 않은 경우에는, 독서 요법, 정보 제공, 그리고 상담가의 자기 개방(self-disclosure)과 같은 상담 기술들이 삶의 문제를 해결하기 위해 노력하는 환자들에게 더 복잡한 관점을 받아들이도록 하는 데 도움을 줄 수 있다.

헤이스는 학교 상담가 교육에 깊이 몰두해 왔고, 따라서 그의 가장 최근 연구 중에 상당수는 학교 상담의 준비와 실행 과정을 변화시키기 위한 조치에 관해 다루고 있다. 개인 상담에 관한 그의 의견이 공정성과 도덕성의 고려에 중점을 둘 필요가 있다는 것을 강조하는 것처럼, 상담가 교육에 관한 그의 연구는 사회 정의에 대한 학생들의 헌신을 강화하는 준비 모델을 강조하고 있다.

길 노암(Gil Noam): 노암(1988b)은 자기 발달 과정에 인지 또는 도덕 발달에 관한 이해하기 어려운 단계 개념(구조적 전체, 계열성, 위계적 통합)을 적용하는 임상의학자들을 상당히 비판해 왔다. 그 대신에, 그는 자아의 가장 발달되고 성장한 측면이 실제의 전체 자아를 나타내지 못할지도 모른다고 시사하는 발달에 관한 관점을 제시하고 있다.

노암은 가장 최근의 발달 단계/진행 과정이 이전의 발달 수준 스키마와 충돌할 때 정신병리학과 그 외 일반적이지만 어려운 삶의 고난들이 발현된다는 사실을 발견했다. 상담가가 가지는 가장 중요한 영향은 환자들이 더 초기의 관점을 반영한 과정에 영향을 받고 있음에도 불구하고 가장 성숙한 관점에서의 기능 수행을 평가받을지도 모른다는 점이다. 노암은 더 초기의 과정을 **캡슐화**(encapsulation)라고 부르는데, 이것은 사람이 발달할 때 더 발달된 스키마로의 통합에저 항하는 기본적으로 덜 발달된 스키마를 말한다. 예를 들면, 5살 때 부모가 이혼한 아이는 아이들이 옳은 행동을 하면 벌을 받지 않는다고 생각하는 도덕 발달 수준에서 굳어진 사고를 통해 경험한 내용을 처리할 개연성이 있다. 아이들은 그들의 부모가 떠나면, 종종 그것이 그들의 잘못된 행동("아빠가 내가 말을 듣지 않았다고 화를 냈어요") 때문에 일어난 일이라고 생각한다. 비록 16살 소녀가 가끔씩 했던 장난이 그녀의 아빠가 비서와 도망간 사건의 원인이었다고 생각하지는 않지만, 그녀는 마치 그녀의 결점으로 인해 교제중인 파트너와의 관계가 끝날 거라고 생각할지도 모른다. 간략하게 말해, 그녀는 그녀의 내면에 중요하고 영향력 있는 부분으로 남게 되는 "자기와 중요한 관계들에 관한 주제와 특성"(Noam, 1988a, p. 289)을 가진 스키마 또는 이야기를 구성한 것이다.

요컨대, 캡슐화는 발생 당시에 아이의 발달 수준의 논리(그리고 정서)와 함께 암호화되어 남는다. 그러므로 치료 전문가의 역할은 환자가 더 초기의 캡슐화와 현재 가지고 있는 의미 형성 수준의 차이를 알 수 있도록 도움을 주는 것이다. 상담은 환자들이 그들이 현재 가지고 있는 더 성숙한 발달에 관한 구조를 사용하여 캡슐화를 변화시키고 완전한 것으로 만드는 데 도움을 준다(Hayes, 1994). "제 남자 친구가 조금이라도 불쾌해 하거나 냉담하게 행동할 때면, 그것이 아빠가 떠난 것에 관한 옛 감정과 생각을 불러일으킨다는 것을 알게 되었어요. 저는 그도 떠날까 봐 무서워서 마치 애정에 굶주린 5살 아이처럼 행동하기 시작해요. 울고 삐치고 그러지요. 근데 그게 오히려 그를 더 냉담하게 만들고, 저는 더 두려워져요. 제 생각에는 지금은 지금이고, 그때는 그때고, 그리고 그 사람은 절대 내 아빠가 아니라는 것을 제 자신에게 일깨워 줄 방법을 찾을 필요가 있는 것 같아요."

노암이 최근에 만든 RALLY(Responsive Advocacy for Life and Learning in Youth) 프로그램은 발달 치료와 개입에 관한 다년간의 연구를 합친 것이다. 이렇게 회복 탄력성을 증진하는 학교 중심의 포괄적인 개입과 예방 모델은 아이들이 "위험한" 상태도, 그렇다고 안전한 상태도 아니며, 그보다는 층으로 배열된 연속체를 따라 떨어지고 있다고 보고 있다. 모든 아이들은 회복 탄력성과 뛰어난 학업적, 대인 관계적 기술을 발달시킬 필요가 있고, 이러한 능력은 풀아웃 교육 서비스[1]보다는 교실에서 긍정적인 영향을 주는 어른과의 관계를 통해 가장 잘 발달된다. 노암의 발달 영역에 관한 개념은 교육자와 상담가에게 특히 유용한 개념적 구조를 제공한다. 비록 당신은 노암 연구의 기저에 있는 콜버그의 도덕 발달 이론을 지적하겠지만, 그는 네 가지 세계가 종종 어린 시절에 공존한다는 사실을 인정한다.

1. **적극적으로 관여하는 아이의 세계**는 자발성과 호기심을 가지고 있지만, 그들의 자기중심적인 사고는 충동성과 주의력에 관한 문제를 일으킬 위험이 있다.

---

1. Pull-out services: 특수한 능력을 가진 학생들에게 주당 한두 시간 이상 정규 교실 수업에서 벗어나 특별한 교육 서비스를 제공하는 것: 옮긴이.

2. 발달이 진행됨에 따라, **자기주장이 강한 아이의 세계**는 청소년기에 자기 자신과 다른 사람과의 상반되는 이해관계를 서로에게 도움이 되는 대화, 감정 조절, 적극적인 행동, 그리고 어떤 일에 집중하는 것으로 해결할 수 있다. 하지만 이 단계에서 몇몇 어린 친구들은 그들이 가지고 있는 능력을 이용해 다른 사람을 속이거나 이용할 위험이 있다.
3. 청소년기의 아이들이 **소속**(belonging)**의 세계**로 이동하면, 그들은 다른 사람들의 관점에서 세상을 보는, 황금률(Golden Rule)을 발달시킨다. 이렇게 더 성숙해진 관점 채택 능력을 통해 이타주의(긍정적인 측면)와 사회적 복종(부정적인 측면)에 이를 수 있다. 또한, 이 세상에서 흔히 나타나는, 좋아해 주기를 바라는 진심 어린 요구는 어린 친구들이 우울증이나 불안 장애에 취약한 상태가 되도록 내버려두어 또래 친구들이 그들을 무시하고 거부하게 만들 것이다.
4. 끝으로, 발달적인 **성찰**(reflection)**의 세계**에서는 아이들이 더 많은 책임감을 갖고 사려 깊게 행동하지만, 고립의 감정과 완벽주의로 빠질 위험이 있다.

노암과 말티(Noam & Malti, 2008)는 효과적인 강화와 예방 조치를 다양한 환경에서 학생들의 발달 능력을 관찰하는 것에 기초를 둔 발달상으로 차별화된 방법에 따라 조정할 필요가 있다고 지적한다. "요약하면, 발달적인 관점은 예방 과정에서 학생들의 발달과 회복 탄력성을 이해하는 것이 필수적이라고 시사하는데, 왜냐하면 그렇게 함으로써 정신 건강 문제를 회복 탄력성, 위험 및 발달에 관한 더 넓은 맥락에서 해결하도록 도울 수 있기 때문이다"(p. 37).

오늘날의 딜레마

거의 매년마다, 내가 보는 지역 신문에서는 특별한 뉴스거리인 상급반의 장난에 대해 보도한다. 쥐와 귀뚜라미가 구내식당을 돌아다녔고, 작은 자동차와 그보다 큰 다른 물건들이 건물로 옮겨졌으며, 코네티컷 주에 있는 심스베리에서는 소방관들이 지역 고등학교 지붕에 있던 네 마리의 염소를 구조해야 했다. 코네티컷의 또 다른 고등학교(아이들을 위해, 그리고 죄책감 때문에 익명 처리)에서는, 두 명의 진취적인 상급생이 15,000개의 폴리스티렌 컵에 물을 채워 복도에 늘어놓았다. 그러한 장난이 학교 건물 일부의 출입을 막았지만, 그날 늦게, 학생들은 점심시간 중에 구내식당에서 비치볼을 던지기 시작했고, 음식을 던지는 행태로 이어졌으며, 다수의 음식 싸움(food fights)을 비롯해 그야말로 엉망인 상태가 되었다. 수업은 취소되었고, 아주 많은 학생들이 정학 처분을 받았으며, 몇몇은 벌금을 냈고, 직원들은 하루 이상의 시간을 청소하는 데 보냈다. 당신이 그 학교의 상담가이고, 교장 선생이 당신에게 상황을 다루는 법에 대해 조언을 구했다고 생각해 보자. 발달 상담가는 무엇을 제안할 것인가? 그 이유는 무엇인가? 상급생과 염소의 사례는 어떠한가? 당신의 의견은 다른가? 그 이유는 무엇인가?

로버트 셀먼(Robert Selman): 콜버그의 하버드 대학교 동료인 로버트 셀먼은 그의 초기 연구에서 다른 사람들의 관점을 받아들이는 아이들의 발달 능력(사회적인 역할 채택)과 이것이 아이들의 도덕 발달과 어떤 관계가 있는지에 대해 초점을 맞추었다. 그는

> 아이의 인지 단계는 물리적, 논리적 문제의 이해 수준을 나타내고, 아이의 역할 채택 단계는 사회관계의 본질을 이해하는 수준을 나타내며, 도

> 덕 판단 단계는 서로 다른 관점을 가진 사람 사이의 사회적 갈등을 어떻게 해결할 것인지 아이가 결정하는 방법을 나타낸다는 점을 발견했다.
>
> (Selman, 1976, p. 307)

셀먼은 아이들이 대인 관계에 관한 사안을 분석하고 이해하는 시도를 할 때 사용하는 사회적인 관점의 다섯 가지 발달 수준을 설명하고 있다.

1. 레벨 0(약 3~5세): 아이 자신의 관점을 이해하는 데 초점을 맞춘 자기중심적이고 물리적인 수준. 내가 생각하는 것/원하는 것/필요한 것은 무엇인가?
2. 레벨 1(초등학교 저학년): 아이는 다른 사람의 관점을 이해하려고 시도하고, 다른 사람의 관점이 그 또는 그녀 자신의 것과 다르다는 점을 이해한다. 네가 생각하는 것/원하는 것/필요한 것은 무엇인가?
3. 레벨 2(초등학교 고학년): 아이는 그 또는 그녀 자신의 주관적인 관점을 보는 다른 사람의 관점을 이해하기 시작한다. 너는 내가 생각하고/느끼고/원하고/필요한 것에 대해서 어떻게 생각하고/느끼는가?
4. 레벨 3(중학교): 어린 청소년들은 다른 사람이 아이들의 집단을 어떻게 생각하는지 파악하기 시작한다. 그 또는 그녀가 우리를 어떻게 생각할까?
5. 레벨 4(고등학교): 나이가 많은 청소년들은 다양한 관점이 존재하는 배경 속에서 그들 자신의 관점을 이해할 수 있다. 아이들은 훨씬 더 복잡하고 더 많은 맥락이 있는 대인 관계 수준에서 내가 생각하는 것/느끼는 것/원하는 것/필요한 것은 무엇인가? 라는 질문으로 되돌아온다. (Selman, 2003, p. 21에서 각색)

셀먼의 이론을 실제 행위에 적용할 때 그 적용 범위는 교실에서 사회적인 인지 정도를 증진하는 것부터 '**짝 치료**(pair therapy)' (Selman & Hickey Schultz, 1990)를 통해 아이들의 대인 관계 성장을 용이하게 하는 것에까지 이른다. 구체적으로 말하면, **짝 치료**는 사회적으로 서투른 아이들이 상호 간의 협력을 배우는 데 도움을 주기 위해 발달 이론의 이해를 사용한다.

짝 치료에 관심이 있는 치료 전문가들은 셀먼과 히키 슐츠(Selman & Hickey Schultz, 1990)가 쓴 책이 이론상의 토대, 역사적 사례, 그리고 구체적인 실천 제안을 통합한 매우 귀중한 자료라는 사실을 깨닫게 될 것이다. 매우 공격적이거나 소극적인 행동으로 인해 또래들로부터 소외되어 고통 받고 있는 아이들을 위한 이러한 혁신적인 치료법을 통해 이 아이들은 친구를 사귀고 친구가 되는 것이 갖는 의미를 배우도록 도움을 받을 것이다. 발달적 성장을 이루는 핵심은 대화 요법에서 몇몇 인위적인 회고적 활동이 아니라, 아이들이 서로 짝이 되어서 그 자리에서 바로 대인 관계에 관한 사안을 해결해야만 하는 일정한 기간의 구조화된 무대이다. 치료 전문가에게는 쉽지 않은 역할이 있는데, 그것은 아이들이 긍정적인 사회적 상호작용을 경험할 수 있고 마음에 들지 않거나 부정적인 감정 속에서도 사회적 상호작용을 할 수 있는 안전한 환경을 만드는 것이다. 아이들은 교우 관계(또는 어떤 관계든)를 형성하고 지속하는 데 필요한 서로의 관점을 이해하면서 감정을 조절하는 특정한 방법을 배운다.

셀먼은 두 명의 발버둥치는, 때로는 심하게 문제를 일으키는 아이들을 한 회기에 같이 넣고 기적이 일어나기를 기다리는 환상을 품지 않는다. 그러나 그는 아무리 아이들이 고립되어 있거나 정신적으로 비뚤어졌어도 다른 사람과 연결되고자 하는 기본적인 욕구가 있다고 생각한다. 따라서 치료 전문가는 다음과 같이 준비하고 있어야 한다.

> [치료 전문가는] 상황을 마련하고, 참을성과 일관성을 유지하며, 눈에 보이는 결과가 없더라도 자신감을 유지하고, 그리고 혹시라도 지금까지의 노력이 성과를 보이는 때가 오면, 중요한 순간에 아이들의 성장을 촉진시키도록 그들의 주의 집중, 민감성, 그리고 기술(skill)이 준비되어 있어야 한다.
>
> (Selman & Hickey Schultz, 1990, p. 160)

그의 임상 실습 작업에 더하여, 셀먼은 편견과 맞서고 민주주의를 육성하기 위해 유대인 대학살 및 다른 대량 학살을 야기한 사건에 관한 교육을 이용하는 '역사와 우리 자신과 직면하기(Facing History and Ourselves)'라는 프로젝트에 오래 전부터 참여해 왔다. 역사와 직면하기는 중등학교 교사들로 하여금 "연민을 통해 편견과 싸우고, 참여를 통해 무관심과 싸우며, 지식을 통해 미신 및 잘못된 정보와 싸워야 한다는 것을 학습하는 데" 자신의 교육과정을 활용하도록 교육시킨다(www.facing.org/aboutus). 셀먼과 귁(Selman & Kwok, 2010)은 최근에 이러한 프로그램에 참여한 후에 정보에 근거한 사회적 성찰을 통해 학생들이 얻는 이점을 평가하는 측정에 관한 몇몇 전도유망한 연구를 발표했다. "학습 과제라는 교육적 수단과 안전하고 활기찬 학급 풍토를 만드는 교사의 능력을 통해 학생들이 역사, 도시의 문제와 도덕에 대해 비판적이고 성찰적으로" 생각하도록 가르칠 때, 정보에 근거한 사회적 성찰이 이상적으로 발달한다(p. 657). 정보에 근거한 사회적 성찰 능력이 발달한 후에는, 학생들이 학교와 사회에서 그것을 적용하고 편견, 인종차별, 또는 다른 형태의 사회적인 불평등을 겪는 피해자를 옹호하기 위해 실제로 도덕적인 선택을 하도록 만드는 것이 당연한 목표이다. 발달에 근거한 학생들의 결과 측정에 관심이 있는 조력 전문가들은 특히 중요한 이 연구를 알아내야 한다.

최근에 있었던 학술 회의에서, 나는 셀먼에게 그의 경력 중에서 개인적으로 가장 의미가 있었던 부분이 무엇이었는지 생각해 보라고 부탁했다. 그가 맨 처음으로 한 대답은 로렌스 콜버그와 함께 NSF 지원금과 관련해 일하기로 결정한 것이었다. 그는 말했다. "그게 모든 것의 시작이었습니다." 그는 나중에 인터뷰에서 보는 것과 같이 더 상세한 대답을 보내왔다.

로버트 엔라이트(Robert Enright): 다년간의 주의 깊은 연구 이후, 엔라이트와 인간 발달 연구 그룹(Human Development Study Group)은 용서의 개념을 조작적으로 정의했고, 그것을 이해하기 위한 발달 구조를 세밀하게 나타냈다(Enright & North, 1998). 임상의학자들에게 특별히 흥미로운 부분은 상담과 임상 연구의 메타 분석(Baskin & Enright, 2004)에서 용서가 정서적인 건강과 관련되어 있다는 사실을 발견했다는 점이다. "용서는 우리에게 상처를 입힌 사람을 향한 연민, 관대함, 그리고 심지어 사랑을 마음에 품으면서, 그 사람을 향한 분노, 부정적인 판단, 그리고 냉담한 행동의 권리를 포기하겠다는 의사를 말한다"(Enright, Freedman, & Rique, 1998, p. 47).

다른 사람에게 해를 입거나 깊이 상처 받은 사람들은 앙갚음에서 억압에 이르는 다양한 방법으로 이에 반응하는데, 엔라이트와 동료들은 그 사람들이 용서에 대해서는 생각하지 않는다는 사실을 발견했다. 용서한 사람들은 우울과 분노가 감소하고 행복이 증가한다

학문 분야 리더들과의 인터뷰: **로버트 셀먼**(Robert Selman)

하버드 대학교 교육 및 인간 발달 Roy Edward Larsen 교수, 심리학 교수

로버트 셀먼은 예방 과학과 실행(Prevention Science and Practice) 프로그램의 창시자이고, 1999년까지 초대 책임자로서 일했다. 그는 하버드 의과대학 정신의학부의 심리학 교수이고, 저지 베이커 아동센터(Judge Baker Children's Center)와 보스턴 아동병원(Children's Hospital Boston)의 정신의학부에서 주임으로 일하고 있다. 다음의 스포트라이트는 셀먼이 자신의 연구에 관해 성찰한 부분에서 발췌한 것이다.

내가 하버드 의과대학에서 하버드 교육대학원으로 옮겨 전임 교수가 되고 예방 과학과 실행 프로그램을 설립한 지난 20년 동안, 나는 유치원부터 고등학교까지의 사회적 · 학업적 기능을 통합한 교육 프로그램을 연구하고 실행해 왔다. 현재 나와 나의 연구 및 실습 파트너는 각각 초등학교, 중학교, 그리고 고등학교 수준에서 진행 중인 세 개의 프로젝트에 연구와 실습을 연결지어 하고 있다. 영리 목적의 교육 출판사인 "아동을 위한 하이라이트(Highlights for Children)"와 협력하여 우리는 초등학생 수준의 "구비 문학과 글쓰기(Voices Literature and Writing)"라는 문학 및 글쓰기 교육과정을 개발했는데, 이것은 글을 읽고 쓰는 기술의 통합적인 발달과 사회적이고 정서적인 주제에 관한 인식(예를 들어, 사회 정체성, 갈등 해결, 사회적 인식, 그리고 시민적 이해)에 초점을 맞추고 있다. 중학교 수준의 프로젝트에서, 나는 캐서린 스노(Catherine Snow)와 전략교육연구 파트너십(Strategic Education Research Partnership: SERP)과 함께 사회 및 과학 교과 영역에서 포괄적으로 그리고 깊게 읽으려고 노력하는 보통의 학생들을 위해 사회적 관점의 협력 — 그리고 그것의 측정 — 에 대한 우리의 발달 및 문화 이론을 적용하고자 했다. 고등학교 수준의 프로젝트에서, 나는 30년 동안 비영리기관인 "역사와 우리 자신과 직면하기(Facing History and Ourselves)"와 함께

했는데, 이곳에서는 교육자들이 그들의 경력 동안 교실 내에서 수업의 효과를 높이고, 학생들의 학업 성취와 시민 학습을 개선하기 위해 함께 일한다. 우리는 학생들이 역사적 근거, 인과관계, 그리고 행위 주체를 이해하는 방법의 기준을 개발하고 입증했다. 우리는 또한 그 접근법이 학생들의 시민적, 도덕적 선택을 위한 "유능한 사회적 성찰"의 발달을 어떻게 증진하는지도 연구했다.

교육에 관한 이러한 세 가지 응용 발달 접근법은 학생들이 어떻게 그들의 사회 세계를 이해하고, 사회적 · 도덕적 · 시민적 선택을 하는지 보여 주는 기초 연구 배경으로 이용할 수 있다. 우리가 연구한 초등학교 수준에서, 우리는 아이들이, 예를 들어 데보라 와일즈(Deborah Wiles)의 『프리덤 서머(*Freedom Summer*)』와 같은 그들 수준에 맞는 문학작품을 읽고 이해하는 것을 통해 인종차별의 역사와 같은 사회적 이슈와 자기 인식과 같은 심리적 이슈를 어떻게 이해하는지에 대한 문제들을 연구하고 있다. 중학교 수준에서, 우리는 학생들이 따돌림, 희롱, 괴롭힘, 그리고 폭력과 같은 아주 흔한 사건을 목격하였을 때 그들의 선택을 어떻게 해석하는지를 인터뷰, 설문 조사, 포커스 집단(focus group), 그리고 관찰을 통해 연구해 왔고, 또 연구 중에 있다. 고등학교 수준에서, 우리는 학생들이 학교, 동네, 그리고 사회에서 발생하는 인종차별, 성차별, 그리고 동성애 혐오증에 관한 사건에 어떻게 대처하는지 유사한 연구 방법을 사용하여 연구하고 있다.

이렇게 이론 지향적인 연구에서 나온 증거는 우리가 '아동을 위한 하이라이트,' '단어 만들기(Word Generation),' 그리고 '역사와 우리 자신과 직면하기,' 거기에 더해 '디즈니 케이블' 텔레비전과 '폭스(Fox) 방송'과 같은 언론 기관과 협력하여 진행하고 있는 응용 연구를 통해 실제로 적용하고 있다.

(R. Selman, 개인 교신, 2012년 11월 15일)

는 긍정적인 결과를 입증한 발견에 근거하여, 인간 발달 연구 그룹은 사람들에게 용서하는 방법을 가르쳐 주기 위한 모델을 만들었다(Enright & North, 1998).

1. **노출 국면**에서 상담가는 내담자들에게 그들의 방어 정도를 확인하고, 그들의 분노 또는 수치심에 직면하며, 공격에 의한 자기 자신의 영구적이고 부정적인 변화의 가능성을 이해하고, 어떤 사건에 관해 그들이 어떻게 심사숙고하는지 알 수 있도록 도움을 줄 수 있다.
2. **결정 국면**에서 내담자들은 그들이 시도해 왔던 방법들이 효과가 없음을 깨닫고, 용서를 새로운 방안으로 생각하기 시작한다. 이 국면에서 가해자를 용서하기로 약속한다.
3. 이제 어려운 과제인 **작업 국면**을 시작한다. 내담자들은 가해자에 대한 개념을 다시 구성하기 위해(reframe) 역할 채택 방법을 사용한다. 맥락 속에서 가해자를 바라보는 것이 공감과 연민을 이상적으로 촉발하고, 결국 내담자들은 그들이 느끼고 있던 고통을 받아들인다.
4. 끝으로, **심화 국면**에서 내담자들은 부정적인 감정의 감소를 깨닫고 정서적인 해방감을 느낀다. 그들은 그들의 고통과 용서의 과정에서 의미를 발견한다.

엔라이트의 동료인 노스(North, 1998)는 리프레이밍(reframing) 과정이 용서의 과정에서 가장 중요하다고 지적한다. 그녀는 연구 그룹의 리프레이밍에 관한 정의, 즉 “잘못을 저지른 사람과 그의 행동에 관한 완전한 그림을 그려 보도록 시도하는 맥락에서 그 사람을 바라

보는 과정"을 인용하고 있다. 보통, 상담가는 내담자에게 가해자의 성격과 발달 과정의 역사를 생각하도록 해 가해자가 잘못을 저지를 때 겪고 있었을지도 모르는 특별한 압력을 이해할 수 있게 지도한다. 분명히 말해, 상담가와 내담자 모두 가해자의 인간성과 상처를 주었던 그의 행동을 확인하는 데 있어 세심한 균형을 유지해야만 한다.

최근에, 엔라이트와 동료들은 용서의 과정을 상담 환경이 아닌 곳에서도 연구했는데(Klatt & Enright, 2011), 상담의 개입이 없는 자연 그대로의 환경에서도 사람들은 앞서 언급한 용서 과정 모델(Forgiveness Process Model)의 순서대로 정확히 행동하고 있다는 결과를 제시했다. 연구 결과가 리프레이밍과 공감의 중요성에 관한 이전의 연구를 뒷받침하는 한편, 이러한 결과는 또한 내담자들에게 효과적인 의사소통 기술을 가르쳐, 만약 그들이 원한다면, 가해자와 생산적인 대화를 할 필요가 있다고 제안했다. 이러한 기술에는 긴장과 두려움과 같은 감정을 조절하는 방법의 학습과 대화를 하는 시간 동안 가해자가 피해자를 비난하기보다는 내담자들이 그들의 요구에 대해 확실히 말할 수 있도록 보장하기 위한 자기주장 훈련을 포함한다. 명백히, 상담가들은 "가해자와의 사적인 접촉 시에는 제삼자인 중재인의 존재가 필요할지도 모르고, 이러한 사적인 접촉은 모든 상황에서 적절하지는 않을 수도 있다"(p. 39)라는 사실에 민감할 필요가 있다.

비록 엔라이트와 동료들이 용서의 치료적 가치를 강조하지만, 맥널티와 핀참(McNulty & Fincham, 2012)은 탈맥락적인 방식으로 용서와 같은 긍정 심리학의 개념을 증진하는 것에 대해 상당한 경고를 제시한다. 그들은 특정한 정서적 특성이 "선천적으로 행복에 이롭다"(p. 101)는 가정에 이의를 제기한다. 결혼 생활에 관한 그들의 몇몇 종단적 연구 리뷰를 통해, 용서가 건강한 결혼 생활에서 실제로 더 나은 건강한 관계를 전망하게 한다는 사실이 발견되었다. 하지만, 문제가 있는 결혼 생활에서 배우자의 용서는 파트너의 폭력적인 관계와 학대를 계속 증가하게 하는 것과 같은 많은 부정적인 결과를 전망하게 한다.

파멜라 페이즐리(Pamela Paisley): 상담가들은 개인과 집단 치료, 그리고 인격 또는 도덕 교육과 같은 주요 예방 프로그램을 시행할 책임이 있는 다양한 환경에 종사한다. 유감스럽게도, 인격교육 운동으로 인해 생산된 입문서, 활동지, 그리고 비디오의 풍부함 속에서도 학교 상담가들을 위한 발달 관점의 자료는 부족하다. 페이즐리와 허버드(Paisley & Hubbard, 1994)가 쓴 발달 관련 학교 상담에 관한 책은 이론과 실행을 조화시킨 모델로서 두드러진다. 나는 도덕 발달 강의 중에 전도유망한 학교 상담가들을 위해 다년간 그녀의 연구를 사용했고, 그들은 발달에 적합한 목표, 목적, 그리고 학습지도안에 관한 페이즐리의 분명한 설명을 매우 높이 평가하고 있다.

예를 들면, 효과적인 문제 해결에 관한 장에서는 교육자들이 아이들에게 적합한 결정을 하는 방법을 가르치려고 어떻게 지속적으로 노력하는지(성공의 정도는 계속 바뀌지만)에 대해 언급하고 있다. 하지만 페이즐리와 허버드는 어른들이 기술과 아이들의 발달 단계를 조화시키는 데 너무나 자주 실패한다고 지적한다. 청소년기의 아이들이 더 수준 높은 사고 능력을 지니게 되었음에도 어른들이 이를 알아차리지 못하고 계속해서 시키는 대로 행동하도록 요구하게 되면, 위와 같은 노력은 특히 효과가 없게 된다. 다른 문제로는, 어른들이 나이가 많은 아이들과 10대들에게 스스로 의사 결정을 하도록 두면, 그러한 결정이 오히려 다른 또래 집단의 압박에 영향을 받아 (흔히 긍정적이지 않은 방향으로) 아이들을 좌절시킬 수도 있다. 페이즐리와 허버드는 복잡한 결정을 하는 능력이 향상되고 있는 어린아이들의 발달의 필요성을 고려한 상담의 개입과 프로그램에서 발달 단계의 이해가 상당히 중요하다는 사실을 시사하고 있다. 발달주의자들에게 있어 발달은 사건이기보다는 언제나 과정이다.

따라서 5~6세 아이들에게 다른 문제 해결 방법을 설명하는 목표를 달성하기 위해, 상담가는 학습지도안에 있는 다리를 다쳐 사촌과 만날 수 없게 된 어린 코끼리 테오도르에 대한 이야기를 사용할지도 모른다. 아이들은 활동을 통해 창조적 브레인스토밍(brainstorming), 최고의 해결책 결정, 그리고 마지막으로 그것을 뽑아 시도하는 과정을 처음으로 접하게 된다.

그에 반해, 고등학교 상급생을 위한 학습지도안은 어려운 상황에 대해 추론하고 다른 사람의 추론을 경청하는 것을 목적으로 한다. 이러한 활동을 위해, 학생들은 고전적인 하인즈 딜레마와 "하인즈가 그렇게 했어야 했어? 사실 그게 옳았을까 아니면 틀렸을까? 왜?"와 같은 요구된 질문들을 비롯한 콜버그의 도덕적인 딜레마를 몇 가지 제공받는다. 그런 다음 학생들에게는 현재의 사회적 문제나 학교 문제를 기초로 한 그들 자신의 딜레마를 만들어 오는 과제가 주어진다.

청소년들은 먼저 강의보다는 토론을 통해 인지적으로 도전적인 활동에 참여하고, 과제 활동을 통해 개인의 관심사와 관점을 확인하는 두 번째 활동을 하면서 "발달로 나아간다"는 사실에 주목하라. 청소년과 갓 성인이 된 사람들은 이제 형식적인 조작적 사고 및 개인의 권리와 관계 그리고 사회적 목표와 제약이라는 긴장 상태에 관한 최근의 이해를 사용하는 능력을 갖추고 있다. 그들은 어떤 집단이나 교실에서 이러한 능력을 발휘하는 것을 즐기고, 그들 자신의 의견을 말하는 것뿐만 아니라 다른 사람의 관점을 경청하는 것 또한 즐긴다. 나는 수년간 학부생의 도덕 발달 수업 시간에 수업 시작 활동으로 "오늘날의 딜레마"를 사용했고, 학기 과정 동안 그에 대한 반응으로 학생들의 도덕적 민감성과 복잡성이 향상되는 것을 지속적으로 목격해 왔다.

페이즐리는 흔히 학교 상담가의 연수(예를 들어 Paisley & Milsom, 2006; Paisley et al., 2010)에 관한 주제로 글을 쓰고, 그녀가 실제로 상담을 할 때 사용하는 발달에 관한 관점을 상담 준비 과정에서도 똑같이 적용한다. 페이즐리와 밀슨(2006)이 지적하는 것처럼, '혁신적 학교 상담 구상(the Transforming School Counseling Initiative: TSCI)'은 학교 상담가들이 상담과 지도와 같은 전통적인 의무를 넘어서 "교육적 리더십과 지지"(p. 9)라는 새로운 역할을 맡을 것을 요구하고 있다. 이러한 새로운 역할은 학교 상담가들에게 사람들이 그들이 상대하는 아이들을 옹호할 때 사회 정의에 관한 종합적인 이해와 그들의 책임감을 발달시킬 것을 요구한다. 요컨대, 연수 프로그램을 통해 상담가의 도덕 발달을 촉진시킬 필요가 있다. 이것은 내가 도덕 발달에 관한 최근의 상담 연구 문헌을 조사하면서 발견한 사실, 즉 상담을 공부하는 학생들과 상담을 받는 사람의 도덕 발달을 평가하는 연구는 많았지만 상담가의 도덕 성장을 평가한 연구는 매우 적다는 사실에 기반을 둔 것이다.

모든 것을 한데 모아 — 도덕 발달과 내담자의 핵심 문제

개인이 사는 이야기는 시간이 지나면서 상호 관계를 통해 표현되는 그

> 또는 그녀가 가지고 있는 개인의 사실을 반복적으로 재현하는 것으로 이루어져 있다. … 키건(1982)에 따르면, 우리는 세상에 대해 의견을 말하고, 그러고 나서 그러한 의견을 통해 조직화된 의미 있는 전체를 인지적으로 구성하는 끊임없는 과정에 있다. … 개인적으로 구성된 사실은 그 성격상 캡슐화된 실재를 반영하기 때문에, 다른 대체 경로가 있다는 사실을 거의 인식하지 못한다.
>
> (Halstead, 2007, pp. 54-55)

특히 미국에서, 전문직은 책무성과 평가의 분위기 속에서 존재한다. 상담 및 심리학과 같은 분야는 이제 평가를 위한 광범위한 학습 과제와 연수를 제공하고, 많은 임상의학자는 그들 자신이 그들의 대부분의 시간을 차지하는 치료 제공보다는 평가를 하는 위치에 있다는 사실을 발견한다. 최근에 미국상담협회(American Counseling Association)는 환자의 핵심 문제(Halstead, 2007)를 평가하는 것에 대해 좋은 평가를 받은 책을 출판했는데, 이것은 앞서 언급한 몇 개의 핵심 개념을 한데 모으는 유용한 틀을 제공하는, 폭넓은 발달 전통에 상당한 기초를 둔 책이다.

노암(1998)이 강조한 캡슐화의 개념과 유사하게, 할스테드(2007)는 다음과 같은 사항을 믿고 있다. 즉, 상담가가 환자들에게 그들의 "아동기의 생존 이야기"(p. 67)를 이해하고 특정한 아동기 환경에 반응하여 그것을 어떻게 전개했는지를 해석하도록 도움을 줄 때, 환자들은 그 이야기를 그들이 발달하는 중에 겪었을지도 모르는 핵심 문제에 연결시킬 수 있다.

미디어에서의 도덕성

영화는 사람들을 즐겁게 하기 위해 만들어질 뿐 치료의 과정을 정확하게 그리지는 않는다. 그로 인해, 영화에서 좋은 치료의 예가 될 만한 것을 찾기란 쉽지 않다. 그러나 오래되었지만 훌륭한 두 편의 영화를 통해 여러분은 환자들이 핵심 문제를 해결하기 위해 노력하고, 영화 〈보통 사람들(*Ordinary People*)〉의 경우에는, 아동기의 생존 이야기가 미치는 영향을 직시해야 한다고 말하는 긍정적인 치료와의 만남을 짧게나마 경험하게 될 것이다. 이전에 이 영화들을 보지 못했다면, 여러분은 아마도 〈보통 사람들〉(Schwary & Redford, 1980)과 〈굿 윌 헌팅〉(Bender & Van Sant, 1997)에서 이번 장에서 살펴본 많은 개념을 생생하게 볼 것이다.

할스테드(2007)는 내담자의 핵심 문제를 "초기 부적응 스키마(early maladaptive schema)를 수용한" 환자의 인공물이라고 개념화하고 있다. 독자들은 발달과 관련된 캡슐화에 관한 노암의 연구와 비슷한 내용을 되풀이해서 볼 것이고, 문제 있는 대인 관계의 의미 형성 시스템과 개인의 마음속에 있는 의미 형성 시스템이 어떻게 습관적이고 문제 있는 행동과 반응을 발생시키는지에 관한 할스테드의 분석에서 피아제의 스키마 개념을 볼 것이다. 할스테드는 충족되지 못한 핵심적인 감정적 요구(안정 애착, 자율성과 유능함, 요구와 감정의 표현, 자발성과 놀이, 그리고 현실적 한계)가 어떻게 관련 부적응 스키마를 야기할 수 있는지에 관한 영과 동료들의 연구(Young, Klosko, & Weishaar, 2003)에 상당히 의지하고 있다. 예를 들면, 안정 애착이 충족되지 못하면 "단절과 거부"에 관한 스키마를 전개할지도 모른다. 이와 유사하게, 자발성과 놀이가 충족되지 못하면 "과도한 경계와 억제"에 관한 스키마를 발달시키는 결과를 낳을 수 있다.

할스테드(2007)는 영(Young)의 네 가지 핵심적인 감정적 요구와 다른 발달 모델(예를 들어, 에릭슨(1963)의 사회심리적인 단계와 기본적인 인간의 요구에 관한 이론)의 일관성에 주목하고 있다. 이와 같은 유사성은 "아이가 정서적으로 건강하게 성장할 수 있는 심리사회적으로 좋은 환경이 틀림없이 있다"(p. 13)는 사실을 시사한다. 이와 같이, 초기 아동기의 관계적 상호작용은 아동의 관계에 대한 스키마 — 미래의 관계에 영향을 줄 스키마 — 를 형성한다.

핵심 문제에 관한 개념과 문헌을 설명하고 나서, 할스테드(2007)는 핵심 문제와 환자의 삶의 본질을 판단하기 위한 분명하고 종합적인 단계적 모델을 제시하고 있다.

1. 내담자에게 현재 나타나는 문제를 조사하기
2. 최초의 핵심 문제 가설 만들기
3. 그 가설의 타당성을 실험하기 위해 내담자의 사회심리적인 역사를 추적하기
4. 내담자가 그 또는 그녀의 핵심 문제에 대해 어떻게 표현하고 반응하는지 판단하기(부적응 대처 반응의 전형적인 예시에 관한 기록이 특히 유용하다. p. 43). 그리고 마지막으로,
5. 치료 목표를 설정하고 적절한 치료 개입을 결정하는 데 기초가 되는 핵심 문제의 완전한 개념화. (pp. 31-44에서 인용)

할스테드의 연구에 대한 이러한 간략한 기술은 임상의학자들을 위한 그의 짧은 텍스트의 중요성을 결코 제대로 보여 주지는 못한다. 나는 그것이 어떤 치료 전문가든 간에 『정신 장애 진단 및 통계 편람

(*Diagnostic and Statistical Manual of Mental Disorder: DSM*)』과 함께 책장에 있어야 한다고 주장한다. 조력 전문가들은 공통된 진단상의 용어를 제공하기 위해 *DSM*을 사용할 필요가 있고, 또한 치료의 결과가 성공적일 경우, 환자의 핵심 문제에 관한 발달 관련 평가를 할 때도 필요하다.

조력 전문가들을 위한 적용과 함의

나는 이번 장을 통해 제1장의 이론이 어떻게 계속해서 상담에 영향을 줄 수 있고 또 어떤 식으로 주어야 하는지를 아는 데 도움이 되었기를 바란다. 인지 발달의 전통에 근거를 둔 개념을 통해 전문가는 내담자들의 발달 관련 능력과 문제, 그리고 그들의 건강한 스키마와 그렇지 못한 스키마를 파악할 수 있다. 상담가의 다음 과제는 내담자들이 그들 자신의 과거 발달적 궤적, 그리고 온전성 및 효과적인 기능을 회복하는 미래의 길을 이해할 수 있도록 하기 위해 적절한 수준의 자극과 지원을 제공하는 것이다.

우리가 앞서 언급했던 많은 접근법에서 도덕적 추론에 초점을 맞춘 것을 넘어서 보다 포괄적인 발달 모형으로 우리의 범위를 확대할 것을 기대하면서, 우리가 지금의 발달적 상담을 어떻게 개념화할 것인가에 대한 예시와 함께 마무리를 지어 보자. 제3장에서 나는 제임스 레스트의 도덕성에 관한 4구성 요소 모형을 소개한 바 있다. 이 모형을 상담에 적용해 보면 어떨까?(〈표 9.1〉 참조).

이번 장을 읽으면서, 당신은 우리가 중점을 두는 부분이 심각한 생

요 소	적 용
도덕적 민감성	어떤 내담자를 상대할 때는 적절한 조치를 통해 공감적 고통(empathic distress)에 효과적으로 대처할 수 있도록 도움을 준다. 다른 내담자에게는 더 강한 도덕적 기준을 만들도록 도움을 준다. 역할 채택 훈련, 독서 치료, 그리고 유튜브 동영상 사용을 고려한다.
도덕적 판단	불건전하거나 캡슐화된(encapsulated) 스키마를 확인하고 프레임을 다시 만들도록 노력한다. 내담자의 핵심 문제를 밝히고, 평가된 발달 수준에 맞는 적절한 치료 기법을 선택한다.
도덕적 동기화	자긍심, 공감, 배려와 같은 긍정적인 도덕 정서를 장려한다. 수치심과 분노와 같은 상처 받은 정서를 확인하고 뛰어넘도록 도움을 준다. 적절한 경우, 용서를 가르친다.
도덕적 품성	초기 예방 — 긍정적인 청년기 발달을 증진하는 도덕교육과 인격교육과 같은 교육 활동. 감정이입이나 도덕적 추론에 현저한 결함이 있는 사람들을 위해, 이러한 결함을 다루고 "그들이 새로운 능력을 익히도록" 해 주는 EQUIP(제10장 참조)와 같은 충분히 오랜 기간 할 수 있고 확실한 프로그램을 개발한다.

표 9.1 레스트 4구성 요소 모형의 상담 적용

물학적 병리 및 질환이 있는 내담자보다는 살면서 문제가 생긴 사람들을 상대하는 것이었다는 사실을 아마도 깨달았을 것이다. 다음 장에서는 발달 과정이 심각하게 잘못되었을 때 우리가 지금까지 살펴본 몇몇 이론들이 이러한 문제를 어떻게 해결할 수 있을지에 대해 탐구하겠다.

토론 문제

1. 이번 장에서 소개한 이론가 혹은 전문가 중에, 누가 피아제의 인지 스키마에 관한 개념에 특히 많이 의지하는 것 같은가? 콜버그의 단계 이론에 특히 많이 의지하는 것은 누구인 것 같은가?
2. 하이트의 더 직관적인 모델의 개념을 인지 발달주의자의 합리주의적인 “의미 형성” 관점에 통합하는 방법을 발견할 수 있는가? 만약 그렇지 않다면, 그 이유는 무엇인가?
3. 엔라이트의 용서의 과정으로 나아가도록 내담자를 장려하는 것과 관련해 상담가가 우려할지도 모르는 부분은 무엇인가? 이 접근법에서 내담자에 따라 가장 많은 혜택을 보도록 영향을 줄지도 모르는 발달적 요인이나 상황적 요인이 있는가?

추가 자료

- 노암의 RALLY 프로그램(www.pearweb.org/rally/about.html)은 더 규모가 큰 방과 후 계획인 PEAR(교육, 방과 후 활동, 그리고 학생들의 회복 탄력성에 전념하는 프로그램)의 일환이다. “온종일 — 온전한 아이”에 전념하는 PEAR은 아이들의 발달, 학교 개선, 그리고 정신 건강과의 관계를 지속시키기 위해 연구, 이론, 실행을 계속적으로 접목하고 있다. PEAR은 증거 기반(evidence-based) 혁신을 만들어 어린 친구들이 점점 더 배우고, 꿈꾸고, 그리고 성장할 수 있도록 하

고 있다. PEAR은 맥린(McLean) 병원과 하버드 의과대학에 있다. PEAR의 프로그램과 프로젝트는 보스턴에 있는 많은 학교의 일부가 되었고, 다른 지역에서도 따라서 하고 있다.

- **"역사와 우리 자신과 직면하기**(Facing History, Facing Ourselves)" 교육과정과 프로그램에 대한 더 자세한 내용을 확인하기 위해서는 www.facing.org/를 방문하라.

10. 발달이 실패할 때

*

도덕 및 공감 발달의 결핍(호프먼, 반두라, 깁스)

제5장에서 우리는 도덕성의 생물학적 기반을 설명한 이론을 폭넓게 살펴보았다. 우리는 자연선택의 결과로 발생된 유전적 변이에 주목했으며, 진화 과정에서 인류가 마주했던 진화상 문제의 해결책으로 발생된 유전적 변이가 현대 사회 문제의 원인이 될 수 있다는 점을 발견했다. 제5장의 내용을 상기한다면, 우리는 도덕성의 생물학적 관점에서 인간의 애착 발달이 양육뿐 아니라 공감 · 배려와 같은 핵심적인 도덕적 덕의 근원임을 기억할 수 있다. 이 장에서 우리는 두 가지 이론을 통해 정상적인 발달에 실패했을 때 공감 능력과 도덕성에 어떤 영향을 미치는지를 확인할 것이다. 우리는 공감이 결핍된 두 증상, 자폐 스펙트럼 장애(ASD; Autism Spectrum Disorder)와 사이코패스가 도덕성 발달에 영향을 미치는 서로 다른 양상을 연구할 것이다. 마지막으로 쉽게 접할 수 있는 발달 실패 — 예를 들어, 평범한 사람들이 그릇된 행동을 하는 양상을 검토할 것이다. 이 장에서 소개하는 이론 및 적용들은 자유의지의 제한과 연결된다.

마틴 호프먼의 공감 이론

> 고통에 빠진 집단을 목격한 후, 정신적 표상을 통해 공감적 고통을 느끼는 수준이 가장 발달한 공감적 고통(empathic distress)일 것이다.
>
> (Hoffman, 2000, p. 85)

위 예문에 사용된 공감은 일상 언어에서 사용하는 **공감**이 아닌, 공감 이론에서 사용하는 개념이다. 발달심리학자들 사이에서 광범위하게 수용되는 호프먼(M. Hoffman)의 공감 발달 이론에 따르면, 공감은 "타자에 대한 간접적 반응으로, 그 자신보다 다른 사람의 상황에 대한 정서적 반응"(Hoffman, 1981, p. 128)이다. 자폐증 연구자인 바론-코헨(Baron-Cohen, 2011)은 인지적인 속성을 더하여 공감을 "타자의 생각과 감정에 대한 식별 능력이자 그들의 생각과 감정에 적합한 정서적 반응 능력"(p. 16)이라고 정의하기도 했다. 도덕 동기로서 공감, 정서, 공격성에 대한 연구를 찾고자 하는 독자들은 『도덕 발달 핸드북(*Handbook of Moral Development*)』(Killen & Smetana, 2014)을 참고하기 바란다.

요약하자면, 호프먼은 생리학적 기제인 공감적 고통이 돕기 행동과 그 돕기 이후에 관찰자의 기분 향상을 일으킨다고 말한다. 공감은 전 생애에 걸쳐 발달하며, 공감 발달 수준은 원초적인 형태의 신생아 울음에서부터 가장 성숙한 타자의 삶의 조건에 대한 공감적 고통까지 질적으로 다양하다(Hoffman, 2000). 호프먼은 최근에 아동의 언어 능력이 발달하기 이전의 미성숙한 세 가지 발달 단계와 그 이후의 세 가지 성숙한 공감 단계를 제시한다.

1. **전체적 공감**(global empathy): 다른 아기의 울음을 듣고 자신도 울어 버리는 신생아(newborn)의 반응.
2. **자기중심적 공감**(egocentric empathy): 자신과 타자의 구분이 발달하지 않은 걸음마 단계의 유아에게서 나타나는 반응으로 타자의 고통에 대하여 자신의 편의 위주로 반응함.
3. **유사 자기중심적 공감**(quasi-egocentric empathy): 유아는 자아에 대한 자각은 있으나 여전히 자기 자신의 관점에서 타자를 편안하게 하려 함.[1]
4. **현실적 공감**(veridical empathy): 아동기에 나타나는 수준으로 특정한 상황에서 타자가 겪는 감정을 정상적으로 느낌.
5. **당면 상황을 넘어선 공감**(empathy beyond the immediate situation): 청소년기에 나타나는 수준으로 역할 채택이 가능하고 타자가 처한 삶의 조건에서 발생하는 고통을 느낄 수 있음.
6. **집단에 대한 공감**(empathy for distressed groups): 인지능력의 향상과 사회적 관점 채택으로 인하여 집단 고통과 같은 추상적인 주제에 대해서 공감할 수 있음. (Gibbs, 2010에서 각색; Hoffman, 2000)

존 깁스(Gibbs, 2010)와 마찬가지로, 나는 공감이 도덕적 동기의 원천이라는 호프먼의 주장은 그 증거를 과대평가한 결과라고 본다. 공감보다는 정의와 상호 호혜성과 같은 인지적 동기가 도덕적 동기의 주요 중추다(비록 나는 이 영역에 대해 깊게 연구하지 않았지만, 정의, 상호

1. 예를 들어 다른 우는 아이에게 그 아이의 엄마 대신에 자신의 엄마를 데리고 가는 경우: 옮긴이.

호혜성 다음으로는 신념이 도덕적 동기의 원천이라고 가정한다).

프레드릭슨(Frederickson, 2013)은 『심리 과학(*Psychological Science*)』 저널에 발표하기 전에 『뉴욕타임스』(p. SR 14)에 기고한 글에서 "친구는 친구가 인간성을 상실하도록 방치하지 않는다"고 강조했다. 미리 밝힌 대로 이 장의 주요 주제는 정신병리학이다. 그럼에도 불구하고 프레드릭슨의 연구를 소개하는 이유는, 이 기사에서 제시하는 디지털을 활용한 관계가 뇌신경 형성에 미치는 효과에 대한 우려 및 인류가 고집해 왔던 면대면 관계가 조형한 뇌신경 형성을 참고할 때, 향후 공감 및 공감 결핍 연구는 휴대폰과 같은 기기에 대한 우리의 의존이 공감 능력에 관련된 뇌신경의 재배선에 영향을 미칠 수 있기 때문이다. 신경과학자들은 뉴런에 대해 "모두 자극되고, 모두 연결된다"고 표현하고는 한다. 더 간단하게 말하면, 우리의 습관은 뇌를 형성한다. 프레드릭슨과 그의 동료들은 처치 집단을 무작위 추출하여 6주간의 '자애' 명상 과정에 참여시켰다. 이 기간에 처치 집단의 미주신경(vagus nerve)을 관찰한 결과 명상이 뇌와 심장을 연결하는 이 신경을 변화시킨다는 사실을 발견했다. 미주신경이 발달할수록 표정, 목소리 톤과 같은 내적인 체계를 조절하는 능력이 향상되었다. 연구진은 미주신경의 활성화는 "연결, 친밀감, 공감" 능력의 향상을 의미한다고 결론지었다. 이들이 옳다는 전제 하에, 우리는 대면적 소통 시간보다 모바일 기계를 통한 소통 시간이 길어짐에 따라서 현대인들의 공감 능력의 변화가 발생하는지 연구해야 할 것이다.

오늘날의 딜레마

코네티컷 뉴타운의 샌디 훅 학교에서 일어난 총기 사고[1]로 희생된 어린 아이들의 부모는 코네티컷 주 의회에 범죄 현장과 희생자에 대한 언론 접근을 막기 위해 로비했다. 한 학부모는 이러한 사진을 보고 싶어 하는 사람은 컬럼바인 고등학교 사건(1999년)과 같은 대량 학살 사진을 수집해 온 살인자 애덤 란자와 유사한 존재일 것이라고 말했다. 당신은 언론이 희생자 가족과 친지들의 정서를 고려하여 범죄 현장의 사진을 발표하지 말아야 한다고 생각하는가? 당신은 어느 쪽을 선택할 것인가? 그리고 당신이 그렇게 선택한 이유는 무엇인가?

이 시점에서 우리는 저널리즘의 상징인 베트남전(정확하게 말하면, 베트남에서 발발한 미국 전쟁) 사진을 상기할 필요가 있다. 네이팜탄이 터진 마을 한가운데서 심각한 화상을 입은 채 한 어린아이가 뛰쳐나온 순간을 포착한 사진은 퓰리처상을 수상했을 뿐 아니라 베트남전의 참상을 미국인들이 알아차리게 했다. 이는 그 어떤 문장도 이루어 내지 못했던 성과다. 법안이 상처 입은 혹은 살해당한 아동들의 사진 발표를 금지한다면, 세계 반대편의 상처 입은 아동들에 대한 우리의 공감은 더 이상 발휘되지 않을까? 샌디 훅 학교 학부모들의 고통에 대한 공감과 지금보다 폭력을 행사하기 어려운 사회 분위기로 나아갈 수 있는 가능성 중 무엇을 우선해야 하는가? [이 물음에 대해서] 자유롭고 개방된 사회에서, 누가 결정할 수 있는가?

1. 2012년 12월 14일 일어난 범죄로, 애덤 란자(Adam Lanza, 20세 청년)가 20명의 6세-7세 아동과 6명의 성인을 총으로 쏜 사건. 그는 사건 전 어머니를 총으로 쏘아 살해했으며, 사건 후 자살했음: 옮긴이.

앨버트 반두라의 도덕적 이탈 이론

> 추상적으로 평가할 때, 대부분의 사람은 유덕하다. 도덕적 이탈은 특정한 상황 혹은 사회의 조직적이고 권위적인 시스템으로부터 발생한다. 사회의 이념적 지향은 도덕적 정당화, 사회적 제재, 사회 취약 계층에 대한 대응 등에 영향을 미친다. 그러나 사람들은 시스템의 산물이자 창조자다. 그들은 사회 시스템을 바꿀 수 있다.
>
> (Bandura, 2002, pp. 115-116)

2001년 9.11 테러가 일어나고 불과 2개월 후, 앨버트 반두라(A. Bandura)는 제27차 도덕교육학회(AME) 학술대회에서 청중들에게 14회 콜버그 기념 강연을 진행했다. 그는 도덕 행위자를 "비인간적 행위에 강하게 저항하고 인간적 행위에 참여"(Bandura, 2002, p. 101)할 수 있는 존재라고 규정해, 많은 참석자들의 호응을 이끌어 냈다. 2013년 보스톤 마라톤 대회에서 [일어났던] 폭탄 테러 사건의 공포가 채 가시지 않은 며칠 뒤에 이 장을 편집하면서, 나는 비인간성을 지향하는 인간의 능력에 대한 그의 설명적 관념의 힘과 중요성에 다시 깊은 감명을 받았다.

반두라(2002)에 따르면, 도덕적 행동은 "감정을 배제한 추상적인 추론보다는 자기 반응적 자아"(p. 101)에 영향을 받는다. 자기 조절(self-regulation)의 단순한 사례는 교통과 관련된 상황에서 찾을 수 있다. 당신이 운전을 하고 있는데 급작스럽게 끼어든 차가 있다면, 당신은 당장 그 무례한 행동에 대해서 경적을 울리고 싶을 것이다. 그러나 당신은 이내 경적을 울리는 행위가 상대 운전자의 보복을 촉발할 뿐이라는 점을 깨닫는다. 경찰이 모든 도로에서 난폭 행위를 단속하지 않더라도 대부분의 사람들이 내면적 경찰관으로서 자기 조절 메커니즘을 가지고 있기 때문에 도로의 교통질서가 유지된다. 그러나 이러한 메카니즘은 활성화될 경우에만 작동한다. 불행하게도 우리에게는 도덕적 자기 제재가 비인간적 행위로부터 선택적으로 작동하지 않을 수도 있는 수많은 심리사회적 메커니즘이 있다.

비난받을 만한 행위로부터 도덕적으로 벗어나기 위해, 사람들은 다음의 메커니즘을 사용한다.

- **도덕적 정당화** (사회적 가치를 지닌 목적 또는 도덕적 원인에 비도덕적 행동을 결부시킨다. "우리는 이 마을을 구하기 위하여 파괴했다." "우리는 악마로부터 인류를 구하고 있다.")
- **유리한 비교** ("우리는 자백을 받기 위해 고문을 했습니다만, 이 죄수들은 살아 있지 않습니까. 반면에 불타는 쌍둥이 빌딩에서 희생당한 우리의 시민들은 이 세상에 없죠.")
- **완곡한 표현** ("쓰레기 청소, 목표물 타격, 외과적 완수" 등 정화된 언어는 살인이나 지독한 폭력에 대한 책임을 경감시킨다.)

우리는 우리 행위의 유해한 결과로부터 도덕적으로 벗어나기 위해, 다음의 메커니즘을 활용한다.

- 축소 ("미라이My Lai 학살은 예외적인 사고다.")
- 무시 (어떤 권위체가 하급자에게 의심받는 행동에 대해 전혀 아는 바가 없다고 대응하라는 분명한 메시지를 보낼 때가 이에 해당한다. 예를 들어, 경찰이 동료가 위증하거나 죄수를 폭행했다는 증거를 지속적으로 무시할 때다.)

- 행동 결과에 대한 무시, 왜곡 혹은 그릇된 해석 (제1차 세계대전 때 후방에서 안전하게 보호받던 장성들은 명령 체계 뒤에 숨어서 분쟁 지역No Man's Land에서 벌어지는 치열한 전투에 대해 둔감해졌다. 반면에 '네이팜 소녀'로 인하여 미국인들은 베트남전쟁의 참상을 더 이상 무시하지 못했다.)

같은 인간이기도 한 우리의 희생자로부터 도덕적으로 벗어나기 위해, 우리는 다음의 메커니즘을 활용한다.

- **비인간화** (우리는 공통된 인간성과 거리두기를 시도하면서 적이나 상대방에게 "야만인," "동남아시아인(모욕적인 말)," "이교도," "바퀴벌레" 등의 이름을 붙인다.)
- **책임 전가** ("나는 박해에 의해 폭력으로 내몰린 무고한 희생자이다." 아돌프 히틀러, 오사마 빈 라덴과 같이 전쟁을 유발한 사람들로부터, 전쟁터의 잔혹한 행위를 정당화하는 병사, 무인 항공기 타격에 책임이 있는 미국 대통령에 이르기까지 공격으로 인한 희생자에게 폭력에 대한 비난을 덮어씌운다.) (Bandura, 1999, 2002에서 각색)

반두라(2002)는 이상의 메커니즘으로 인간사의 수많은 비도덕적 행위에 대한 책임이 대체되거나 분산된다고 본다. 그러나 그는 인간이 (예를 들어 밀그램 실험과 같이) 쉽게 다른 사람에게 위해를 가하기만 하는 존재라는 평가에는 의문을 표한다. 우리가 가진 a) 위해(harm)를 가하고 있다는 인식, b) **도덕적 관여**(moral engagement)나 **도덕적 자기통제**(moral self-control)와 같은 인간성에 주목해 보자. "흔히 간과되는 현상으로서, **인간화된**[필자 강조] 타자를 향한 강력한 권위자의 명령에도 불구하고 대부분의 사람들이 잔인하게 행동하기를 거부하는 현상이 그 두드러진 증거다”(p. 109). 그는 내가 좋아하는 도덕적 영웅을 인용한다. 한 미군 헬리콥터 조종사가 베트남 미라이 지역을 지나가고 있을 때, 한 미군 병사가 부상당한 베트남 소녀를 학살하려는 현장을 목격했다. 이에 그는 헬리콥터를 착륙시켜서 부하들에게 총구를 미군에게 들이댈 것을 명령하면서까지 여성과 아이를 보호했다. 후에 그는 이렇게 말했다. “이 사람들이 도움을 바라는 눈으로 저를 응시했기에, 외면할 수 없었어요”(Bandura, 2002, p. 112).

지금까지 호프먼의 규범적인 공감 발달 이론과 사람들이 어떻게 공감에 대한 정상적인 감정으로부터 이탈하는가에 대한 반두라의 설명을 살펴보았다. 이제부터는 정신과적 병리 사례 중 진단의 주요 기준으로 공감의 결핍을 사용하는 두 증상에 대해 알아보겠다.

사이코패스와 자폐 스펙트럼 장애를 가진 개인: 공감 결핍과 광범하게 상이한 결과

자폐 스펙트럼 장애를 가진 사람들의 공감과 사이코패스 판정을 받은 사람들 사이에서 공감의 양상을 알고 있는가? 당신의 예상처럼, 자폐 스펙트럼 장애의 공감 부족과 사이코패스의 공감 부족은 서로 다른 행동 패턴을 보인다. 이와 같은 차이가 발생하는 원인은 무엇이고, 상담가에게 어떤 시사점을 주는 것일까? 최근 신경 과학(예를 들어, Sinnott-Armstrong, 2008)에서 자폐나 사이코패스의 발달에 대해서 연구한 결과, 두 증상은 공통적으로 공감 부족의 증세를 보였으나,

각각의 공감 부족이 도덕 행위자 및 그의 행동에 미치는 영향은 상이했다. 신경 과학 연구에서 두 증상의 공감 부족의 근원을 밝혀내면서, 관련자들은 환자들의 특정한 요구와 능력을 활용할 수 있게 되었다.

자폐 스펙트럼 장애인의 도덕 발달과 공감 발달. 미국 아동 100명 중 1명이 자폐 스펙트럼 장애를 보인다는 뉴스(Centers for Disease Control and Prevent, 2012)는 학부모들과 연구 집단 모두에게 지대한 관심과 흥미를 불러일으켰다. 현재까지 신경병리학(neuropathology)적으로 완전하게 밝혀지지 않았지만, 자폐는 "출생 후 급속도로 뇌가 발달한 후에 연령이 증가하면서 발달이 감소함"(Amaral, Schumann, & Nordahl, 2008, p. 138)에 따라 발생하는 것으로 간주된다. 주요 논쟁 지점은 전문가들이 장애가 있는 아동과 내성적일 뿐이거나 별난 성격을 가진 아동을 구분할 수 있도록 자폐 진단표(예를 들어 Greenberg, 2012, p. A23)를 조정해야 한다는 데 있다. 진단 기준에 대한 논쟁과 별도로 학문적으로 통용되는 자폐 개념이 있다. 자폐란 "이질적인 증상을 보이고, 행동으로 파악할 수 있는 신경학적 질병"으로, 자폐증을 지닌 사람은 "사회적 상호작용 능력과 언어적 · 비언어적 의사소통 능력에서 결함을 보이고, 행동 패턴이 제한되거나 정형화되었다"(Amaral et al., 2008, p. 137). 보다 구체적으로, 자폐 아동은 사회적 상호작용 측면에서 "타자의 감정에 대한 인식 수준이 현저하게 낮고, 고통의 순간에 비정상적인 안락을 추구하며, 모방이 어렵고, 비정상적 신체 접촉을 시도하거나 신체 접촉을 거부하며, 사회활동과 동료 집단 친밀감이 낮다"(McGeer, 2008, p. 233). 이상의 특성은 콜버그, 피아제를 위시한 교육학자들이 아동 도덕 발달의 필요조건(충분조건은 아니다)이라고 명시한 관점 채택과 동료 집단 간 상호작용에 자폐 스펙트럼 장애를 가진 아동들을 참여시켜야 하는지를 상담가, 교육자, 부모들이 고민하게 만든다.

반면에 맥기어(McGeer, 2008)는 자폐성 장애인도 올바른 일을 하고 싶은 동기가 있다는 케네트(Kennett, 2102)의 연구 결과를 근거로, 공감이 실제로 도덕 행위자의 핵심적인 요소인지를 재고해야 한다고 말한다. 맥기어는 공감 결여로 인하여 자폐 아동들이 "도덕적으로 올바른 행동을 하는 데 어려움을 겪을 수 있으나, 공감 결여는 도덕적 행동에 대한 관심과 도덕적 고려를 약화시키지 못한다"(McGeer, 2008, p. 235)고 밝혔다. 적어도 고기능 자폐(higher functioning autism) 아동들은 추론 능력에 이상이 없으며, 질서에 대한 사랑과 "그들 자신과 타인의 행동을 이해하고자 한다. 추론, 질서 의식, 타자를 이해하려는 열망은 곧 양심과 의무감을 야기한다. 즉, 자폐 스펙트럼 장애 아동들은 양심과 의무감이 결핍된 사이코패스와 다른 마음을 가지고 있다"(p. 237).

센랜드(Senland)는 10대의 도덕 발달과 공감을 연구한 학자로, 고기능 자폐 아동의 공감 발달을 이해하는 열쇠는 관점 채택 기술이라고 주장한다. 고기능 자폐 아동의 경우에는 타자의 고통에 대해 공감적 고려를 할 수 있지만, 관점 채택 능력이 부족하여 타자를 이해하는 데 어려움을 겪거나 타자의 요구를 알지 못한다.

맥기어가 가진 문제점은 고기능 자폐증 아동의 경우 정서적 공감이 부족하다기보다는 인지적 공감이 부족하다는 최근의 연구 결과를 반영하지 못한 것이라고 나는 생각한다. 고기능 자폐증 아동들이 규칙 기반 논리(rule-based logic)를 사용하여 부족한 공감을 보충한다는 맥기어의 주장은 어느 정도 옳다. 그러나 규칙 기반 논리가 정서적 공감의 부족을 보충하는 것은 아니다. 고기능 자폐 아동은 규칙 기반 논리를 통하여 인지적 공감의 부족분을 채워서 정서적 공감을 표출할 수 있게 된다고 추측하는 방안이 보다 합당하다.

(A. Senland, 개인적 대화, 2010년 2월 16일)

이상으로 우리는 자폐증에서 공감 결핍에 대한 보다 세심한 견해들을 살펴보았다. 그러나 *DSM-V*에 제시된 새로운 가이드라인에는 장애 진단 기준이 다시 변경되었고, 지금까지 연구 발견상의 해석은 새로운 도전에 직면했다(Greenberg, 2012).

미디어에서의 도덕성

자폐 스펙트럼 장애인을 다룬 영화 목록에 관심이 있다면, www.autism,com/index.php/news_movies를 방문하길 바란다(이들 중 많은 것들이 현재 DVD로 제작되었다). 내가 개인적으로 좋아하는 영화 중 하나는 〈모차르트와 고래(*Mozart and the Whale*)〉로 아스퍼거 증후군을 가진 두 젊은이의 실제 사랑 이야기를 영화로 만든 비극 영화다. 이 영화는 두 젊은이가 관계를 형성하면서 마주하는 일들을 생동감 있는 색채로 담아냈다. 한편, 교실에서 학생들과 함께 관람한 창의적인 벨기에 영화 〈벤 엑스(*Ben X*)〉(Bouckaert & Balthazar, 2007)도 흥미로웠다. 괴롭힘을 당하는 자폐증 환자 주인공이 온라인 게임의 세계 속으로 도망간다는 내용이다.

사이코패스의 공감 및 도덕 발달. 자폐 스펙트럼 장애에 속하는 사람들이 타인의 정서를 이해하여 옳음을 행하려고 분투하는 것과 반대로 사이코패스는 타인의 정서에 대해 상당한 수준의 이해력을 보여 준다. 키엘(Kiehl, 2008)은 치료적 관점에서 사이코패스를 "공감, 죄책감, 자책, 진지함, 책임감, 행동 통제력이 근본적으로 결여된 인간 성격"(p. 119)이라고 묘사한다.

우리는 양심이나 도덕성이 현저하게 부족한 사람을 사이코패스라고 생각한다. 그런 사람들은 "사회에서 [평균보다] 과도하게 많은 반복적인 범죄와 폭력"(Kiehl, 2008, p. 122)에 대한 책임이 있다. *DSM-IV*와 *DSM-V* 모두에서 반사회적 행동을 반사회적 인격의 분류 기준으로 사용한다. 반면에 헤어 PCL-R(Hare Psychopathy Checklist-Revised)에서는 전문가들이 병리의 주요 특성이라고 여기는 정서적, 대인 관계적(interpersonal) 특성을 측정한다. 예를 들어, 지나친 자존감, 냉담하다고 평가할 수 있을 정도의 낮은 공감, 그리고 교활하게 타자를 이용하는 특성이 여기에 해당한다. 헤어 PCL-R에서는 사이코패스의 두 가지 특성을 말한다. 하나는 (1) 대인 관계적이고 정서적인 요인이고, 다른 하나는 (2) 사회적 이탈 요소다. "*DSM-V*에 대해 제안된 수정 버전에서는 더 많은 대인 관계적 · 정서적 요인을 포함할 것을 고려하고 있지만, 아직 반영되지는 않았다"(L. Kuntz, 개인 교신, 2013년 12월 2일).

사이코패스가 부변연계(paralimbic system) 기능 장애로 인해 발생한 증상이라는 많은 증거에도 불구하고(Kiehl, 2008, p. 148), 일련의 연구들은 생물학적 치료에 대한 어떤 제안도 하고 있지 않다. 언변이 화려하고 멋진 외모를 가졌지만, "청소년 범죄," "범행의 치밀성," "난잡한 성생활," "부적절한 부부관계," "병적 거짓말"(Hare, 2003)에 별다른 죄책감이나 심각함을 느끼지 못하는 사이코패스들이 사회에 미치는 영향을 생각해 보자. 사이코패스가 자신을 형사 사법 제도를 가볍게 뛰어넘는 존재라고 간주하는 것은 별로 놀랍지 않다.

고기능 자폐아의 도덕 발달 양상과 사이코패스의 도덕 발달 양상은 다르다. 고기능 자폐증의 경우에는 공감적 고려와 질서에 대한 욕망의 프로파일이 (비록 정상인과 다르기는 하지만) 긍정적인 도덕 발달의 길을 향한 가능성을 제공하는 반면, 지적으로는 이상이 없지만 도덕적 행동에 문제가 있는 사이코패스의 경우 치료 전문가들에게 효과적인 임상적 개입 방법을 찾아 적용해 보도록 한다. 간단하게 정리하자면, 자폐아는 치료받은 후에 거짓말을 할 수 있지만, 사이코패스는 치료받지 않고도 거짓말을 할 수 있다(Kiehl, 2008, p. 120). 사이코패스는 옳고 그름을 말할 수 있지만, 잘못된 행동을 선택한다.

정신 건강 전문가인 해리스와 라이스(Harris & Rice, 2006)는 현재 사용되는 사이코패스 치료법의 효과에 의심을 제기한다. 그것은 a) (집중 치료에 대한) 적합한 평가가 부재하고, b) 특정한 장애에 대한 효과적인 치료법이 부족하며, c) 어떤 치료법도 효과가 없었기 때문이다 — 우리는 사이코패스를 치료하기보다는 단지 격리할 수 있을 뿐이다. 정신역학, 통찰, 정서 유발 치료법 모두 효과가 없다고 밝혀졌고, 사이코패스들의 상습 범행 비율은 증가하고 있다. 사이코패스의 뇌 발달 차이에 주목한다면, 향후 사이코패스의 위험 행동을 줄여 주는 약을 생각해 볼 수 있을 것이다. 그러나 지금으로서는 해리스와 라이스의 조언을 따르는 수밖에 없다. 만약 한 사이코패스가 범죄를 저질렀고 미래 범죄 행동 위험이 높을 때, 감옥과 같은 제도적 대응은 다음과 같이 설계되어야 한다. 사이코패스를 교정할 때에는 자기 보고로 내면을 관찰하면 안 된다. 사이코패스의 행동에 근거한 명시적인 경제적, 지속적 결과를 보여 주어야 한다.

해리스와 라이스는 사이코패스 치료에 비관적이다. 그러나 우리가 발달적 관점을 가지고 사이코패스가 될 위험이 높은 반사회적 청소년을 교육한다면 어떻게 될까?

반사회적 행위와 EQUIP 프로그램

깁스와 연구진들은 청소년의 책임 있는 행동력과 사고력을 고양시키는 교육 프로그램을 수십 년째 개발, 실행, 평가하고 있다. 깁스가 개발하고 있는 프로그램은 동료 도움법(peer-help approach. 예를 들어 Gibbs, 2010; Gibbs, Potter, & Goldstein, 1995)을 주요 기법으로 삼고 있으며, 이론적·연구적 기반을 모두 만족시키는 프로그램이다. 깁스는 이 프로그램에 참가한 청소년들이 자기 본위의 인지 왜곡을 감소시키고 도덕적 추론의 수준과 사회 기술을 향상시킴으로써, 궁극적으로 청소년의 반사회적 행동이 줄어들기를 의도한다. EQUIP 프로그램은 미국, 캐나다, 네덜란드에서 효과를 보고하고 있다. 이 외에도 프로그램의 효과를 입증하는 증거들이 있다.

형사 사법 시스템 안팎에서 반사회적 아동을 상담하는 상담가는 반사회적 행동을 범한 청소년의 경우, 높은 재범 비율을 보이기에 치료하는 데 어려움을 느낄 것이다. 이들은 깁스의 책 『도덕 발달과 실재』(2012)에서, 관련된 이론이 명료하게 정리되어 있고, 반사회적 행동 교정과 이해에 필요한 전반적인 요건들이 담겨 있음을 발견할 것이다. 깁스는 행동 장애나 반항 장애[2]와 같은 반사회적 행위의 패턴

2. Oppositional Defiant Disorder(ODD): 누군가에게 거부감·적대감을 나타내거나 반항적인 행동을 보이는 양상이 최소 6개월 이상 지속되고 또 그러한 행동이 사회적·학업적 성취에 큰 지장을 주며 같은 또래에 비해 문제 행동의 빈도가 더 높은 증상을 의미함: 옮긴이.

학문 분야 리더들과의 인터뷰: **존 깁스**(John C. Gibbs)

하버드 대학교 졸업, 1972, 오하이오 주립대학교 발달심리학과 교수

깁스는 도덕 판단력 및 인지 왜곡 평가, 그리고 반사회적 청소년들에 대한 교육 프로그램 개발에 힘써 왔다. 그의 평가 및 프로그램은 영국과 미국뿐 아니라 프랑스, 독일, 이탈리아, 대만, 스페인, 네덜란드 등의 나라에서도 널리 사용되고 있다. 깁스 외 공저자들은 EQUIP 프로그램으로 1998 Reclaiming Children and Youth Spotlight on Excellence Award를 수상했다. 그는 오하이오 주지사 직속 청소년 정의위원회의 일원이자 질병통제예방센터의 사회 인지 훈련 스터디 그룹(Social Cognitive Training Study Group)의 일원이다. 행동 장애를 대상으로 하는 교육 프로그램뿐만 아니라 발달 이론, 사회적 인지 평가, 도덕성 발달 이론에 관심을 가져 『도덕 발달과 실재(*Moral Development and Reality: Beyond the Theories of Kohlberg and Hoffman*)』와 『도덕적 성숙(*Moral Maturity: Measuring the Development of Sociomoral Reflection*)』 등을 저술하거나 공동 저술했다.

도덕 발달 이론과 적용 분야에서 일을 한 지난 시간이 깁스에게 어떤 의미로 다가오는지를 질문했을 때, 깁스는 이론, 연구, 치료를 가로질렀던 시간, "치료사이자 평가자 모두"를 경험하는 도중에 발전시켜 왔던 생각을 들려주었다. 그는 "중증 행동 장애" 판정을 받은 청소년들의 반사회적 행동을 교정하는 학교에서 연구하던 초기에 "학교는 도덕성 발달 단계가 낮은 학생들에 대한 교육보다는 행동 장애 청소년들의 반사회적 행동 장애를 교정하는 역할에 집중하고 있다"고 생각했다. "콜버그의 발달 단계는 학교 현장의 행동주의 경향을 훌륭하게 지적했어요." 치료사들과 함께 작업하면서 그는 곧 긍정적인 동료 문화, 분노 관리 및 분노 조절 프로그램, 그리고 사회적 기술 프로그램을 융합한다. 그러나 그는 그 프로그램들이 "너무 스파르타적, 즉 너무 행동에 집중되어 있음"을 발견한다. 깁스는 EQUIP가 사회적 기술을 향상시키는 한편, "보다 인지적이고, 보다 구조적이고, 보다 긍정적인" 공감을 자극하여 "고양된 인성"을 발달시킨다고 자부한다.

(J. Gibbs, 개인 교신, 2013년 4월 30일)

에 대한 선행 연구에서 반사회적이고 공격적인 아동들이 세 가지 문제성 있는 경향을 공유하고 있다는 사실을 일관되게 기술하고 있다는 것에 주목한다. 그 세 가지는 정지된 도덕적 · 사회-정서적 발달, 타자를 비난하는 경향, 그리고 문제를 효과적으로 해결하는 기술의 부재다. 깁스(2010)는 이를 3D라고 명명했다.

- 도덕 판단력의 발달 **지연**(*delay*)
- 자기 본위적 인지 **왜곡**(*distortions*)
- 사회적 기술 **부족**(*deficiences*) (p. 129)

나의 지도 학생 중 한 명은 깁스가 잘못과 "문제"를 사전에 파악할 수 있도록 개발한 자기평가 문항(예를 들어, 낮은 자기 이미지, 권위와 관련된 문제, 쉽게 분노하기 혹은 약물이나 알코올 문제 등)과 같은 특별 활동지를 포함한 것을 유별나게 높이 평가한다. 자기평가에 앞서서 참여자에게 본 평가가 EQUIP 개입을 위해 사용됨을 공지한다. 예를 들어, 자아 중심적 사고의 경우 다음과 같은 의미로 정의된다.

> 당신은 자신의 생각과 감정이 다른 사람의 그것에 비하여 굉장히 중요하다고 생각할 것이다. 당신은 타자의 느낌에 관심이 없거나 … 당신이 지금 당장 원하는 데에만 관심을 기울인다. 심지어 당신은 자신의 행동으로 인하여 당신 자신이나 타인에게 미칠 영향이 무엇인지 전혀 생각하지 않는다.
>
> (Gibbs, 2010, p. 158)

측정 결과는 전형적인 이차적 사고 문제, 즉 그릇된 낙인, 최악의 가정, 타자에 대한 비난 등에 대한 파악과 관련된다. 활동을 마무리하면서 참가자들은 자신의 그릇된 인지가 무엇이며, 그릇된 인지 중 자신이 자주 활용하는 인지는 무엇인지 답변한다.

EQUIP 교육과정은 고도로 구조화된 상호 도움 프로그램으로 총 31개 장으로 구성되어 있다. 그리고 이 교육과정은 수감된 청소년과 불안전한 가정에 있는 청소년들에게 유용하다. 각 장의 목표는 청소년에게 성숙한 도덕 판단, 분노 조절 및 문제 인식 바로잡기, 사회적 기술 등 세 가지 "맞춤형 교육"을 제공하는 것이다. EQUIP에 참가하면서 반사회적 성향을 가진 청소년들은 서로를 도와가며 자신의 문제 행동과 왜곡된 인지를 정확하게 알고, 부족한 바를 채워 줄 수 있는 기술들을 실천해 본다. 결과적으로, 프로그램은 청소년들이 세상에 친사회적으로 대응하고 효과적으로 적응할 수 있는 인격을 형성시키는 것을 목적으로 한다.

실천가들을 위한 함의

현재까지 깁스(2010)의 EQUIP는 비행 청소년을 대상으로 실시되었다. 발달상 결핍을 해소하기 위해 고안한 몇 가지 프로그램은 사이코패스의 치료에 효과를 기대할 수준의 구조화된 완성도를 보여 준다. EQUIP 프로그램 참여 기간에 교수자와 동료 집단은 공격자의 인지적 왜곡에 지속적으로 직면한다. 그리고 해로운 행동을 하는 이기적 인지 왜곡(self-serving cognitive distortions)이 "다른 생각이 아니라 그릇된 생각이며, 잘못된 가정이나 결론으로부터 발생했고, 부적절하며, 잘못된 생각의 결과이기 때문에 교정이 필요하다는 것"을 인지할 수 있도록 교수한다(J. Gibbs, 개인 교신, 2012년 2월 28일). 심각한 수준의 공격성을 보유한 사람을 위한 사회적 관점 채택 과정과 관련하여, 깁스(2010)는 비록 EQUIP가 반사회적 청소년들에게 효과가 있다는 것을 보고하지만, 심각하고 만성적인 공격 성향을 가진 사람에게 적용하기 위해서는 강화와 보완이 필요하다고 말한다. 예를 들어, 범죄 재연 프로그램은 해로운 행동을 한 사람의 합리화 장벽을 뚫고, 그가 희생자들의 관점을 채택할 수 있도록 설계되었다. 이 프로그램의 결정적인 성과는 해로운 행동을 한 사람의 회한을 이끌어 낸다는 점이다(p. 182). 깁스는, 그러나 사회적 역할 채택 프로그램의 지원을 받아온 심각한 공격 성향을 가진 사람이 곧 사이코패스는 아니라고 덧붙인다(J. Gibbs, 개인 교신, 2012년 2월 28일). 따라서 프로그램 마지막 단계에서 이들이 보이는 회한이 사이코패스에게 동일하게 나타나는지는 알 수 없다.

고기능의 자폐 아동을 대상으로 실시되는 도덕교육은 이제 막 시작되었다. 이 시점에서 우리는 센랜드의 연구를 참고해야 하는데, 그에 따르면 고기능 자폐 아동 상담가, 교사, 부모는 아동의 정서적 공감 및 타인을 진정으로 고려하는 마음을 포착하고 지지해야 한다고 강조한다. 고기능 자폐 아동은 전문가의 도움을 받는다면 특정한 인지 전략을 사용하여 효과적으로 그들의 감정을 적절한 행동으로 전환할 수 있다. 센랜드와 히긴스(Senland & Higgnins-D'Alessandro, 2013)는 공감과 도덕 발달 연구에서 10대들을 인터뷰했다. 그 결과, 10대들은 실제로 자신이 행동한 수준보다 좋은 도움 행동을 실행하고 좋은 사람이라고 자평한다고 밝혔다. 많은 경우, 안전한 환경에서 대본이나 역할 놀이를 실행할 때, 자폐 스펙트럼 증상 아동들은 "거짓말을 할 수 있는 수준"까지 발달한다. 그러나 이처럼 구조화되고, 일상적이며, 예측 가능한 상황이 필요한 자폐 스펙트럼 장애 아동에게 현실은 지나치게 복잡하고 변화무쌍하다는 점에 유의해야 한다. 아스퍼거 증후군을 가진 청소년에 대해 다룬 해던(Haddon, 2003)의 멋진 소설 『한밤중에 개에게 일어난 의문의 사건』에서 자폐 스펙트럼 장애를 앓는 주인공 크리스토퍼는 인간의 복잡다단함에 대해 숨 막혀 하며 이렇게 말한다.

> 내가 가장 좋아하는 꿈은 지구상에 모든 사람들이 바이러스에 걸려서 죽는 거예요. 물론 이 바이러스는 그냥 바이러스가 아니죠. 이건 컴퓨터 바이러스 같아야 해요. 감염된 사람이 어떤 말을 할 때, 행동을 할 때, 표정을 지을 때 이 모든 행위에 대한 의미를 파악하는 사람은 전염되는 거죠. … 마침내 지구에 살아남은 사람들은 다른 사람의 얼굴을 보지 않고, 이따위 그림(일련의 이모티콘을 넣은 그림)이 무슨 의미가 있는지 모르는 나 같은 사람들이죠. 살아남은 사람들은 알아서 살아가겠죠. 그리고 그들은 오카피 같아서, 맞아요 콩고 정글에 사는 그 부끄럼쟁이 동물요. 나는 그들을 볼 일이 없죠. (pp. 198-199)

요약하자면, 최근 연구들은(예를 들어, Baron-Cohen, 2011) 신경 과학의 성과가 공감 결핍의 다양한 증상을 보이는 사람들에게 적합한 프로그램 개발에 기여할 것이라고 예상한다. 이는 자폐 스펙트럼 장애, 사이코패스 등에 속하는 사람들뿐 아니라 자기도취자, 경계성 장애를 가진 사람들을 위한 프로그램 개발도 가능함을 보여 준다. 그러는 동안에 신경학적으로 비전형적인 사람들의 도덕적, 공감적 발달을 촉진시키기 위한 시도들은 유아 단계에 있고, 보다 효과적인 개입에 대한 주의 깊은 경험적 평가와 반복을 기다리고 있다.

토론 문제

1. 사이코패스에게 자유의지가 있나? 당신의 입장을 지지하기 위해 제시할 수 있는 근거는 무엇인가?
2. 해던(Haddon)의 소설에서 크리스토퍼는 10대 주인공으로 주변 환경에 쉽게 휩쓸릴 뿐 아니라 있는 그대로 받아들인다. 학교에서 "수상한 낯선 이"에 대해서 배우면 그는 기차에 칼을 가지고 탑승한다. 칼이 낯선 이로부터 그를 지키는 방법이라고 생각하기 때문이다. 법적인 문제를 제외하더라도, 당신은 크리스토퍼가 칼로 다른 사람을 위협하거나 공격한다면 그에게 도덕적인 책임을 물을 수 있는가? 당신의 의견 및 근거는 무엇인가?

추가 자료

- 나는 이론가들과 연구자들의 목소리를 직접 들을 수 있는 기회를 갖는 것은 언제나 매력적이라고 생각해 왔다. 오늘날 기술의 발달은 주요 인사들의 강연을 집에서 시청할 수 있게 만들었다. 이 책을 쓰면서 구글에 "반두라와 비도덕적 행동"을 검색해 보았는데, http://ozloop.org/video/alber-bandura-discuses-moraldisengagement를 포함해서 많은 사이트를 찾을 수 있었다.

- 자폐 스펙트럼 장애 중 고기능에 속하는 사람들의 세계관을 알고 싶다면 본문에서 인용한 소설을 추천한다. Haddon, M. (2003). *The Curious Incident of the Dog in the Night-time*, New York, NY: Doubleday.
- 당신이 베트남 여자아이를 찍어서 퓰리처상을 수상한 사진과 관련된 지난 40년의 후속 이야기를 알고 싶다면 다음 사이트를 방문하라. http://abcnews.go.com/blogs/headlines/2012/06/the-historic-napalm-girl-pulitzer-image-makrs-its-40th-anniversary/

11. 결론

*

어떻게 살고 무엇을 할 것인가?

당신이 변하지 않는 한
세상은 바뀌지 않는다.
새로운 세계는 당신의 변화로부터 열린다.

(Ben Okri, "Mental Flight")

1997년 개최된 AME(Association for Moral Education) 콜버그 기념 강연에서 길리건(1998)은 콜버그와 학문적으로, 개인적으로 교류했던 시절을 회상했다. 그녀는 1960년대에 학생들이 톨스토이가 제기한 "어떻게 살아야 하는가, 무엇을 할 것인가?"라는 물음을 마음에 품은 채 반전운동, 여성운동 등을 펼쳐 나갔음을 증언했다. 지금과 그때가 무엇이 다르겠는가? 2008년 세계 금융 위기를 마주하여 나는 학생들이 의미 있는 활동과 돈이 되는 활동 사이에서 갈팡질팡하고 있는 광경을 목격했다. 또한 내 주변 교수들은 직장과 가정 사이에서 균형을 유지하려고 애쓰고 있다. 한편, 거시적인 문제들, 예를 들어 기후 변화, 증오 범죄, 전쟁, 가난, 기아, 질병 등 산적한 문제들에 대해 냉소하지는 않더라도 정신적 마비(psychic numbing) 증세를 보이는 많은 사람을 보고 있다. 이 모든 문제에도 불구하고 도덕성 발달과 도덕교육을 통하여 '어떻게 살아가고, 무엇을 해야 하는지' 답변하려는 동료들이 옆에 있는 것을 보니 나는 참 행운아라는 생각이 든다. 나와 동료들은 도덕적으로 성숙한 젊은이 혹은 시민은 자신이 윤리적인 삶을 살아갈 뿐 아니라 가족, 공동체, 사회의 문제들에 목소리를 내고, 주변인들에게 선한 영향을 주는 사람이라는 것을 알고 있다.

제1장에서 나는 이 책의 저술 동기를 다음과 같이 밝힌 바 있다.

> 적용(application)을 강조하는 이 글은, 여러분이 자신의 실천력을 향상시키기 위해 책을 읽는 전문직 종사자든지, 아니면 수강하고 있는 강좌에서 책을 읽는 학생이든지 간에, 이론과 우리 시대에 긴급한 도덕적 이슈를 연결해 나갈 것이라는 진정한 기대를 반영한다. 나의 궁극적 목적은 도덕 발달 분야의 일부 아이디어들을 여러분 자신의 직업적 삶에 적용해 보려는 동기를 촉진시키는 정도까지 여러분의 관심을 촉발시키는 것에 있다. 모든 수준에서의 도전들, 즉 가족들의 압박에 맞서는 상황에서부터 테러리즘, 집단 학살, 그리고 전쟁이라는 국제적인 재앙들에 이르기까지 도전들로 가득 찬 세상에서 우리는 정의와 배려를 촉진시키는 데 헌신하는 핵심 조력 전문가 그룹을 필요로 한다.

그렇다면 당신이 도덕 발달 이론 및 실제를 당신의 일상생활과 업무로 통합시키는 방법은 정확하게 무엇인가? 시공간을 막론하고 사람들이 정의와 배려의 중요성에 동의하는 현상을 볼 때, 사람들이 정의와 배려를 어떻게 이해하고 있는지 짚어 볼 필요가 있다. 내 경험을 돌이켜 볼 때, 손자들과 함께 한 자리에서 모든 가족들은 6개월 된 손녀딸을 충분하게 배려하고 있었다. 우리 모두는 손녀딸에게 웃어 주며, 다정하게 말을 하고, 껴안아 주고, 손녀딸의 음식 투정, 잠투정을 모두 들어주었다. 3살 난 손녀에게 정의란, 사랑스러운 6개월 아기가 받는 관심의 정도와 양육 시간을 동일하게 받는 것이다. 반면에 8살 손자는 당신이 예상하는 수준보다 더 복잡한 정의와 배려의 관점을 표현한다. 우리가 손자가 즐겨 보는 만화에 빠져 있을 때, 그는 아기가 더 많은 관심을 요구하는 것을 눈치 채고 담요를 가져왔다. (그리고 손자는 그를 칭찬하는 사람에게 씩 웃어 주었다!) 정리하자면, 손자는 다른 사람의 필요를 알아차리고 그에 응할 수 있었다. 그리고 손녀는 아직까지 손자만큼 다른 사람에 대해 알아차리지 못할지라도 곧 손자를 닮아 갈 것이다.

아동들의 발달적 문제에 따른 적절한 대응은 굉장한 일이다. 버코위츠가 말한 "변색된 동전들(the tarnished pennies)," 즉 분노하고, 잔혹하며, 반항적인 아이들에게 발달 수준에 적합한 대응을 하기란 더더욱 어렵지만, 그들도 결국 우리를 가장 필요로 하는 존재다. 도덕 전문가로서 당신은 다양한 인간 군상과 마주할 것이며, 사람들마다 도덕 민감성, 동기화, 추론 능력, 행동력이 다르다는 것을 알 것이다. 당신은 교사일 수도 있고, 법원에서 청소년을 위해 일할 수도 있으며, 청소년 돌보미이거나 상담사일 수도 있다. 나는 청소년을 대하는 당신의 반응이 도덕적으로 연관된 행동일 수 있는 반응임을 인지하기를 바란다. 당신은 상처 입은 아이들, 분노한 죄수, 외로운 어른의 이야기를 듣고 있는 사람이다. 학부 교수로 재직 중일 때, 학생들에게 아동들은 모두 "쿨한 어른(cool auntie)"을 필요로 한다는 것을 인식하기를 바란다고 말하곤 했다. 쿨한 어른이란, 아동을 있는 그대로 수용하고 가능성을 믿어 주는 사람이다. 스프린탈은 "도전하고 지지하라"고 말했다. 도전하고 지지하는 태도는 도덕 발달을 촉진하는 쿨한 어른의 반응이며, 독자가 업무 중에 간직하기를 바라는 최고의 무기다.

요약하자면, 도덕 발달 이론은 다른 사람을 이해할 수 있도록 돕는다. 도덕교육과 발달적 상담 개입과 실천은 삶을 성장시키고, 문제를 예방하고, 과거를 치유한다. 독자들이 인간 행복의 측면에서 무엇이 가능한가에 대한 비전을 갖기 위해 여기서 제시한 적용들을 활용하기 바란다.

나는 도덕성 발달을 최대한 촉진하는 작업의 중요성을 역설하는 이유를 밝히면서 이 장을 마무리하려고 한다. 카뮈(A. Camus)는 혐오의 시대(확실히 우리가 살아가고 있는 그런 시대)에 지성인들의 역할은 "마음을 진정시키고 광신을 멈추게 하는 방식으로 언어의 의미를 설명하는 것"이라고 역설했다(Suleiman, 2013). 콜버그로 돌아와서 설명하자면, 도덕 추론 수준이 향상될수록 보다 복잡한 관점을 가지고, 추론의 다양한 근거를 파악할 수 있다. 인간의 역사를 돌이켜 볼 때, 많은 사람들이 2단계나 3단계 이상으로 도덕성을 발달시킬 기회를 가진 순간은 짧았다. 교육과 성장의 기회는 인류사의 긴 시간 동안 통제되었다. 순종적인 군중(masses servile)을 만들기 위해서는 불복종에 대한 벌을 강조하여 사람들을 1단계에 머무르도록 전략을 사용하면 된다. 사람들을 2단계에 머무르게 한다면 눈에는 눈, 이에는 이를 강조하며 전쟁과 복수의 정의관이 횡행한다.

대다수의 사람들이 3단계에 있다면, 우리는 친사회적인 행동을 기대할 수도 있다. 만약 하이트(2012)가 옳다면, 우리는 부족에 중점을 둘 개연성이 높다. 콜버그는 이런 식의 사고가 갖는 한계를 인식하고 있었다. 하지만 우리는 더 이상 소규모 부족으로 살아가지 않으며, 전 지구적으로 연결된 하나의 인류 공동체이다. 우리 모두는 흐름을 거슬러 올라가서 살아갈 수 없다. 중서부 지역의 공해는 북동부 코네티컷 해안에 스모그를 발생시키고 있다. 기후변화, 전쟁, 인구과잉, 핵 확산 등의 문제는 인습 단계 사고와 같은 단순한 방식으로 해결할 수 없다.

그렇다면 우리는 어떻게 살고, 무엇을 할 것인가? 이 책을 통해, 나는 모든 아동들에게 최적의 도덕 발달을 촉진시키는 것이 첫 단계라는 것을 주장해 왔다. 물론 아동의 도덕성 발달이 충분조건은 아니다. 우리는 아동의 도덕성 발달이 일어나는 공동체에 대한 관심으로 나아가야 한다. 스트레스는 도덕성을 포함한 모든 발달을 저해할 뿐이다. 여러분이 성숙한 도덕적 민감성의 지점에 도달할 때, 안전한 공동체와 사회가 인권의 기반임이 분명해진다. 학교에서 아이들에게 덕(virtue)을 가르친 후, 그 아이들을 총격의 위험이 도사리고 있고, 마약 상인이 호객 행위를 하고, 성범죄자가 어슬렁거리는 사회로 내보낸다면, 우리의 일을 다했다고 생각할 수 있을까?

도덕 발달 이론가들은 보다 높은 수준에서 복잡하게 도덕적 추론을 할 수 있는 능력이 우리가 직면한 수많은 문제를 해결하는 적합한 방식이라고 역설한다. 제8장에서 공부한 바와 같이 사회 정서 학습 이론과 도덕교육 프로그램은 인지적 복잡성뿐만 아니라 "우리"의 범위 확장에도 기여하고 있다. 그러나 복합적인 도덕 추론에 대한 과도한 집중은 곧 하이트의 반박(2012)에 부딪혔다. 하이트는 정의와 배려는 위계, 충성/종족주의, 신성/순결을 포함하는 도덕적 전통과 동등한 수준에서 고려해야 한다고 주장한다. 우리가 우월주의의 함정에서 벗어나 문화적 전통을 존중할 뿐 아니라 약자를 존중하는 세계를 만들기 위해서 해야 할 일은 무엇일까? 결코 쉽게 해결되지 않는 윤리적 문제다. 나는 당신에게 내 생각을 전달할 수는 있지만, 이것은 나의 해답이지 당신의 해답은 아니다. 당신은 당신만의 해답을 찾아 나서야 한다.

여러분은 제6장에서 언급된 윤리학 교수인 로버트 맥널티(Robert McNulty)가 모든 사회(그리고 주요 종교들)는 정의와 배려를 주요하게 다루고 있지만, 이것이 모든 사람에게 적용되는가, 아니면 일부 사람에게 적용되는가에 있어 차이가 있다고 가정했던 것을 기억할 것이다. 내가 동의하는 인류애의 관점은 단지 하나의 해답 — 모든 사람을 정의롭게 대하며, 배려하라 — 이 존재한다고 강조한다. 인류애의 관점에서, 도덕적인 사람은 모든 사람의 기본 욕구를 만족시키기 위해 분투하며 그들의 인권을 존중해야 한다.

자, 그렇다면 도덕 발달의 궁극적인 목적은 무엇일까? 내 생각에 그 목적은 콜버그의 도덕성 발달 개념이나 호프먼의 성숙한 공감 혹은 하이트의 다중적 세계관에 대한 관용 및 도덕성 기반 이상의 것이 되어야 한다. 내가 보기에 우리가 도달해야 하는 목표는 선행 연구에서 드물게 언급되어 온 것이며 많은 삶의 경험 및 모든 삶의 일부인 불가피한 고통 없이는 도달 가능성이 낮은 것이라고 믿는다. 내 아이들, 손자 손녀, 학생, 독자들에 대한 나의 기대는 그들이 지향해야 할 목표가 지혜, 즉 복잡한 도덕적 사고를 거쳐 여과된 인간 선/배려/공감이라는 것이다. 우리는 세이건(1988)의 "사랑이 가장 훌륭한 교육자다"라는 논평과 함께 도덕 발달에 대한 탐구를 시작했다. 나는 이것이 또한 목적지로 매우 적합한 지점이라고 생각한다.

참고 문헌

Amaral, D. G., Schumann, C. M., & Nordahl, C. W. (2008). Neuroanatomy of autism. *Trends in Neurosciences*, 31(3), 137-145.

Bandura, A. (1999). Moral disengagement in the perpetration of inhumanities. *Personality and Social Psychology Review* [Special issue], 3(3), 193-209. doi:10.1207/s15327957pspr0303_3

Bandura, A. (2002). Selective moral disengagement in the exercise of moral agency. *Journal of Moral Education*, 31(2), 101-119. doi:10.1080/0305724722014322

Baron-Cohen, S. (2011). *The science of evil: On empathy and the origins of cruelty*. New York, NY: Basic Books.

Baskin, T. W., & Enright, R. D. (2004). Intervention studies on forgiveness: A meta-analysis. *Journal of Counseling & Development*, 82(1), 79-90.

Bender, L. (Producer), & Van Sant, G. (Director). (1997). *Good Will Hunting* [Motion picture]. United States: Miramax Home Entertainment.

Bendjelloul, M., & Chinn, S. (Producers), & Bendjelloul, M. (Director). (2012). *Searching for Sugarman* [Motion picture]. United States: Sony Pictures Classics.

Berkowitz, M. W. (2002). The science of character education. In W. Damon (Ed.), *Bringing in a new era in character education* (pp. 43-64). Stanford, CA: Hoover Institution Press.

Berkowitz, M. W. (2011). What works in values education. *International Journal of Educational Research*, 50(3), 153-158.

Berkowitz, M. W., Battistich, V. A., & Bier, M. C. (2008). What works in character education: What is known and what needs to be known. In L. P. Nucci & D. Narvaez (Eds.), *Handbook of moral and character education* (pp. 414-430). New York, NY: Routledge.

Berkowitz, M. W., & Bier, M. C. (2006). *What works in character education: A research-driven guide for educators*. Washington, DC: Character Education Partnership.

Berkowitz, M. W., Schaeffer, E. F., & Bier, M. C. (2001). Character education in the United States. *Education in the North, New Series*, 9, 52-59.

Blasi, A. (1980). Bridging moral cognition and moral action: A critical review of the literature. *Psychological Bulletin*, 88(1), 1-45.

Blasi, A. (2004). Moral functioning: Moral understanding and personality. In D. K. Lapsley & D. Narvaez (Eds.), *Moral development, self, and identity* (pp. 335-348). Mahwah, NJ: Lawrence Erlbaum Associates.

Blasi, A. (2009). The moral functioning of mature adults and the possibility of fair moral reasoning. In D. Narvaez and D. K. Lapsley (Eds.), *Personality, identity, and character: Explorations in moral psychology* (pp. 396-440). New York, NY: Cambridge University Press.

Bock, T. (2001). *Ethical judgment: Activity booklet 2 — Nurturing character in the middle school classroom*. Notre Dame, IN: Darcia Narvaez.

Bouckaert, P. (Producer), & Balthazar, N. (Director). (2007). *Ben X* [Motion picture]. Belgium-Netherlands: MMG Film & TV Production.

Boustead, K. (2007). The French headscarf law before the European Court of Human Rights. *Journal of Transnational Law and Policy*, 16(2), 167-196.

Broughton, J. M. (1983). Women's rationality and men's virtues: A critique of gender dualism in Gilligan's theory of moral development. *Social Research*, 50(3), 597-642.

Brown, P., Corrigan, M. W., & Higgins-D'Alessandro, A. (Eds.). (2012). *Handbook of prosocial education*. Lanham, MD: Rowman & Littlefield.

Cáceda, R., James, G. A., Ely, T. D., Snarey, J., & Kilts, C. D. (2011). Mode of effective connectivity within a putative neural network differentiates moral cognitions related to care and justice ethics. *PLoS ONE* 6(2): e14730. doi:

10.1371/journal.pone.0014730

Centers for Disease Control and Prevention. (2012). Prevalence of autism spectrum disorders — Autism and developmental disabilities monitoring network, 14 sites, United States, 2008. *Morbidity and Mortality Weekly Report*, 61(SS-03), 1-19.

Chapman, M. (1988). *Constructive evolution: Origin and development of Piaget's thought*. Cambridge, UK: Cambridge University Press.

Chodorow, N. J. (1978). *The reproduction of mothering: Psychoanalysis and the sociology of gender*. Berkeley: University of California Press.

Cohen, M. (2007, April 1). France uncovered [Review of the book *Why the French don't like headscarves: Islam, the state, and public space*]. *The New York Times*. Retrieved from www.nytimes.com/2007/04/01/books/review/Cohen.t.html

Colby, A., & Damon, W. (1992). *Some do care: Contemporary lives of moral commitment*. New York, NY: The Free Press.

Colby, A., & Kohlberg, L. (1987). *The measurement of moral judgment: Vol. 1. Theoretical foundations and research validation*. New York, NY: Cambridge University Press.

Damon, W. (1988). *The moral child: Nurturing children's natural moral growth*. New York, NY: The Free Press.

Davidson, M., Lickona, T., & Khmelkov, V. (2008). Smart & good schools: A new paradigm for high school character education. In L. P. Nucci & D. Narvaez (Eds.), *Handbook of moral and character education* (pp. 370-390). New York, NY: Routledge.

de Saint-Exupéry, A. (1943/1971). *Le petit prince*. New York, NY: Harcourt, Brace & World.

DeVries, R. & Zan, B. (1994). *Moral classrooms, moral children: Creating a constructivist atmosphere in early education*. New York, NY: Teachers College Press.

de Waal, F. (1996). *Good natured: The origins of right and wrong in humans and other animals*. Cambridge, MA: Harvard University Press.

de Waal, F. (2011). *Moral behavior in animals*. Retrieved from www.ted.com/talks/frans_de_waal_do_animals_have_morals.html

Dewey, J. (1916). *Democracy and education*. New York, NY: Macmillan.

Durkheim, E. (1961). *Moral education: A study in the theory and application of the sociology of education*. New York, NY: The Free Press.

Eagly, A. H. (2009). The his and hers of prosocial behavior: An examination of the social psychology of gender. *American Psychologist*, 64(8), 644-658.

Elkind, D., & Flavell, J. H. (Eds.). (1969). *Studies in cognitive development: Essays in honor of Jean Piaget*. New York, NY: Oxford University Press.

Endicott, L. (2001). *Ethical sensitivity: Activity booklet 1 — Nurturing character in the middle school classroom*. Notre Dame, IN: Darcia Narvaez.

Enright, R. D., Freedman, S. R., & Rique, J. (1998). The psychology of interpersonal forgiveness. In R. D. Enright & J. North (Eds.), *Exploring forgiveness* (pp. 46-62). Madison, WI: University of Wisconsin Press.

Enright, R. D., & North, J. (Eds.). (1998). *Exploring forgiveness*. Madison, WI: University of Wisconsin Press.

Epstein, S. (1990). Cognitive-experiential self-theory. In L. A. Pervin (Ed.), *Handbook of personality theory and research: Theory and research* (pp. 165-192). New York, NY: Guilford Press.

Epstein, S. (1994). Integration of the cognitive and the psychodynamic unconscious. *American Psychologist*, 49(8), 709-724.

Epstein, S. (2003). Cognitive-experiential self-theory of personality. In T. Millon & M. J. Lerner, (Eds.), *Handbook of psychology: Vol. 5. Personality and social psychology* (pp. 159-184). Hoboken, NJ: Wiley & Sons.

Erikson, E. H. (1968). *Identity: Youth and crisis*. New York, NY: Norton.

Fengyan, W. (2004). Confucian thinking in traditional moral education: Key ideas and fundamental features. *Journal of Moral Education*, 33(4), 429-447. doi:10:1080/0305724042000327984

Flack, J. C., & de Waal, F. B. M. (2000). 'Any animal whatever.' Darwinian building blocks of morality in monkeys and apes. *Journal of Consciousness Studies*, 7(1-2), 1-29.

Flavell, J. H. (1963). *Developmental psychology of Jean Piaget*. Princeton, NJ: D. Van Nostrand.

Flavell, J. H. (1982). On cognitive development. *Child Development*, 53(1), 1-10.

Flavell, J. H., Miller, P. H., & Miller, S. A. (2002). *Cognitive development* (4th ed.).

Upper Saddle River, NJ: Prentice-Hall.

Fowler, J. W., Snarey, J., & DeNicola, K. (1988). *Remembrances of Lawrence Kohlberg: A compilation of the presentations given at the service of remembrance for Lawrence Kohlberg at Memorial Church, Harvard University*, on May 20, 1987. Atlanta, GA: Center for Research in Faith and Moral Development.

Frederickson, B. L. (2013, March 23). Your phone vs. your heart. *The New York Times*. Retrieved from www.nytimes.com/2013/03/24/opinion/sunday/your-phone-vs-your-heart.html

Freud, S. (1923). *The ego and the id*. (Standard ed., 19). London, UK: Hogarth Press.

Freud, S. (1930). *Civilization and its discontents*. (Standard ed., 21). London, UK: Hogarth Press.

Frimer, J. A., & Walker, L. J. (2008). Towards a new paradigm of moral personhood. In D. C. Reed (Ed.), Towards an integrated model of moral functioning [Special issue]. *Journal of Moral Education*, 37(3), 333-356. doi: 10.1080/03057240802227494

Frisancho, S., Moreno-Gutiérrez, M. C., & Taylor, M. (Eds.). (2009). Moral and citizenship education in Latin America: Towards reconciliation, community development and democracy [Special issue]. *Journal of Moral Education*, 38(4).

George, T. (Producer), & George, T. (Director). (2005). *Hotel Rwanda*. United Kingdom: Lion's Gate Entertainment and United Artists.

Gibbs, J. C. (1995). The cognitive-developmental perspective. In W. M. Kurtines & J. L. Gewirtz (Eds.), *Moral development: An introduction* (pp. 27-48). Needham Heights, MA: Allyn & Bacon.

Gibbs, J. C. (2010). *Moral development and reality: Beyond the theories of Kohlberg and Hoffman* (2nd ed.). Boston, MA: Allyn & Bacon.

Gibbs, J. C., Basinger, K. S., & Fuller, D. (1992). *Moral maturity: Measuring the development of sociomoral reflection*. Hillsdale, NJ: Lawrence Erlbaum.

Gibbs, J. C., Moshman, D., Berkowitz, M. W., Basinger, K. S., & Grime, R. L. (2009). Taking development seriously: Critique of the 2008 *JME* special issue on moral functioning. *Journal of Moral Education*, 38(3), 271-282.

doi:10.1080/03057240903101432

Gibbs, J. C., Porter, G. & Goldstein, A. P. (1995). *The EQUIP program: Teaching youth to think and act responsibly though a peer-helping approach*. Champaign, IL: Research Press.

Gilligan, C. (1982). *In a different voice: Psychological theory and women's development*. Cambridge, MA: Harvard University Press.

Gilligan, C. (1998). Remembering Larry. *Journal of Moral Education*, 27(2), 125-140.

Gilligan, C., Ward, J. V., & Taylor, J. M. (Eds.). (1988). *Mapping the moral domain: A contribution of women's thinking to psychological theory and education*. Cambridge, MA: Harvard University Graduate School of Education.

Gilligan, C., & Wiggins, G. (1987). The origins of morality in early childhood relationships. In J. Kagan & S. Lamb (Eds.), *The emergence of morality in young children* (pp. 277-305). Chicago, IL: Chicago University Press.

Gilligan, J. (1976). Beyond morality: Psychoanalytic reflections on shame, guilt, and love. In T. Lickona (Ed.), *Moral development and behavior: Theory, research, and social issues* (pp. 144-158). New York, NY: Holt, Rinehart and Winston.

Gorn, E. J. (Ed.). (1998). *The McGuffey readers: Selections from the 1879 edition*. New York, NY: Bedford/St. Martins.

Greenberg, G. (2012, January 29). Not diseases, but categories of suffering. *New York Times*, p. A23.

Haddon, M. (2003). *The curious incident of the dog in the night-time*. New York, NY: Doubleday.

Haidt, J. (2001). The emotional dog and its rational tail: A social intuitionist approach to moral judgment. *Psychological Review*, 108(4), 814-834.

Haidt, J. (2008). *The moral roots of liberals and conservatives*. Retrieved from www.ted.com/talks/jonathan_haidt_on_the_moral_mind.html

Haidt, J. (2012). *The righteous mind: Why good people are divided by politics and religion*. New York, NY: Pantheon Books.

Halstead, J. M. (Ed.). (2007a). Islamic values and moral education [Special issue]. *Journal of Moral Education*, 36(3).

Halstead, J. M. (Ed.). (2007b). Islamic values: A distinctive framework for moral education? *Journal of Moral Education*, 36(3), 283-296.

Halstead, R. W. (2007). *Assessment of client core issues*. Alexandria, VA: American Counseling Association.

Hare, R. D. (2003). *The Hare Psychopathy Checklist-Revised*. 2. Toronto, Ontario: Multi-Health Systems.

Harris, G. T., & Rice, M. E. (2006). Treatment of psychopathy: A review of empirical findings. In C. Patrick (Ed.), *Handbook of psychopathy* (pp. 555-572). Thousand Oaks, CA: Sage Publications.

Hayes, R. L. (1991). Counseling and clinical implications of Kohlberg's developmental psychology. In L. Kuhmerker (Ed.), *The Kohlberg legacy for the helping professions* (pp. 173-187). Birmingham, AL: R.E.P. Books.

Hayes, R. L. (1994). The legacy of Lawrence Kohlberg: Implications for counseling and human development. *Journal of Counseling & Development*, 72(3), 261-267.

Hayes, R. L., & Paisley, P. O. (2002). Transforming school counseling preparation programs. *Theory into Practice*, 41 (3), 169-176.

Henrich, J., Heine, S. J., & Norenzayan, A. (2010). The weirdest people in the world? *Behavioral and Brain Sciences*, 33, 61-83; discussion 83-135. doi:10.1017/S0140525X0999152X

Higgins, A. (1995). Educating for justice and community: Lawrence Kohlberg's vision of moral education. In W. M. Kurtines & J. L. Gewirtz (Eds.), *Moral development: An introduction* (pp. 49-82). Needham Heights, MA: Allyn & Bacon.

Higgins-D'Alessandro, A. (2010). The transdisciplinary nature of citizenship and civic/political engagement evaluation. *Handbook of research on civic engagement in youth*, 559-592.

Hoffman, M. L. (1981). Is altruism part of human nature? *Journal of Personality and Social Psychology*, 40(1), 121-137.

Hoffman, M. L. (2000). *Empathy and moral development: Implications for caring and justice*. Cambridge, UK: Cambridge University Press.

Hogan, R., & Emler, E. (1995). Personality and moral development. In W. M. Kurtines & J. L. Gewirtz (Eds.), *Moral development: An introduction* (pp. 209-228). Needham Heights, MA: Allyn & Bacon.

Horan, J. M., Higgins-D'Alessandro, A., Vozzola, E. C., & Rosen, J. (2010, May). *A qualitative analysis of student alumni reflective adult perceptions of the impact of a just community school (1972-2008)*. Poster presentation to the 22nd Annual Convention of the Association for Psychological Science (APS), Boston, MA.

Inhelder, B., & Piaget, J. (1964). *The early growth of logic in the child*. New York, NY: Harper & Row.

Jacobs, T. (2012, March/April). My morals are better than yours. *Miller-McCune*, 68-70.

Jaffe, S., & Hyde, J. S. (2000). Gender differences in moral orientation: A meta-analysis. *Psychological Bulletin*, 126, 703-726.

Kagan, J. (1998). Morality and its development. In W. Sinnott-Armstrong (Ed.), *Moral psychology: Vol. 2. The cognitive science of morality: Intuition and diversity* (pp. 297-312). Cambridge, MA: MIT Press.

Kahneman, D. (2003). A perspective on judgment and choice: Mapping bounded rationality. *American Psychologist*, 58(9), 697-720.

Katz, L. D. (Ed.). (2000). *Evolutionary origins of morality: Cross-disciplinary perspectives*. Exeter, UK: Short Run Press.

Kegan, R. (1982). *The evolving self: Problem and process in human development*, Cambridge, MA: Harvard University Press.

Kennett, J. (2002). Autism, empathy and moral agency. *The Philosophical Quarterly*, 52(208), 340-357.

Kiehl, K. A. (2008). Without morals: The cognitive neuroscience of psychopaths. In W. Sinnott-Armstrong (Ed.), *Moral psychology (Vol. 3): The neuroscience of morality: emotion, brain disorders, and development* (pp. 119-149). Cambridge, MA: MIT Press.

Killen, M., & Smetana, J. (Eds.), (2006). *Handbook of moral development*. Mahwah, NJ: Lawrence Erlbaum Associates.

Killen, M., & Smetana, J. (Eds.). (2014). *Handbook of moral development* (2nd ed.). New York, NY: Psychology Press.

Klatt, J. S., & Enright, R. D. (2011). Initial validation of the unfolding forgiveness process in a natural environment. *Counseling and Values*, 56(1-2), 25-42.

Kohlberg, L. (1976). Moral stages and moralization: The cognitive-developmental approach. In T. Lickona (Ed.), *Moral development and behavior: Theory, research, and social issues* (pp. 31-53). New York, NY: Holt, Rinehart and Winston.

Kohlberg, L. (1981). *Essays on moral development: Vol. 1. The philosophy of moral development*. New York, NY: Harper and Row.

Kohlberg, L. (1984). *Essays on moral development: Vol. 2. The psychology of moral development*, New York, NY: Harper and Row.

Kohlberg, L. (1986). My personal search for universal morality. *Moral Education Forum*, 11(1), 4-10.

Kramer, P. D. (2006). *Freud: Inventor of the modern mind*. New York, NY: HarperCollins.

Krebs, D. (2000). As moral as we need to be. In L. D. Katz (Ed.), *Evolutionary origins of morality: Cross-disciplinary perspectives* (pp. 139-143). Exeter, UK: Short Run Press.

Krebs, D. L. (2011). *The origins of morality: An evolutionary account*. Oxford, UK: Oxford University Press.

Kuhmerker, L. (1991). *The Kohlberg legacy for the helping professions*. Birmingham, AL: R.E.P. Books.

Kuhn, T. S. (1970). *The structure of scientific revolutions* (2nd ed.). Chicago, IL: University of Chicago Press.

Kurtines, W. M., & Gewirtz, J. L. (Eds.). (1995). *Moral development: An introduction*. Needham Heights, MA: Allyn & Bacon.

Lapsley, D. K. (1996). *Moral psychology*. Boulder, CO: Westview Press.

Lapsley, D. K. (2006). Moral stage theory. In M. Killen & J. Smetana (Eds.),' *Handbook of moral development* (pp. 37-66). Mahwah: NJ: Lawrence Erlbaum Associates.

Lapsley, D. K., & Narvaez, D. (Eds.). (2004). *Moral development, self, and identity*. Mahwah, NJ: Lawrence Erlbaum Associates.

Leming, J. S. (2008). Research and practice in moral and character education: Loosely coupled phenomena. In L. P. Nucci & D. Narvaez (Eds.), *Handbook of moral and character education* (pp. 134-157). New York, NY: Routledge.

Levine, P., & Higgins-D'Alessandro, A. (2010). Youth civic engagement: Normative issues. *Handbook of Research on Civic Engagement in Youth*,

115-137.

Lickona, T. (Ed.). (1976). *Moral development and behavior: Theory, research, and social issues*. New York, NY: Holt, Rinehart and Winston.

Lickona, T. (2004). *Character matters: How to help our children develop good judgment, integrity, and other essential virtues*. New York, NY: Touchstone Books.

Lickona, T., & Davidson, M. (2005). *Smart and good high schools: Integrating excellence and ethics for success in school, work, and beyond*. Washington, DC: Character Education Partnership.

Lies, J., & Narvaez, D. (2001). *Ethical motivation: Activity booklet 3 — Nurturing character in the middle school classroom*. Notre Dame, IN: Darcia Narvaez.

McAdams, D. P. (1993). *The stories we live by: Personal myths and the making of the self*. New York, NY: Guilford Press.

McAdams, D. P. (2009). The moral personality. In D. Narvaez & D. K. Lapsley (Eds.), *Personality, identity, and character: Explorations in moral psychology* (pp. 11-29). New York, NY: Cambridge University Press.

McGeer, V. (2008). Varieties of moral agency: Lessons from autism (and psychopathy). In W. Sinnott-Armstrong (Ed.), *Moral psychology (Vol. 3): The neuroscience of morality: emotion, brain disorders, and development* (pp. 227-257). Cambridge, MA: MIT Press.

McNulty, J. K., & Fincham, F. D. (2011). Beyond positive psychology? Toward a contextual view of psychological processes and well-being. *American Psychologist*, 67(2), 101-110. doi:10.201037/a0024572

Maosen, L., Taylor, M. J., & Shaogang, Y. (Eds.). (2004). Moral education in changing Chinese societies [Special issue]. *Journal of Moral Education*, 33(4).

Mead, G. H. (1934). *Mind, self and society*. Chicago, IL: University of Chicago Press.

Metz, T., & Gaie, J. B. R. (2010). The African ethic of Ubuntu/Botho: Implications for research on morality. *Journal of Moral Education*, 39(3), 273-290. doi: 10.1080/03057240.2010.497609

Moralfoundations.org. Retrieved from http://faculty.virginia.edu/haidtlab/mft/index.php

Moreno-Gutiérrez, M. C., & Frisancho, S. (2009). Transitions to democracy: The role of moral and citizenship education in Latin America. *Journal of Moral Education*, 38(4), pp. 391-406. doi:10.1080/03057240903321881

Narvaez, D. (2001). Moral text comprehension: Implications for education and research. *Journal of Moral Education*, 30(1), 43-54.

Narvaez, D. (2006). Integrative ethical education. In M. Killen & J. Smetana (Eds.), *Handbook of moral development* (pp. 703-732). Mahwah, NJ: Lawrence Erlbaum Associates.

Narvaez, D. (2008a). Human flourishing and moral development: Cognitive and neurobiological perspectives of virtue development. In L. Nucci & D. Narvaez (Eds.), *Handbook of moral and character education* (pp. 310-327). New York, NY: Routledge.

Narvaez, D. (2008b). Triune ethics: The neurobiological roots of our multiple moralities. *New Ideas in Psychology*, 26, 95-119.

Narvaez, D. (2009). Triune ethics theory and moral personality. In D. Narvaez & D. K. Lapsley (Eds.), *Personality, identity, and character: Explorations in moral psychology* (pp. 136-158). New York, NY: Cambridge University Press.

Narvaez, D. (2010). Moral complexity: The fatal attraction of truthiness and the importance of mature moral functioning. *Perspectives on Psychological Science* 5(2), 163-181.

Narvaez, D. (2011). Neurobiology, moral education and moral self-authorship. In D. J. de Ruyter & S. Miedema (Eds.), *Moral education and development* (pp. 31-43). Rotterdam, Netherlands: Sense.

Narvaez, D., Endicott, L., Bock, T., & Lies, J. (2009). *Nurturing character in the classroom, EthEx series*. Notre Dame, IN: ACE Press.

Narvaez, D., & Lapsley, D. K. (Eds.). (2009). *Personality; identity, and character: Explorations in moral psychology*. New York, NY: Cambridge University Press.

Narvaez, D., Schiller, R., Gardner, J., & Staples, L. (2001). *Ethical action: Activity booklet 4 — Nurturing character in the middle school classroom*. Notre Dame, IN: Darcia Narvaez.

Narvaez, D., & Vaydich, J. L. (2008). Moral development and behaviour under the spotlight of the neurobiological sciences, *Journal of Moral Education*, 37(3), 289-312. doi:10.1080/03057240802227478

Noam, G. (1988a). The theory of biography and transformation: Foundation for a clinical-developmental therapy. In S. Shirk (Ed.), *Cognitive development and child psychotherapy* (pp. 273-317). New York: Plenum.

Noam, G. G. (1988b). A constructivist approach to developmental psycho-pathology. *New Directions for Child and Adolescent Development*, 39, pp. 91-121.

Noam, G. G., & Malti, T. (2008). Responding to the crisis: RALLY's developmental and relational approach. *New Directions for Youth Development*, 120, 31-55. doi:10.1002/yd.284

Noddings, N. (1984). *Caring, a feminine approach to ethics and moral education*. Berkeley: University of California Press.

Noddings, N. (1992). The challenge to care in schools: All alternative approach to education. New York, NY: Teachers College Press.

Noddings, N. (2002). *Educating moral people: A caring alternative to character education*. New York, NY: Teachers College Press.

Noddings, N. (Ed.). (2005). *Educating citizens for global awareness*. New York, NY: Teachers College Press.

Noddings, N. (2008). Caring and moral education. In L. P. Nucci & D. Narvaez (Eds.), *Handbook of moral and character education* (pp. 161-174). New York, NY: Routledge.

North, J. (1998). The "ideal" of forgiveness: A philosopher's exploration. In R. D. Enright & J. North (Eds.), *Exploring forgiveness* (pp. 15-34). Madison, WI: University of Wisconsin Press.

Nucci, L. P. (2001). *Education in the moral domain*. Cambridge, UK: Cambridge University Press.

Nucci, L. P. (2008). Social cognitive domain theory and moral education. In L. P. Nucci & D. Narvaez (Eds.), *Handbook of moral and character education* (pp. 291-309). New York, NY: Routledge.

Nucci, L. P. (2009). *Nice is not enough: Facilitating moral development*. Upper Saddle River, NJ: Pearson.

Nucci, L. P., & Narvaez, D. (Eds.). (2008). *Handbook of moral and character education*. New York, NY: Routledge.

O'Toole, K. (1998, February 4). Noddings: Toknowwhatmatterstoyou,observeyouractions. *fxStanford online Report*. Retrieved from http://news-service.stanford. edu/news/1998/february4/noddings.html

Paisley, P. O., Bailey, D. F., Hayes, R. L., McMahon, H. G., & Grimmett, M. A. (2010). Using a cohort model for school counselor preparation to enhance commitment to social justice. *The Journal for Specialists in Group Work*, 35(3), 262-270. doi:10.1080/01933922.2010.492903

Paisley, P. O., & Hubbard, G. T. (Eds.). (1994). *Developmental school counseling: From theory to practice*. Alexandria, VA: American Counseling Association.

Paisley, P. O., & Milsom, A. (2006). Group work as an essential contribution to transforming school counseling, *The Journal for Specialists in Group Work*, 32(1), 9-17. doi:10.1080/01933920600977465

Parry, M. (2012, January 29). Jonathan Haidt decodes the tribal psychology of politics, The Chronicle of Higher Education. Retrieved from http://chronicle.com/article/Jonathan-Haidt-Decodes-the/130453/

Perry, W. G., Jr. (1970). *Forms of intellectual and ethical development in the college years: A scheme*. New York, NY: Holt, Rinehart, and Winston.

Piaget, J. (1928). *Judgment and reasoning in the child*. London, UK: Routledge & Kegan Paul.

Piaget, J. (1932/1997). *The moral judgment of the child*. New York, NY: The Free Press.

Piaget, J. (1936). *The origins of intelligence in the child*. London, UK: Routledge & Kegan Paul.

Piaget, J. (1960). The general problem of the psychobiological development of the child. In J. M. Tanner & B. Inhelder (Eds.), *Discussions on child development* (Vol. 4, pp. 3-27). New York, NY: International Universities Press.

Plato. (380 B.C.E.). *Meno*. Retrieved from classics.mit.edu/Plato/meno.html

Pollan, M. (2013, May 19). Some of my best friends are germs. *New York Times Magazine*, 36-43, 50, 58-59.

Power, F. C., & Higgins-D'Alessandro, A. (2008). The just community approach to moral education and the moral atmosphere of the school. In L. P. Nucci & D. Narvaez (Eds.), *Handbook of moral and character education* (pp. 230-

247). New York, NY: Routledge.

Power, F. C., Higgins, A., & Kohlberg, L. (1989). *Lawrence Kohlberg's approach to moral education*. New York, NY: Columbia University Press.

Puka, B. (Ed.). (1994). *Moral development: A compendium*. New York, NY: Garland Press.

Reed, D. C. (1994, November). *Interpersonal community and impersonal justice: On the problem Lawrence Kohlberg's account of morality was meant to address*. Presentation to the Association for Moral Education (AME), Banff, Alberta, Canada.

Reed, D. C. (1997). *Following Kohlberg: Liberalism and the practice of democratic community*. South Bend, IN: Notre Dame Press.

Reed, D. C. (2008a). A model of moral stages. *Journal of Moral Education*, 37(3), pp. 357-376. doi:10.1080/03057240802227759

Reed, D. C. (Ed.). (2008b). Towards an integrated model of moral functioning [Special issue]. *Journal of Moral Education*, 37(3).

Reed, D. C. (2009). A multi-level model of moral functioning revisited. *Journal of Moral Education*, 38(3), pp. 299-313. doi:10.1080/03057240903101523

Reiman, A. J., & Thies-Sprinthall, L. (1998). *Mentoring and supervision for teacher development*. New York, NY: Longman.

Rest, J. R. (1983). Morality. In J. H. Flavell & E. Markham (Eds.), *Handbook of child psychology: Vol. 3. Social, emotional, and personality development* (4th ed., pp. 556-629). Hillsdale, NJ: Lawrence Erlbaum Associates.

Rest, J. R. (1986). *Moral development: Advances in research and*. New York, NY: Praeger.

Rest, J. (1991). Kohlberg in perspective: A backward and a forward look. In L. Kuhmerker (Ed.), The Kohlberg legacy for the helping professions (pp. 201- 204). Birmingham, AL: R.E.P. Books.

Rest, J. R., & Narvaez, D. (Eds.). (1994). *Moral development in the professions: Psychology and applied ethics*. Hillsdale, NJ: Erlbaum.

Rest, J., Narvaez, D., Bebeau, M. J., & Thoma, S. J. (1999). *Postconventional moral thinking: A neo-Kohlbergian approach*. Hillsdale, NJ: Lawrence Erlbaum.

Rideout, V. C., Foehr, U. G., & Roberts, D. F. (2010). *Generation M: Media in the lives of 8-18 year-olds*. Menlo Park, CA: Henry J. Kaiser Family Foundation.

Ridley, M. (1996). *The origins of virtue: Human instincts and the evolution of cooperation*, New York, NY: Penguin Books.

Rowling, J. K. (1998). *Harry Potter and the chamber of secrets*. London, UK: Bloomsbury.

Sagan, E. (1988). *Freud, women, and morality: The psychology of good and evil*. New York, NY: Basic Books.

Santrock, J. W. (2010). *Adolescence* (13th ed.). Boston, MA: McGraw-Hill.

Schwary, R. L. (Producer), & Redford, R. (Director). (1980). *Ordinary people* [Motion picture]. United States: Paramount.

Selman, R. L. (1976). Social-cognitive understanding: A guide to educational and clinical practice. In T. Lickona (Ed.), *Moral development and behavior: Theory, research, and social issues* (pp. 299-316). New York, NY: Holt, Rinehart and Winston.

Selman, R. L. (2003). *The promotion of social awareness: Powerful connections from the partnership of developmental theory and classroom practice*. New York, NY: Russell Sage Foundation.

Selman, R. L., & Hickey Schultz, L. (1990). *Making a friend in youth: developmental theory and pair therapy*. Chicago, IL: University of Chicago Press.

Selman, R. L., & Kwok, J. (2010). Informed social reflection: Its development and importance for adolescents' civic engagement. In L. R. Sherrod, J. Torney-Purta, & C. A. Flanagan (Eds.), *Handbook of research on civic engagement in youth* (pp. 651-683). Hoboken, NJ: Wiley & Sons.

Senland, A. K., & Higgins-D'Alessandro, A. (2013). Moral reasoning and empathy in adolescents with autism spectrum disorder: Implications for moral education. *Journal of Moral Education*, 42(2), 209-223. doi:10.1080/03057240.2012.752721

Sherblom, S. (2008). The legacy of the 'care challenge': Re-envisioning the outcome of the justice-care debate. *Journal of Moral Education*, 37(1), 81-98. doi: 10.1080/03057240701803692

Shweder, R. A. (1991). *Thinking through cultures: Expeditions in cultural psychology*. Cambridge, MA: Harvard University Press.

Shweder, R. A., Mahapatra, M., & Miller, J. G. (1987). Culture and moral development. In J. Kagan & S. Lamb (Eds.), *The emergence of morality in young children* (pp. 1-82). Chicago, IL: University of Chicago Press.

Shweder, R. A., Minow, M., & Markus, H. R. (Eds.). (2002). *Engaging cultural differences: The multicultural challenge in liberal democracies*. New York, NY: Russell Sage Foundation.

Simon, M. (Producer), & Bill, T. (Director). (1980). *My bodyguard* [Motion picture]. United States: Melvin Simon Productions.

Sinnott-Armstrong, W. (Ed.). (2008). *Moral psychology: Vol. 3. The neuroscience of morality: emotion, brain disorders, and development*. Cambridge, MA: MIT Press.

Sizer, T. R., & Sizer, N. F. (1999). *The students are watching: Schools and the moral contract*. Boston, MA: Beacon Press.

Skinner, B. F. (1948). *Walden two*. Indianapolis, IN: Hackett.

Smetana, J. G. (2006). Social-cognitive domain theory: Consistencies and variations in children's moral and social judgments. In M. Killen & J. Smetana (Eds.), *Handbook of moral development* (pp. 119-154). Mahwah, NJ: Lawrence Erlbaum Associates.

Smith, M. D. (2004). Nel Noddings, the ethics of care and education. *The encyclopedia of informal education*. Retrieved from www.infed.org/thinkers/noddings.htm.

Snarey, J., & Samuelson, P. (2008). Moral education in the cognitive developmental tradition: Lawrence Kohlberg's revolutionary ideas. In L. P. Nucci & D. Narvaez (Eds.), *Handbook of moral and character education* (pp. 53-79). New York, NY: Routledge.

Sprinthall, N. A. (1994). Counseling and social role taking: Promoting moral and ego development. In J. R. Rest & D. Narvaez (Eds.), *Moral development in the professions: Psychology and applied ethics* (pp. 85-99). Hillsdale, NJ: Lawrence Erlbaum Associates.

Sprinthall, N. A., DeAngelis Peace, S., & Davis Kennington, P. A. (2001). Cognitive-developmental stage theories for counseling. In D. C. Locke, J. E. Myers, & E. L. Herr (Eds.), *The handbook of counseling* (pp. 109-129). Thousand Oaks, CA: Sage.

Stigler, J. W., Shweder, R. A., Herdt, G. (Eds.). (1990). *Cultural psychology: Essays on comparative human development*. New York, NY: Cambridge University Press.

Straughan, R. (1985/1994). Why act on Kohlberg's moral judgments? (Or how to reach stage 6 and remain a bastard). In B. Puka (Ed.), *Moral development: A compendium* (Vol. 4, pp. 169-177). Westport, CT: Garland Press.

Suleiman, S. R. (2013, May 12). The postcolonial: Albert Camus's writing on Algeria reveals both hope and dread [Review of the book *Algerian chronicles*]. *The New York Times Book Review*, p. 32.

Swartz, S. (Ed.). (2010a). Moral education in sub-Saharan Africa — Culture, economics, conflict and AIDS [Special issue]. *Journal of Moral Education*, 39(3).

Swartz, S. (Ed.). (2010b). The pain and the promise of moral education in sub-Saharan Africa. *Journal of Moral Education*, 39(3), 267-272.

Thiesmeyer, A., Lerner, A., Davidson, B., Dimbort, D., & DeMartini, F. (Producers), & Næss, P. (Director). (2005). *Mozart and the whale* [Motion picture]. United States: Nu Image.

Thoma, S. J. (1986). Estimating gender differences in the comprehension and preference of moral issues. *Developmental Review*, 6(2), 165-180.

Thoma, S. J. (1994). Moral judgments and moral action. In J. Rest & D. Narvaez (Eds.), *Moral development in the professions: Psychology and applied ethics* (pp. 199-212). Hillsdale, NJ: Lawrence Erlbaum Associates.

Thoma, S. J. (2002). An overview of the history of the Minnesota approach to morality research in moral development. *Journal of Moral Education*, 31 (3), 225-246. doi: 10.1080/0305724022000008098

Thoma, S. J. (2006). Research on the Defining Issues Test. In M. Killen & J. Smetana (Eds.), *Handbook of moral development* (pp. 67-92). Mahwah, NJ: Lawrence Erlbaum Associates.

Turiel, E. (1983). *The development of social knowledge: Morality and convention*, Cambridge, UK: Cambridge University Press.

Turiel, E. (2002). *The culture of morality: Social development, context, and conflict*. New York, NY: Cambridge University Press.

Turiel, E. (2008). Foreword. *Journal of Moral Education*, 37(3), 279-288. doi: 10.1080/03057240802227452

U.S. Department of Education, Office of Safe and Drug Free Schools, Office of Character Education and Civic Engagement. (2007). *Mobilizing for Evidence-Based Character Education*. Washington, DC: U.S. Dept. of Education, Office of Safe and Drug-Free Schools.

Vozzola, E. C. (1991). Gender influences on moral reasoning: An analysis of the Kohlberg/Gilligan controversy in a Kuhnian framework. *Conference*, 2(2), 22-28.

Vozzola, E. C. (1996). The Kohlberg paradigm and beyond. *New Ideas in Psychology* 14(2), 197-206.

Vozzola, E., Rosen, J., & Higgins-D'Alessandro, A. (2009, July). *Looking back: Student, teacher, and researcher reflections on the Scarsdale Alternative just community school (1972-2009)*. Symposium presentation to the 35th Conference of the Association for Moral Education, Utrecht, Netherlands.

Walker, L. J. (1984). Sex differences in the development of moral reasoning: A critical review. *Child development*, 55(3), 677-691.

Walker, L. J. (1989). A longitudinal study of moral reasoning. *Child Development*, 60, 157-166.

Walker, L. J. (2004). Gus in the gap: Bridging the judgment-action gap in moral functioning. In D. K. Lapsley & D. Narvaez (Eds.), *Moral development, self and identity* (pp. 1-20). Mahwah, NJ: Lawrence Erlbaum Associates.

Walker, L. J. (2006). Gender and morality. In M. Killen & J. Smetana (Eds.), *Handbook of moral development* (pp. 93-115). Mahwah, NJ: Lawrence Erlbaum Associates.

Walker, L. J., & Frimer, J. A. (2009). 'The song remains the same': Rebuttal to Sherblom's re-envisioning of the legacy of the care challenge. *Journal of Moral Education*, 38(1), 53-68. doi:10.1080/03057240802601599

Watters, E. (2013, March/April). We aren't the world. *Pacific Standard*, 6(2), 46-53.

Wright, R. (1994). *The moral animal: Why we are the way we are: The new science of evolutionary psychology*. New York, NY: Vintage Books.

Wynne, E. A., & Ryan, K. (1993). *Reclaiming our schools: A handbook on teaching character, academics, and discipline*. New York, NY: Merrill.

You, D., Maeda, Y, & Bebeau, M. J. (2011). Gender differences in moral sensitivity: A meta-analysis. *Ethics & Behavior*, 21(4), 263-282. doi:org/10.1080/10508422.2011.585591

Young, J. E., Klosko, J. S., & Weishaar, M. (2003). *Schema therapy: A practitioner's guide*. New York, NY: Guilford Press.

인명 찾아보기